U0105410

文獻研究叢書·圖書文獻學叢刊

古籍知識手冊

（二）

古代漢語知識

高振鐸　主編

目錄

1 文字

一、漢字形體的結構

㈠「六書」的名稱與次第

「六書」的名稱，始見於《周禮》。《周禮・地官》：「保氏掌國子，教之六藝，……五曰六書。」「保氏」是管教育的官名，「國子」指當時的卿大夫子弟。「六書」就是當時的貴族學校用來教學童識字的方法。《周禮》是戰國時期的儒家經典，說明在先秦時已有「六書」的概念。但《周禮》中只是籠統地提到了「六書」的總名，並沒有詳說「六書」的細目和內容。《周禮》所記的「六書」與漢代的「六書」在內容上是否大同小異或有無根本的不同，現在由於材料的局限，已很難說清了。一般論者都把《周禮》中關於「六書」的記載作爲緣起而與漢代的「六書」說連接起來。東漢關於「六書」的說法有三家：班固在《漢書・藝文志》裡說：「周官保氏掌養國子，教之六書，謂象形、象事、象意、象聲、轉注、假借。」經學家鄭衆在《周禮・保氏》的注文中認爲六書是象形、會意、轉注、處事、假借、諧聲。許慎在《說文解字・敍》中論及的六書是：指事、象形、形聲、會意、轉注、假借。以上三家之說，名稱和次第，都不完全相同，現列表如後：

班固 《漢書・藝文志》	象形　象事　象意　象聲　轉注　假借
鄭眾 《周禮・保氏》注	象形　會意　轉注　處事　假借　諧聲
許慎 《說文解字・敍》	指事　象形　形聲　會意　轉注　假借

「六書」是漢代或漢代以前學者研究古代文字歸納出來的條例，並不是預先定下這些原則而後造字，因此各家的看法有所不同。清代以後，學者論及「六書」，兼取各家之長，名稱多採用許慎的，而排列次第則採用班固的，定爲象形、指事、會意、形聲、轉注、假借。

㈡「六書」的定義與例字

許慎在《說文解字・敍》中，不僅給「六書」下了定義，還舉了例字。他說：「周禮八歲入小學，保氏教國子，先以六書：一曰指事。指事者，視而可識，察而見意，上下是也。二曰象形。象形者，畫成其物，隨體詰詘，日月是也。三曰形聲。形聲者，以事爲名，取譬相成，江河是也。四曰會意。會意者，比類合誼，以見指撝，武信是也。五曰轉注。轉注者，建類一首，同意相受，考老是也。六曰假借。假借者，本無其字，依聲託事，令長是也。」

根據古代漢字的產生、發展及其變化規律來看，漢字應該是先有獨體之文，後有合體之字。象形、指事都是獨體的文，其中像具體之形的必早於指抽象之事的，因此象形字應產生於指事字之前。會意、形聲都是合體之字。會意是並二文或多文而成字，合起來以形示意，應產生於象形、指事之後；形聲字一半表義類，一半表聲音，應在會意之後出現。至於轉注、假借，是概括著漢字分化、替代的規律，是在已有漢字的基礎上形成的，理應排在最後。像許慎那種排列次序，大多數學者是不能苟同的，但名稱與定義大都參用許慎的。

下面按象形、指事、會意、形聲、轉注、假借的順序，逐條加以闡述。

1. 象形

《說文・敍》說：「象形者，畫成其物，隨體詰詘，日月是也。」意思是：象形字就是描畫客觀實物之形，隨著那個客觀物體形狀的彎曲而彎曲，如日是圓的就畫作⊙，月經常是闕的，就畫作☽，使人一看就知道畫的是什麼。象形字都是畫的有形可象的客觀物體。

2. 指事

《說文・敍》說：「指事者，視而可識，察而見意，上下是也。」意思是：指事字，看到字形就可以認識，仔細觀察字形結構，就可以知道它指的是什麼意思。例如畫一物在另一物之上，以二表示，就是上字，畫一物在另一物之下，以⼆表示，就是下字。上、下兩個詞的詞義具有普遍性、概括性，不是指兩個具體物。有些字在象形字上加指示符號來表示詞義，這樣的字也是指事字，如朩（本）字用一短橫指樹根，亦（亦）字用兩點指示人的腋部，刃（刄）字用一點指示刀的鋒銳處等。

3. 會意

《說文・敍》說：「會意者，比類合誼，以見指撝，武信是也。」意思是：會意字是把兩個或兩個以上的象形字比並在一起，從它們的相互關係中會合出一個新的意思，例如「武」字从止从戈，許愼認爲用武的目的就是止息干戈，防止戰爭，所以用止戈兩字會合出武的意思；又如「信」字从人从言，因爲人說話信實不欺，是一種道德。會意字所表示的詞義多是抽象的，用象形、指事的辦法難以表示時便用會意來表示。

象形、指事、會意都是形象的構字方法，其中象形是最基本的一種，是其他各種方法的基礎。

4. 形聲

《說文·敍》說：「形聲者，以事爲名，取譬相成，江河是也。」意思是：形聲字，是選用與事物的義類相關的字作爲新字的形符，再選用與該詞讀音相近的字，作爲聲符，相拼而成爲形聲字。換句話說，一部分是它的表意符號，叫形符，另一部分是它的標音符號，叫聲符，相拼合而成爲新的形聲字。如江、河二字都是水名，故以水作形符，表示其意類；江與工古音同，河與可古音同，工與可都是標音符號，作爲聲符。形聲字的形符或聲符是以象形、指事、會意字作爲造字材料的，這些材料是現成的，選用起來很方便。因此形聲字造字功能最强，它在漢字中占的數量最多，漢代就已經占漢字總數的80%。因爲形聲字的形符表示詞的義類，因此通過形符來探求形聲字的本義是一條可用的線索。

5. 轉注

《說文·敍》說：「轉注者，建類一首，同意相受，考老是也。」對於轉注的理解，歷來說法不一，爭論很大。按《說文·敍》的定義，考、老屬於同一部首，都在老部，意義相關，讀音相近，就是轉注。考察考、老二字的來歷，在甲骨文中只有考字，寫作，凡男性老者都叫「考」。到了周代，金文中把家父叫「考」，而把一般男性老者叫「老」，可見「老」是從「考」中分化出來的。這種分化，是基於詞義的分化而連帶讀音的分化，相應的又在字形上進行部分調整而分化成兩個字，用來標誌分化後的兩個詞：考字表示家父，如《楚辭》：「朕皇考曰伯庸」；老字則表示一般的男性老者。而在甲骨文中，都是用一個「考」字表示的。像這類由於詞的分化而導致字形分化的情況，許慎稱爲轉注。

6. 假借

《說文·敍》說：「假借者，本無其字，依聲託事，令長是也。」意思是：口語裡有這個詞（包括全部虛詞和部分實詞），但是書面上沒有表示這個詞的字（因爲虛詞和某些實詞用象形、指事、會意的辦法很難造出字來），就借用一個現成的同音字來表示，這就是假借。不過許慎在《說文·敍》中舉令、長二字爲例是不妥的，因爲命令的令變爲縣令的令，長短的長變爲長官的長，在詞義發展上有血緣關係，都是詞義的引申，不是假借。假借只是由於詞的讀音相同而借用字形，在詞義上沒有什麼關係。例如古漢語中有個關聯副詞「亦」，沒有什麼實在意義，無形可象，無意可會，最初在口語裡有這個詞，在書面卻無這個字；而表示腋部的「亦」字與它讀音相同，就借來作關聯副詞的「亦」字使用。這種以不造字爲造字、借字表詞的方法，叫作假借。語言中許多意義抽象的實詞和虛詞，以及那些意義雖不抽象但很難據意造字的實詞，通過同音代替的方法，都可以在書面上找到自己的替身，爲漢字能夠全面承擔寫詞記言的任務解決了難題，開闢了道路。

㈢象形字分析舉例

口　甲骨文作，是人口的象形，嘴角向上提起，《說文》釋爲「人所以言食也」，就是人用來說話、吃飯的器官。

子　甲骨文作，象小孩，頭的比例很大，腦囟尙未封實，長著幾根毛髮的樣子，其兩隻腿、足正在頑皮地活動著。金文寫作，是小孩的側視形，兩臂張開，雙腿併在一起。

王　甲骨文作，金文寫作，象斧鉞鋒刄向下之形。在商周時代，斧鉞是一種兵器，也是用於大辟之刑的刑具，因此成爲王權和軍事統帥權的象徵物，古人就畫斧鉞之形來指稱王者。

止　甲骨文作，金文寫作，象腳掌腳趾相連之形，隸楷變爲止。最初是人腳的象形字，不是停止的止。

牛　甲骨文作，金文多寫作，牛鼎銘則寫作，更像正視的牛頭形。牛角上彎，特點突出。畫一個頭和角完全可以代表全牛。

犬　甲骨文作，金文寫作，小篆寫作，象狗的側視形，有頭、耳、身、足、尾。

斤　砍木的斧子叫做斤。金文寫，象以斧砍物之形。橫象斧頭，直象其柄，側象被砍之物。

戈　甲骨文作，金文寫作，象古代一種常用的兵器。

弓　甲骨文作，象弓有弦之形。

日　甲骨文作，金文寫作。甲骨文的筆畫細而方折，因甲骨文是刀刻的，金文是銅鑄的。總的形狀大同小異，象太陽的形狀，中間一點像黑子。

月　甲骨文作，金文寫作。日經常是圓的，所以畫成圓形；月經常是闕的，所以畫成月芽的形狀。

禾 甲骨文作，金文寫作，象莊稼有根有莖有葉，其穗下垂的樣子。

矢 矢就是箭，是古人遠射的武器。甲骨文作，金文寫作，上象箭頭，中象幹，下象括。

皿 器皿的皿字，甲骨文作，金文寫作，象碗碟之類器物，下有座、側有耳，中象器身之形。

瓜 小篆寫作，上象秧蔓，下象蔓上所結之瓜。

行 甲骨文作，金文寫作，象十字街道的樣子。

聿 甲骨文作，金文形略同。象毛筆之形，以手持筆爲聿。最初的筆字不從竹，加竹字頭的筆是後起的。

衣 甲骨文作，金文寫作，象古代上衣有領有袖的樣子。

而 甲骨文作，金文寫作，象鼻下有鬚之形。《說文》：「而，鬚也。」

㫃 甲骨文作，金文寫作，象旗桿上旗幟和旗游（飄帶）飄揚的樣子。㫃即旗的本字。

豆 甲骨文作，金文寫作，象古代盛肉食的器物。上象蓋，中象器容，下象底座。

身 金文寫作，象側立的人形，肚子很大。「身」就是「有身」之「身」，指腹中懷孕。

豕 甲骨文作，象豬的側視形，有頭、耳、腹、足、尾等。

車 甲骨文作，金文寫作，甲、金文還有另外多種繁簡不同的寫法，都象古車的一部分。其中象車衡與車軛，一豎爲車轅，象有輪有軸。金文後期簡化爲，與小篆、隸、楷等字形略同。

角 甲骨文作，金文寫作，象獸角之形，中曲線象紋理。

果 甲骨文作，象樹上結有果實之形。

虎 甲骨文作，金文寫作，象虎頭、身、嘴、足、尾之形，甲骨文虎身的斑紋可見，金文則齒爪突出。

宮 甲、金文並作，象宮內有室。室的數量不止兩個，多畫麻煩，就畫兩個代表。

冑 甲冑的冑，戰爭中刀兵相見時，戴在頭上起保護作用。金文寫作，象頭盔，金屬製作，上有纓飾。

壴 甲骨文作，金文寫作，是鼓的初文。中間象鼓形，下象放鼓的木架，上象裝飾。

泉 甲骨文作，象泉眼有水源源流出之形。

鬲 甲骨文作，金文寫作，象上古一種煮食物用的炊具，下面三足中空，可以充水，底下燒火。

馬 甲骨文作，金文寫作，象馬側視形。把它橫過來，就是一匹馬站在那裡，頭、身、尾、足、鬃都畫得很像。

壺 金文寫作，象古酒器形，深腹，小口，上有蓋，下有底座。

郭 甲骨文作，金文寫作，象內城外郭之形，四面有角樓，後省寫作兩個角樓，是城郭的郭字。

鹿 甲骨文作，金文寫作，象鹿有頭、頸、身、尾、足之形，突出其角，一看便知，像畫著一隻梅花鹿。

魚 甲骨文作，金文寫作，象魚形，連身上的鱗片都表現出來了。

鳥 甲骨文作，金文寫作，象鳥形，頭、喙、頸、爪、翼可見。

鬚 金文寫作，象人身，上面畫大其頭，頭上有，表示鬍鬚。如果單畫三根線條，很難說是鬍鬚，畫人身和人頭，頭上長彡，便是鬍鬚了。

象 甲骨文作，是一隻大象的形狀，有頭、身、足、尾，並突出長鼻和象牙。

晶　甲骨文作，象羣星之形，以三表多。晶是星的本字。

鼠　小篆寫作，象張嘴露齒大腹長尾的鼠形。

裘　甲骨文作，象古人穿的毛朝外的皮衣。即衣字，衣的外面有毛，寫作，就是皮裘的裘字。

黽　甲骨文作，象青蛙類動物，有頭、身和長長的前後腿。

鼎　甲骨文作，金文寫作。鼎是周代貴族烹煮肉食的器物、三足、兩耳、大腹，多是圓形。

箕　甲骨文作，金文寫作，象簸箕形，以竹編製。

齒　甲骨文作，象口中的門牙形，後來加聲符「止」，小篆寫作。

燕　甲骨文作，象燕子的全形。小篆寫作，尾巴變成了火，隸楷寫作燕，又變成四點了。

龠　甲骨文作，金文寫作，象竹管樂器形。或象編連的竹管，表示管端有孔可吹奏。

㈣指事字分析舉例

刃　刀刃的刃，从刀，一點指明刀具的鋒利之處。

寸　篆文作。从又，象右手形；一點指手腕下一寸之處，即中醫號脈之寸口。

中　甲骨文作，金文作，象旗幟，在旗桿上下等距的部位畫一個○，用以指明「中」的意思。

天　甲骨文作，金文寫作，下象正立的人形，上面的或，用以指明人的頭頂，「天」即最初的「顛」字。

本　即樹根。从木，木即樹；下一短橫指其根。

末　即樹梢。从木，上一橫指其梢。

朱　即樹幹。从木，一畫指於樹幹，謂幹心皆赤色。

亦　甲骨文作，从大，象正立人形，兩點指示兩腋之處。

「亦」即古「腋」字。

面 金文作，即百字，代表人頭，前面用線條指示面部。

上 甲骨文作，金文寫作，象物在物上之形。小篆作丄。

下 甲、金文作，象物在物下之形。小篆作丅。

一 一橫表示數目字一，甲、金文同。

二 積兩畫表示數目字二。甲、金文表示數目字的二三亖都積畫而成。

㈤會意字分析舉例

印 甲骨文作，金文寫作，从爪从卩。爪即手，卩象人跪之形。印就是古寫的抑字，抑是用手按，象以手按跪者之形。

北 甲、金文並作，象二人相背之形，以示反背之意。

囚 从人在囗中，表示人關在監牢裡。

有 金文寫作，从又持肉，又即手。遠古人獵取野獸，分而食之，故从又持肉，表示有肉之意。

字 从子在宀下。子是小孩。宀是房舍，甲骨文寫作，象房子形狀。宀內有子，表示小孩養在家裡。「字」是「孳」的初文。

次 即古涎字，从欠从水。从欠，金文偏旁寫作，象人張口的樣子。从水，表示張口流出口水意。羨字从羊从次，表示見羊肉而流口水之意。

步 甲骨文作，兩足一前一後，象步行狀。

男 古代耕田，男子是主要勞動力，故男字从力从田。

灾 从宀，下有火，家中起火，便是灾害。灾與災是異體字，災字取水火無情往往成災之意。

戒 篆文寫作，从兩手持戈，戈是古代兵器，象左右兩手，手持兵器有戒備意。

明　甲骨文作，小篆寫作，从月从囧，囧象窗有木棱之形，取月照窗明之意。甲骨文有从日从月寫作者，日月皆發光之物，从日从月即取日月之明，此形當早於从月从囧之形。

采　从爪在木上，木就是樹，爪象手從上向下抓之形，表示樹上有果可摘。采就是最初的「採」字。

初　从刀从衣，意思是做成衣服之前，先要用刀裁剪，表示開始、當初之意。

牧　甲骨文作，从牛从攴，或从羊从攴，攴象手持棍棒之類，表示放牧。

食　金文寫作，从亼从皀。上亼爲口之倒文，下皀象器中盛滿食物，以口食之。

苗　苗即禾苗之苗，是田裏長出來的，故从艸在田上，以示禾苗之意。

即　甲骨文作，皀象食具裡裝滿飯食，卩象坐著的人正在吃著，「即」是正在吃飯或正在進行什麼活動之意。

叜　甲骨文作，由宀、火、又三部分組成，象手持火把在室內搜尋，即「搜」的本字。

益　从水在皿上，器皿之內水盛多了，向外溢出，便是益字。益就是水多外溢之意。

臭　嗅覺的嗅，本寫作「臭」。从犬从自，自即鼻字的初文，甲骨文作，象人鼻形。犬鼻比人鼻更靈敏，故从犬从自，以表嗅之意。

涉　甲骨文作，象兩足前後涉過水流之意。

舀　金文作，从爪臼，象伸手掏取之意。

莫　甲骨文作，从日在茻中。茻表示草多，太陽落於草叢，表示夕陽西下，天快黑了。莫是暮的初文。

旣　甲骨文作，象人已經飲食完畢，張嘴調頭向後的樣子，表示已經吃完飯或已經做完了什麼事。

得 甲骨文作，象街路的省形，即貝字，从手持貝，象人在街路上有所得。

森 从三木，表示樹多之意。

寒 甲骨文作，象房屋，表示草多，象冰凍有裂紋。屋子裡有很多草，人鑽進草裡，附近有冰，表示寒冷。

鳴 鳥的叫聲爲鳴，鳥鳴便要張口，故从鳥从口，以會其意。

竄 竄是逃跑隱匿之意，从鼠在穴中。老鼠竄入洞穴，便隱匿起來了。

㈥形聲字分析舉例

芀 《說文》：葦華也。从艸，刀聲。

言 小篆作。《說文》：直言曰言，論難曰語。從口䇂聲。

放 《說文》：逐也。从攴，方聲。

帛 《說文》：繒也。从巾，白聲。

風 《說文》：八風也……風動蟲生。从蟲，凡聲。

苦 《說文》：大苦苓也。从艸，古聲。

俗 《說文》：習也。从人，谷聲。

盼 《說文》：詩曰美目盼兮。从目，分聲。

校 《說文》：木囚也。从木，交聲。

眛 《說文》：目不明也。从目，末聲。

奢 《說文》：張也。从大，者聲。

理 《說文》：治玉也。从玉，里聲。

笨 《說文》：竹裡也。从竹，本聲。

梯 《說文》：木階也。从木，弟聲。

側 《說文》：旁也。从人，則聲。

悵 《說文》：望恨也。从心，長聲。

惆　《說文》：失意也。从心，周聲。

瓠　《說文》：匏也。从瓜，夸聲。

棚　《說文》：棧也。从木，朋聲。

嵬　《說文》：高不平也。从山，鬼聲。

裹　《說文》：衣內也。从衣，里聲。

罩　《說文》：捕魚器也。从网，卓聲。

葚　《說文》：桑實也。从艸，甚聲。

蓐　《說文》：陳艸復生也。从艸，辱聲。

犛　《說文》：西南夷長髦牛也。从牛，𠩺聲。

橘　《說文》：果，出江南。从木，矞聲。

機　《說文》：主發謂之機。从木，幾聲。

儕　《說文》：等輩也。从人，齊聲。

驕　《說文》：馬高六尺爲驕。从馬，喬聲。

鹽　《說文》：鹹也。从鹵，監聲。

二、漢字形體的演變

(一)漢字形體演變概況

漢字產生以來，從古至今，形體是不斷變化的。夏代以前的漢字，至今尚未發現實物資料，根據殷代的甲骨文字推斷，夏以前（至少是夏代）已經產生了初期的漢字，但因現在沒有實物資證，其形體如何尚很難論說。殷代的漢字是迄今所能見到的最早漢字，刻於龜甲獸骨之上，我們稱之爲甲骨文。西周的漢字，多鑄於青銅器上，稱爲金文。春秋戰國時代，由於政體的分裂，諸侯國各行其是，在文字方面也出現了形體各異的局面。當時秦處於西土，使用籀文，六國在東土，使用「古文」。秦併六國後，統一的政體要求使用統一的文字，丞相李斯罷其不與秦文合者，以小篆爲官方規定的標準體。漢、魏以後，以隸書、楷書爲主，在隸、楷的基礎上，又有草書和行書出現。這是漢字形體在歷史上縱的發展變化。此外，還有橫的同一個時代不同國域不同字體的區別。如春秋戰國時期有西土文字與東土文字的不同。秦統一後，實行「書同文」的政策，規定以秦篆爲正體，但實際上秦書有八體，這在許愼的《說文解字・敍》中已經談到了。至新莽又有六體。這些都屬於同一時代正體漢字的別流，文字學家可以專門去研究它，不是專門從事漢字研究的人，就不必涉足太深了。我們所要了解的是漢字在不同歷史階段形體結構的變化，這對於我們閱讀和整理古籍，了解今天的楷體漢字的演變過程是有幫助的。

㈡漢字的主要形體

1. 甲骨文

⑴甲骨文的名稱

甲骨文的名稱是依據文字所附著的材料而得名。甲，就是龜甲。「甲文」就是刻在龜甲上的文字。骨，是指獸骨，主要是牛胛骨，也有少量的鹿頭骨、羊骨、豬骨等。刻在獸骨上的文字就是「骨文」。合起來叫做「龜甲獸骨文字」。簡稱「甲骨文」。

此外，人們還稱它爲殷墟文字、貞卜文字、契文等。爲什麼叫殷墟文字？這是依據人們發現它的地點來說的。甲骨文的出土地點是河南省安陽小屯村。這一帶古時叫作殷，是商朝第二十代王盤庚以後的首都所在地。自盤庚遷殷直至滅亡，共 273 年，以後它的首都變成了廢墟，所以又稱這一帶爲殷墟。甲骨文出自殷墟，是殷代的遺物，所以又稱殷墟文字。爲什麼叫貞卜文字？這是就甲骨文在當時的用途來說的。殷代的統治階級特別迷信，他們認爲上帝和鬼神是一種超自然的力量，自然界和人類社會的一切都由它們主宰，無論是風雨的變化、年成的好壞、戰爭的勝敗、未來的吉凶禍福等，都要由上帝來安排。因此殷人對上帝和鬼神無限崇拜，凡做一件事，都要事先向神請示，然後按著天意去做。請示的辦法，就是用龜甲獸骨進行貞卜，然後把貞卜的內容刻記在甲骨上，所刻之字就稱爲貞卜文字。爲什麼叫契文？因爲甲骨文的書寫方法絕大多數是用刀刻的。「契」就是刻，叫「契文」，是根據它的書寫方法而得名。

權衡以上這些名稱，還是叫甲骨文比較妥當。因爲甲骨文不是全部出自殷墟，叫「殷墟文字」不能全部包括刻在甲骨上的字。甲骨文也不完全是占卜的卜辭，有一部分屬於記事刻辭、表譜刻辭，因此叫「貞卜文字」也不足以概括全部，甲骨文也不全是刀刻的，也有少量是用筆寫的，因此叫契文也不甚恰當。甲骨文所附著的材料都是龜甲獸骨，這是它們的共同點，因此叫「甲骨文」比較妥當。學者們也大都採用這個名稱。

⑵甲骨文的發現、搜集和研究

清代末年，安陽小屯的農民在翻耕土地時經常得到甲骨，但是他們不知道這是極其珍貴的古代文物，竟當作中藥的龍骨賣給了藥店。1899 年，山東一個姓范的古董商把有字甲骨販運到北京，賣給清王室的官僚、金石學家王懿榮，王氏斷定這是我國古代的一種文字，有重要的考古價值，便陸續收買，共得一千餘片。不久，「八國聯軍」侵入北京，清王室棄京西逃，王懿榮在自家的花園裡投池自盡了。後來，王氏的兒子把王氏所得甲骨全部賣給了劉鶚，劉氏繼續搜集，先後得五千餘片。與此同時，羅振玉、王襄、葉玉森等也先後收得甚多。1903 年，劉鶚從所得甲骨中精選了 1058 片，分爲六册，影印出版，書名爲《鐵雲藏龜》。它是我國著錄甲骨文字的第一部專書，此後甲骨文字才逐漸爲世人所重視。1904 年，孫詒讓研究《鐵雲藏龜》，寫出《契文學例》一書，它是關於甲骨文研究方面的開山之作，具有學術研究上的首創意義。孫氏在書中把甲骨文字分類歸納，並與金文和《說文》互證，爲後世研究甲骨文奠定了基本的方法。自 1928 至 1937 年，原中央研究院歷史語言研究所曾 15 次派人在殷墟大規模發掘，計得有字甲骨近兩萬片。抗戰期間，日本侵略者多次來安陽盜挖，掠走了不少甲骨和其他出土文物。與此同時，當地人也隨時發掘，所得甲骨，有的轉賣他人，有的流失國外。中國科學院考古研究所從 1950 年開始發掘，三十年來陸續獲得幾千片甲骨，其中有字的很少，但出土區域有所擴大。

從 1899 到 1980 年，八十年間究竟出土了多少甲骨，很難作出精確的統計，學者們大致認爲在十幾萬片以上。所得的甲骨文字大約四千多個，其中可識者有一千五百多字，還有二千多字不識。隨著甲骨出土的增多，學術界研究甲骨文字的隊伍也在不斷擴大。繼孫詒讓、劉鐵雲之後，學術有卓越成就的要數羅振玉、王國維、董作賓、郭沫若、于省吾、商承祚、陳夢家、徐仲舒、唐蘭、胡厚宣諸家。此外如葉玉森、王襄、朱芳圃、孫海波、吳其昌、丁山、陳邦福、張政烺、楊樹達等也作出了很大貢獻。後起之秀有李學勤、裘錫圭等。這些研究甲骨文的學者在八十年的時間裡先後編寫了很多論著、拓本和字典，現在選錄主要的按時間順序排列如下：

❖著錄類：

劉鶚：《鐵雲藏龜》。

羅振玉：《殷墟書契》（前編、後編、續編）、《殷墟書契菁華》。

王國維：《戩壽堂所藏殷墟文字》。

郭沫若：《卜辭通纂》、《殷契粹編》。

董作賓：《小屯殷墟文字甲編》、《小屯殷墟文字乙編》。

胡厚宣：《戰後寧滬新獲甲骨集》、《戰後京津新獲甲骨集》、《戰後南北所見甲骨集》、《甲骨續存》。

郭若愚：《殷墟文字綴合》。

郭沫若、胡厚宣：《甲骨文合集》。

❖研究類：

孫詒讓：《契文舉例》。

羅振玉：《殷墟書契考釋》。

王國維：《古史新證》、《觀堂集林》。

郭沫若：《甲骨文字研究》、《卜辭通纂考釋》、《殷契粹編考釋》。

董作賓：《甲骨文斷代研究例》。

陳夢家：《殷墟卜辭綜述》。

唐蘭：《殷墟文字記》。

于省吾：《雙劍誃殷契駢枝初編》、《甲骨文字釋林》。

胡厚宣：《甲骨學商史論叢》、《五十年甲骨文發現的總結》。

❖字書類：

商承祚：《殷墟文字類編》。

孫海波：《甲骨文編》。

朱芳圃：《甲骨學文字編》。

李孝定：《甲骨文字集釋》。

島邦男：《殷墟卜辭綜類》。

(3)甲骨文形體結構的特點

從甲骨文的刻寫風格來看，由於字是用金屬刻刀刻在堅硬的甲骨上面，因此大都以瘦筆和輪廓出現（圖1）。如果進一步觀察不同時期的字形，可以發現前後期有明顯的不同。武丁以前第一期的甲骨文字，其字體風格雄健豪放，氣魄較大，線條略粗，大字居多，形體略似金文（圖2）。中期的一些甲骨文字往往刻得草率頹靡，筆畫混亂，形體柔弱，常常有顛倒、訛誤的，表現出這一階段文風的頹落（圖3）。後期的甲骨文字，寫得秀麗工整，類似蠅頭小楷，排列也很整齊，有很高的書法契刻水平（圖4）。從結構上看，甲骨文字有如下幾個特點：

圖1

第一，甲骨文字基本上具備了六書的

圖2

圖3

圖4

各種構字類型。其中象形字雖然數量並不很多，但仍然是其他各種構字方法的基礎。像日、月、弓、禾、羊、丘等，都是象形字；其中一部分還保存了圖畫的特點，如牛、燕、鹿、虎等，這說明象形字是由圖畫轉變而來的。指事字在甲骨文中也已出現，如本、末、刃、亦、朱等。會意字在甲骨文中比較多，正處於能產階段，例如隻（獲）、啓、間、臭、初、焚、得等。假借字是爲了克服象形字的局限而產生的，在甲骨文中已經大量使用，例如借兵器的「我」爲代詞「我」，借羽毛的「羽」爲表時間的詞「翌」等，「其自東來雨」這一句卜辭五個字，除了「雨」是象形字以外，其他四個字都是假借字。甲骨文中也出現了少量的形聲字，有人統計不超過20%，當是形聲字的初期階段。例如雞、祀、盂、柏等。從結構上看，甲骨文字基本上具備了六書的構字方法，說明它已經不是原始階段的象形圖畫，而是相當發展的漢字體系了。

第二，甲骨文異體繁多，同一個字往往有幾個寫法甚至十幾個、幾十個寫法，例如「羊」字有等寫法；「牡」字有等寫法。

第三，字的部件之間結合不嚴，結構位置不固定，書寫比較自由，左右反正上下往往可以隨意顛倒。例如「亡」字，可以寫作，也可寫作；「取」字，可寫作，也可寫作；「龜」字，可以作，畫的正視圖，也可以作，畫的側視圖，等等。第四，甲骨文中常常出現一種「合文」。「合文」不是合體的會意字或形聲字，而是兩個以上的字刻寫在一起，讀時還要分開來讀。例如「且乙」（祖乙）寫作；「三萬」寫作；「十二月」寫作等。

2. 金文

(1)金文的名稱

圖5.：㝬鐘

在我國商周奴隸制時代，統治集團中間盛行一種青銅器皿。這些銅器就其用途來說，有武器、樂器、炊器、食器、酒器、洗器、生產工具和車馬器具等。「金文」就是鑄在或刻在這些銅器的文字（圖5）。這些銅器就出土數量來說，以鐘、鼎兩器爲最多，因此有人以「鐘鼎文」的名稱概括銅器上的文字。可是「鐘鼎文」畢竟包括不了所有銅器上的文字，而「金文」則可以包括鐘、鼎上的文字，因爲「金文」概括著一切金屬器物上的文字。現在學術界習慣以「金文」指稱銅器上的文字。另外，在金屬上鑄刻，這種行爲叫做「銘」，所以金文也叫「銘文」。

金文的產生有兩個前提。

第一，青銅鑄造業的發展和青銅器皿的盛行。

第二，殷代的甲骨文字作爲金文的前身已經相當發展。

在這兩個前提下，我國的文字便由殷代以甲骨文爲主轉變爲兩周時代以刻鑄在銅器上的金文爲主。

(2)金文所記的內容

金文所記的內容是豐富、廣泛的。就已發現的殷周器銘來看，字數長短不一，有的寥寥幾字，有的則洋洋數百言。屬於商代的有銘銅器數量極少，其銘文也極爲簡短，最初不過一個字或幾個字。其內容是記載作器人或爲某人作器。器銘中以族名、人名和器名爲多。如「魚父丁」（圖 6），是說魚族所共有的這個器是爲祭祀祖先父丁而製。至晚殷逐漸有幾十字的銘文出現，可以粗略地記載一件事情。到西周時代，出現了長達一、二百字乃至三、四百字的銘文，接近五百字的也有一些，如西周末年的「毛公鼎」銘文長達 497 字。此時金文已進入歷史上最興盛的時期。這些銘文所記載的內容大體包括六個方面：

圖 6：魚父丁鼎銘（《三代吉金文存》卷二）

A、關於國家重大祭祀的記載，如武王時的大豐簋銘。

B、關於征伐之事的記載，如昭王時的㝬馭簋銘。

C、爲紀念重大賞賜而製器鑄銘，如孝王時的效卣。

D、關於勸勉告誡的內容，如宣王時的毛公鼎銘。

E、關於盟約、合同之事的記載，如厲王時的矢人盤銘。

F、關於頌揚先世功德方面的，如厲王時的叔向父毀銘。銘文所記載的內容是豐富的、多樣的，它可以與《尚書》、《春秋》等重要文獻互相補正。

(3)金文的出土、著錄和研究

金文鑄於銅器之上，隨銅器而出土。銅器出土的方式，有的是因古人淺埋於地下，久經雨水的沖刷而自然暴露出來的；有的是在農民耕地、建房或掘泥築壩的破土工程中偶然發現的；有的則是盜挖古墓時出土的。1928 年，中央研究院歷史語言研究所，在九年內有組織地發掘 15 次，在獲得大量甲骨的同時，也有許多銅器出土。中國科學院考古研究所在安陽和全國各地進行發掘，獲得銅器幾千件。從漢代最初發現銅器直至現在，據不完全統計，傳世的有銘銅器已超過五千件。這些銅器上的金文，總共有三千多字，現在可識者已有二千多字。

對於這些銘文的著錄和研究，歷來是考古學家、古史學家、古文字學家所積極從事的一項工作。到宋代時，由於出土銅器越來越多，加上六朝時代已發明了墨拓的方法，爲金文的著錄和研究提供了極其有利的條件。宋代著錄金文最早的要推劉敞與歐陽修。劉敞收藏古器物並作《先秦古器記》，歐陽修作《集古錄》。此外還有呂大臨的《考古圖釋文》、王黻等人的《宣和博古圖》、薛尚功的《歷代鐘鼎彝器款識法帖》等等。

宋代以後，金文之學沒有什麼發展。到清代，特別是乾隆以後，古器物出土大增，金文之學重新興盛起來。據蔣善國先生統計，自清初到抗戰以後，研究金文的學者就有一千二百多人（包括研究石刻的學者占其中的十分之二），發行的專門著作達410種，論文達八百多篇。現在就其主要的列舉如下：

❖著錄類：

清梁詩正等：《西清古鑒》。

清王杰等：《西清續鑒》（甲編、乙編）。

容庚：《武英殿彝器圖錄》、《海外吉金圖錄》。

于省吾：《雙劍誃吉金圖錄》。

商承祚：《十二家吉金圖錄》。

羅振玉：《貞松堂吉金圖》、《三代吉金文存》。

郭沫若：《兩周金文辭大系圖錄》。

❖研究考釋類：

郭沫若：《殷周青銅器銘文研究》、《金文叢考》、《兩周金文辭大系考釋》。

容庚：《商周彝器通考》。

楊樹達：《積微居金文說》。

❖字書類：

吳大澂：《說文古籀補》。

丁佛言：《說文古籀補補》。

強運開：《說文古籀三補》。

容庚：《金文編》。

周法高等：《金文詁林》。

(4)金文形體結構的特點

金文字體是從甲骨文字體繼承下來的，因此兩者有很多類似和相同的地方；同時金文字體又是甲骨文字體的發展和變化，因此兩者又有某些不同地方。就字體風格來看，由於金文字形大都鑄在銅器上面，鑄造以前先要刻在範上，可以細細地加上，因此筆畫都是寬粗的肥筆。前期筆道寬肥，但兩端略細而有鋒（如圖7）；後期字的筆道趨於兩端等粗、勻衡，不露鋒芒（如圖8）。到戰國時期，金文字形的裝飾性加强，出現了美術圖案字。如「鳥蟲書」在筆道中間加以鳥蟲之類的裝飾（圖9）；「蚊腳書」的豎筆往往作長腳下垂狀（圖10）。

❖從字形結構上看：

第一，金文比甲骨文的異體字更多。這主要是因爲漢字還處於自由發展的階段，沒有完全定型；另外，春秋戰國時期由於列國鼎立，各自爲政，在文字上也產生很多異體，如「商」字春秋時秦作，蔡作；「封」字戰國時齊作，中山作，等等。

第二，金文和甲骨文一樣，字的部件之間結合不嚴，位置不定，書寫比較任意。一個「明」字有等幾種寫法，部件的位置可上可下可左可右，變化不定。

第三，從構字類型來說，金文繼承了甲骨文中的象形、會意、假借、形聲等方法，並在原來的基礎上有所發展，其中特別是形聲字大量產生，在金文中逐漸取得優勢地位。

圖 7：乃孫作祖己鼎

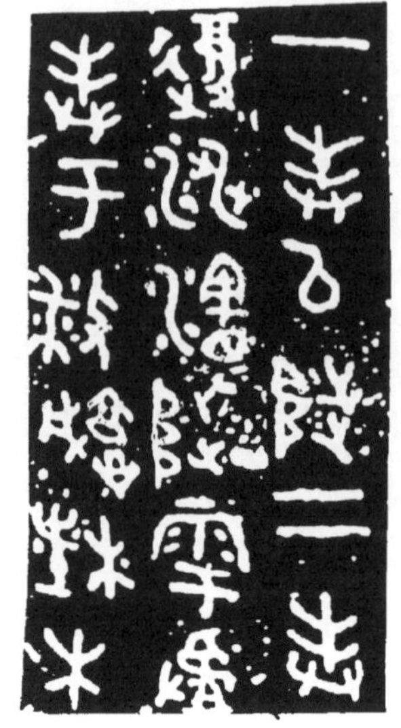

圖 8 ：矢人盤

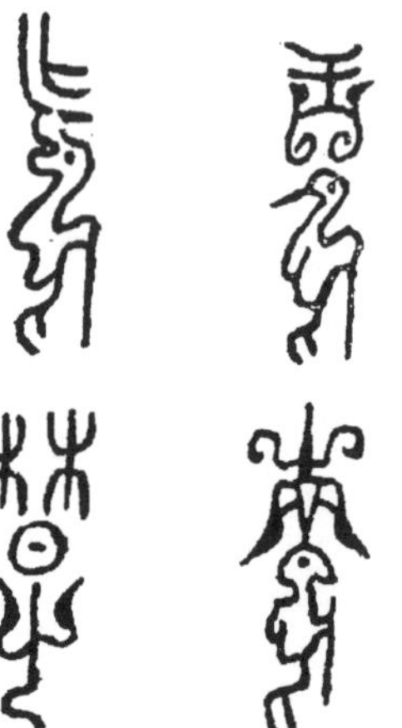

圖 9

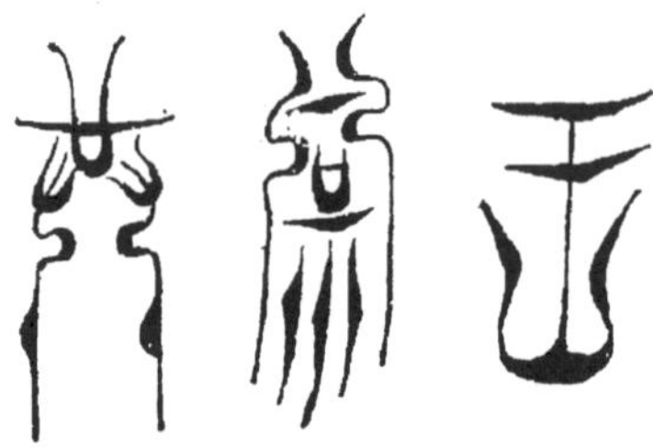

圖 10

總上而言，可以說金文是甲骨文的繼承，同時又是甲骨文的進步和發展。

3. 古文

「古文」的名稱是漢人叫出來的。漢武帝末年魯恭王欲廣其宮，壞孔子宅，在孔宅的牆壁中發現了一批典籍。這些典籍上的字體，與當時通行的隸書以及秦以來的篆書，均不相同。漢人以爲這是更古的字體，因而稱之爲「古文」。實際上「古文」是戰國時期六國廣泛通行的一種手頭字。這種字比較簡單隨便，大多是在竹簡上抄書時使用，也在陶器、璽印、貨幣上使用。

「古文」的眞迹除了在孔宅牆壁中發現的以外，還有當時北平侯張蒼所獻的《春秋左氏傳》，也是用古文寫的。現在所能看到的古文字形，在《說文解字》和魏《三體石經》中還保存了一部分。《說文》所收的古文共 510 字，下面選錄其中的一部分。

[illegible]古文甚

[illegible]古文邦

[illegible]古文賓

[illegible]古文貧

[illegible]古文奏

[illegible]古文愼

[illegible]古文湛

[illegible]古文州

[illegible]古文冬

[illegible]古文兩

《三體石經》是魏正始二年（241）刊立的，因此也叫《正始石

圖 11：正始石經

經》，共 35 石。石經包括《尚書》、《春秋》和《左氏傳》（不全），用古文、小篆、漢隸三種字體刻成。《三體石經》裡面的古文和《說文》中的古文字形基本一致，因爲它也是以壁中典籍爲根據的，只是因爲刻寫的人不同，在風格上可能略有出入。圖 11 是《正始石經》殘石。

「古文」的字形，單個字大體呈圓形，字的線條頭粗尾細，略似蝌蚪。

「古文」與金文比較，「古文」在當時的通行範圍廣，字數也很多，但不易保存下來。金文是統治階級鑄在銅器上比較正規的文字，字數可能沒有廣泛通行的「古文」字數多，但卻容易保存下來，因此現傳的金文字數很多，而「古文」字數則極少。

4. 籀文

籀文是我國最早的字書《史籀篇》裡的文字。《史籀篇》據載是周宣王時太史籀所作，籀文因此而得名。周宣王是西周晚期的君王，從當時遺留下來的召伯虎毀、兮甲盤等銅器銘文看，和現傳的籀文字形並不完全一樣。現在完整的《史籀篇》已經看不到了，但在《說文》中還保存了二百多個籀文字形。從這些來看，籀文是一種非常繁複的字體，和宣王時代的字不同，而與春秋到戰國初年的銅器如秦公簋等上面的文字很接近，與石鼓文則基本相同。因此籀文實際上是春秋到戰國初期的一種字體，史料所載是周宣王時代的字不可信。

就其來源來說，籀文是殷代甲骨文和西周金文的直接繼承者，是周代文字正統的代表者。因此它的形體具有正規、工整、繁複的特點。下面以雷、棄兩字爲例，將甲金文、籀文、古文的形體進行對照：

	甲、金文	籀　　文	古　　文
雷			
棄			

從比較中看出，籀文的形體比金甲文和古文都更加繁複，更加難寫難認。它是金甲文以來文字形體發展到頂點的一種現象，因此後來才有小篆的出現。小篆是在籀文的基礎上省改而成，和小篆相對來說，又稱籀文爲「大篆」，「大篆」這個名稱是後來才有的。

圖 12：秦石鼓文

現傳的籀文眞迹，在許愼的《說文解字》裡面還可以看到一些。據王國維先生統計，《說文》中的籀文共有 223 文。這是我們研究漢字字體演變的重要史料。此外，唐初在陝西省發現了十個饅頭形的石頭，上面刻有文字。因這些石頭的形狀似鼓，所以也稱它上面的文字叫石鼓文（圖 12）。石鼓文的字形繁複，跟籀文完全一樣，學者們認爲這些字也是籀文。石鼓文經過長年的風化，早已經不全了。最早的宋拓本比較完好，有491字，但也不全。

5. 小篆

戰國時期，由於「諸侯力政，不統於王」，造成了「文字異形」的混亂局面，給書面交往帶來很大不便。秦統一六國後，建立了中央集權的封建大帝國。一個統一的國家，如果沒有統一的文字，就很難實現政令的統一，也不利於政權的鞏固和經濟、文化的發展。因此在公元前221年秦國最後滅掉齊國完成了統一大業之後，便下令實行「書同文」的政策。「書同文」就是以秦文作爲法定的標準字體，「罷其不與秦文合者」，實現文字的規範化。

所謂「秦文」，就是小篆，是秦始皇書同文字以後的標準體。「篆」是引長、拉長的意思，篆書就是把線條拉長來寫的一種字體，大篆小篆都是如此。秦國在統一文字前，主要使用籀文。丞相李斯等人把當時秦國通行的文字搜集起來，加以整理，取消各種異體，並對繁縟的籀文字形加以省改簡化，定出一種新的標準字體，就是小篆，也叫「秦篆」。它比籀文更加簡化、易寫、易認。其他與秦文不合的字體，如繁雜紛歧的六國文字等，統統作爲廢棄的對象而不得使用。因此小篆的產生過程，也是漢字簡化和異體字整理的過程。

秦統一文字，丞相李斯起了積極的重要作用。他提出動議，主持整個工作，並親手寫出範本《倉頡篇》七章，作爲當時學童的識字課本，用來推廣小篆的字體。他在我國歷史上第一次規範化工作中，立下了不朽的功績。

小篆字形的特點是線條化、規整化。兩周金文的筆畫粗細不勻，線條化沒有完成，而且字形的變化大，結構參差，很不整齊，帶有任意性。小篆的線條變得均勻、緊湊、圓轉，字形結構也固定化、整齊化，大體呈▯形，已接近於方塊狀。

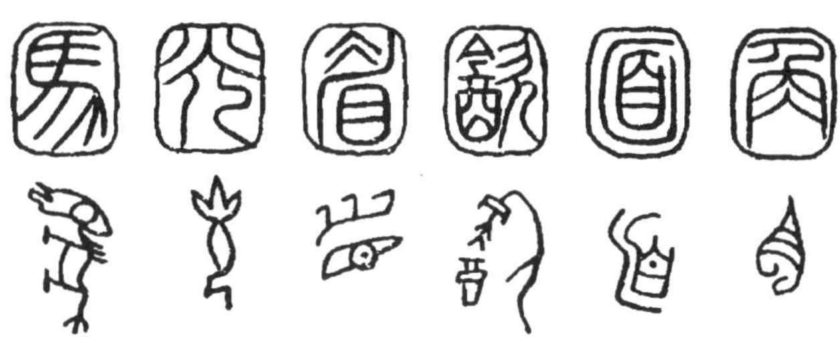

秦篆的實物資料現存的並不多。當時爲了推行小篆而由李斯、趙高、胡毋敬三人編寫的《倉頡篇》、《爰歷篇》、《博學篇》等小篆範本早已失傳。現在所能見到的秦篆眞迹主要有三種，其中最重要的是秦刻石。秦統一天下後，在短短的十幾年時間裡，秦始皇和二世曾巡行全國各地，在嶧山、泰山、碣石等處，先後樹立了一些頌功刻石，用以歌頌秦始皇的政績。據載刻石上的文字都是李斯書寫的標準小篆。這些刻石有《嶧山》、《泰山》、《琅邪臺》、《之罘》、《碣石》、《會稽》等七個。刻石的殘文拓本和重刻拓本仍傳世可見。圖 13 是泰山刻石殘文。其次是秦詔版、瓦量、虎符等，字數不多，卻是現傳秦小篆眞迹的一部分。秦詔版是秦始皇二十六年下令統一「法度量則」的詔書，共 40 字，刻在一塊銅版上。秦瓦量與詔版的內容與字數完全相同，只是字體比詔版更加標準，正規。陽陵虎符上刻有「甲兵之符右在皇帝左在陽陵」12 個字（圖 14），字體圓轉、正規，是標準的小篆。王國維認爲是李斯寫的。

再次就是東漢許愼編著的《說文解字》。《說文》共收小篆 9353 字，是作者匯集秦漢以來通行的篆書而編成的。《說文》中的小篆字形並不都是秦代的眞迹，但很多是根據秦篆的實物資料

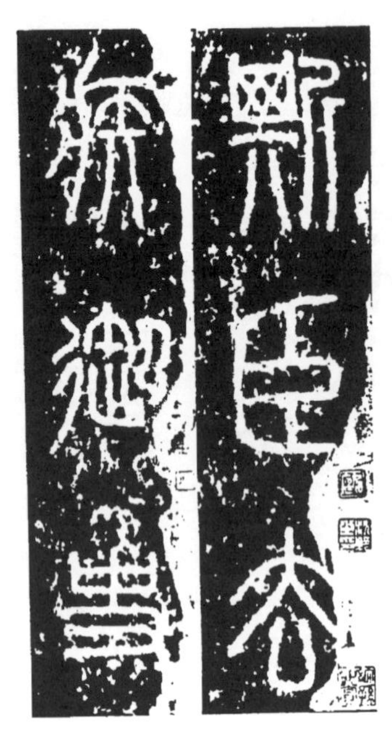

圖 13：泰山刻石

圖 14：陽陵虎符

臨摹編纂而成的。用泰山刻石、陽陵虎符、秦瓦量上的字體與《說文》中的字形相比，可以看出它們是基本一致的。此外，在魏三體石經中也收錄一些小篆。

6. 隸書

隸書是小篆以後社會上普遍通行的字體，盛行時間主要在兩漢。但隸書的產生並不比小篆晚，大約在李斯整理和推行小篆的同時，程邈也在搜集和整理隸書。程、李二人本是同時代人，他們是不約而同地在進行自己的工作。所以最早的隸書在秦代就有了。

秦以小篆作爲法定的字體，由官方正式公布使用，儘管它比以前的籀文簡易得多，但由於秦代政務繁忙，往來公文日益增多，用小篆那種粗細一樣的線條、彎曲圓攏的字形來書寫，仍感到寫起來緩慢費力，比較困難。爲了適應官獄事多，應急求快的要求，官府的徒隸在寫字時，常常把小篆的字形進一步簡化，把彎曲的線條拉直，把圓攏的字形變成方折，形成徒隸之間使用的一種手頭字，並以這種字來佐助篆書，於是就把它叫作「佐書」。「佐書」出自徒隸之手，爲徒隸所使用，因此又稱爲「隸書」。隸書最初爲權貴所鄙視，是不能登大雅之堂的，所以長期以來只能流行於民間。小篆與隸書，一個是正體，一個是俗體。到了漢代，隸書才取代小篆而成爲正體。

隸書的最大特點是由直線構成，它不像篆書那樣由相互連接的圓轉、有逆向的線條組成；而是由散開平直方折的筆畫構成，凡逆筆都變爲順筆，寫起來不僅順手，而且加快了寫字速度，提高了漢字記錄語言的功能。

初期的隸書又叫秦隸，秦隸還有點篆書的味道。例如秦二世詔版，就是潦草的小篆和初期的隸書相混雜的一個標本。

到了漢代，隸書進入了興盛和成熟時期。兩漢的隸書稱爲漢隸。文字學家習慣上又把前期的漢隸稱爲古隸，把後期的漢隸稱爲今隸或八分。其實它們都是一種書體，結構上沒有根本的不同，只是在筆勢的風格上有一定的差異。

古隸的特點是筆畫平直，字形中凡是方框結構都略有篆書圓轉的味道，橫畫與撇捺的波折之勢微微顯露而不太明顯。例如宣帝五鳳二年刻石和陽泉使者舍薰爐上的字（圖 15）。古隸在徒隸手中使用時，還是一種樸素無華的字體，後來從隸人又轉到了士大夫文人的手裡，一些文人書法家對它進行加工、潤色和美化，經過西漢二百多年的發展，直至東漢時代，變成了一種有波有挑工整美觀的字體，這就是今隸。今隸又名「八分」。所謂「八分」，就是向兩邊分開的意思。今隸的撇和捺在書寫時像八字相背一樣向兩邊分開，作丿和㇏形，左右對稱，看起來外形更

圖 15：陽泉使者舍薰爐

加美觀。張懷瓘《書斷》：「漸若八字分散，故曰八分。」

八分書的眞迹主要保存在漢代的石刻當中，數量很多，風格、姿態變化無窮。其中比較典型的如《西嶽華山廟碑》（圖 16）、《禮器碑》、《曹全碑》等。

圖 16：《華山廟碑》

文字學家把漢字從篆書變爲隸書的過程稱爲隸變，隸書是隸變的一個結果。隸變是漢字形體變遷史上一次深刻的變革，一個重要的轉折點。

隸變的結果，首先是把篆書圓轉的線條變爲方折的筆畫，字寫起來靈活、容易，速度也快了。整個字形呈正方或扁方，改變了小篆以前古文字字形的面貌，奠定了楷書方塊字形的基礎。

筆畫化同時也就是符號化。大篆以前的字形本身具有象形的特點，根據它的形體可以知道它的意義；小篆是經過規範化的字體，原來的象形性不强了，但離開大篆字體並不太遠，其象形的特點還依稀可見。經過隸變以後，漢字變爲由筆畫構成，這些筆畫不能代表任何具體的形象，大篆以前的古文字象形的特點在隸書中完全看不出來了。這種變化是巨大的，它在本質上使漢字徹底符號化了。

隸變的過程也是漢字形體簡化的過程。隸書和小篆相比，就筆勢來說隸書平直方折，比小篆勻圓整齊的線條寫起來要方便省力得多；就結構來說，隸書對大小篆的形體加以省改，也簡單多了。作爲人們日常進行書面交際的工具來說，隸書的結構簡化，書寫容易，這不能不說是一種進步，也是隸書最終能取代篆書的一個主要原因。

7. 草書

草書的「草」，最初是潦草、草創、草稿的意思。草書便是人們起草文章時，信手草率寫成的草稿上的字。這種字最初只是個人使用，不被社會所承認。漢章帝時，齊相杜度以漢隸爲基礎寫草書，寫得最好，受到皇帝的賞識。當時雖然隸書是正體，但皇帝特許他用草書寫奏章，因而出了名。自此以後，草書作爲一種獨立的字體而形成了。現在談到草書，就是專指這種獨立的字體而言，並不再指草稿上的字。

早期的草書稱爲「章草」。章草是漢隸的快寫體，自東漢初年到晉代盛行。章草的特點是，字的筆畫之間隨勢旋轉相互連接，但字與字間不像今草那樣互相連接。字形大略具有漢隸的架勢，筆畫仍有隸書中波磔的意味。章草寫起來比一筆一畫的隸書要快得多（圖 17）。

我國歷史上第一個章草書家就是杜度。他由於受漢章帝推崇而著名。可是杜度的眞迹沒有流傳下來。現在有墨迹傳世的名家

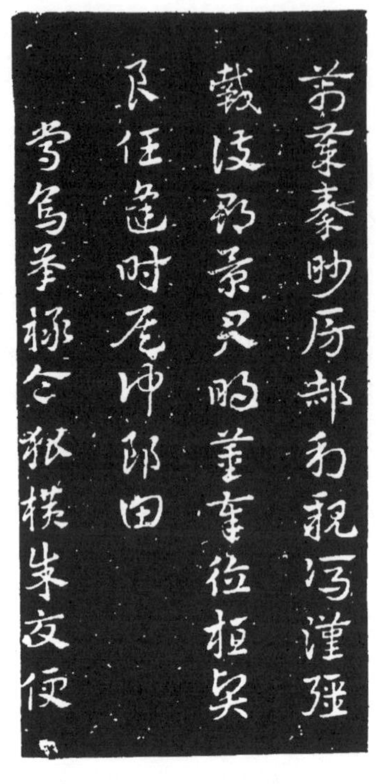

圖 17：皇象書急就章

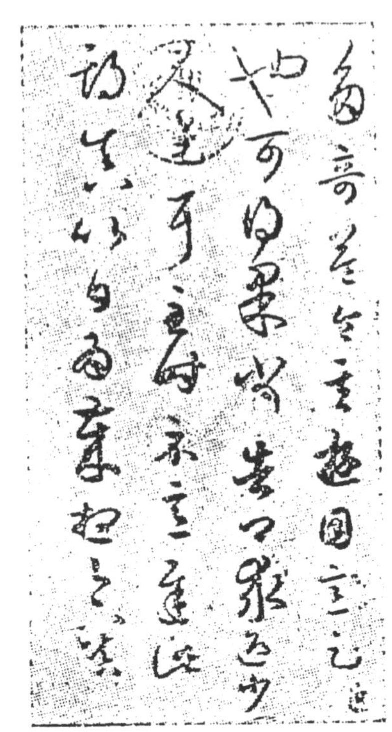

圖 18：王羲之書遊目帖

有漢史游、張芝，魏鍾繇，三國吳皇象，晋索靖、陸機、王羲之，元趙孟頫等。

章草到了東漢末年，經張芝加以變化，去掉漢隸的波磔，演變成爲今草。今草是章草的進一步發展，已經失掉隸意，難以辨認了。從筆勢看，今草與眞書接近，當是眞書的快寫體。它的特點是上字與下字筆畫相連，其勢「一筆而成，偶有不連，而血脈不斷。」（張懷瓘《書斷》）王羲之寫的《遊目帖》可作爲今草的代表（圖 18）。

王羲之和他的第七子王獻之在歷史上被稱爲二王，他們的今草字帖素爲大家所珍重，最著名的如王羲之的《十七帖》、《游目帖》，王獻之的《中秋帖》等，都有眞迹傳世。此外唐代的孫過

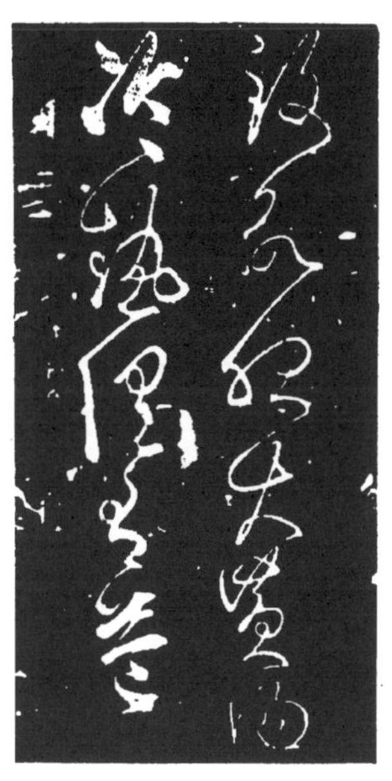

圖 19：張旭《肚痛帖》

庭，繼承了二王的草法，代表作爲《書譜》，在歷史上也很有影響。

今草到了唐代以後，又發展成爲狂草。狂草是一種更加潦草的字體。唐人張旭、懷素以善狂草知名。他們在今草的基礎上任意發揮，下筆隨意勾連曲折，增減筆畫。寫起來龍飛鳳舞變化萬端，和今草字形相差很遠，已經潦草到了頂點，寫出的字人們多不認識。因此狂草沒有多大的實用價值，只能作爲一種藝術品欣賞。草書發展到這個地步，它的生命力也就大大減弱了。

狂草的代表作有張旭的《古詩四帖》、《肚痛帖》（圖 19），懷素的《自敍帖》、《聖母帖》、《千字文》等。

8. 楷書

楷書，又稱爲「正書」、「眞書」，同一種字體有不同的叫法。後來多數人習慣用「楷書」這個名稱。

楷書萌芽於漢末，孕育於魏晉南北朝，成熟於隋唐。

舊說楷書是漢章帝時王次仲所作。這一說法在衞恒的《四體書勢》、江式的《求撰集古今文字表》、王愔的《文字志》等書上都有記載。其實，任何一種字體，都是漢字形體演變的自然結果，是出自衆人之手長期積漸而成，不可能是一人一時所造。若說王次仲楷書寫得好，有一定影響，或者他作過整理楷書的工作，這倒是可能的。

楷書是在漢隸的基礎上演變而來的，是漢隸的發展和繼承。漢隸所以能演變成楷書，是由漢隸本身的缺點決定的。漢隸字形方正，筆畫清楚，較之篆書有了很大的進步。但是漢隸的筆畫帶有波磔，書寫起來仍然比較費力，速度也慢；當時已經出現的快寫體草書，寫起來固然簡捷、快速，但是字形距離太遠，變化太大，難於辨認和掌握。楷書改變了漢隸的筆勢，取消了波磔，克服了難寫的缺點，又不像草書那樣難認，遂成爲一種好寫好認的新字體。

早期的楷書還殘留著隸書的筆法，如三國魏甘露元年寫的《譬喻經》，字的捺、橫收筆處粗重，帶有八分書波挑的痕迹。南北朝時北魏的《弔比干碑》（圖 20），字體方正平直，勾挑明

圖 20：弔比干碑

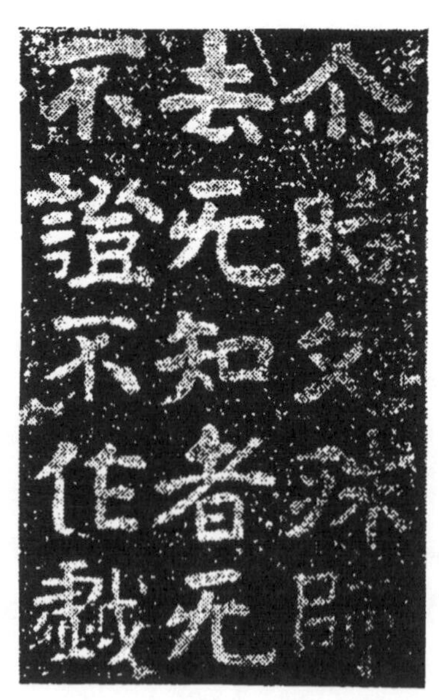

圖 21：文殊般若經碑

顯，只是長橫還略有波勢，說明已經進一步楷化。這一時期的楷書正由早期的楷書向成熟的楷書發展過渡。

魏晉以來著名的楷書家，第一要數鍾繇，張懷瓘在《書斷》中說他「眞書絕世」。其次要數東晉的王羲之父子。二王不僅善草書，尤其精於楷書和行書，其書法對後世影響極大。可惜的是鍾、王二家的眞迹現在已經看不到了，後世所傳鍾、王的字帖，都是唐人臨摹翻刻的，已經多少失去了一些原來的面貌。有眞迹傳世的主要是北朝的大量刻石，例如北齊的《文殊般若經》（圖 21）等。北朝以來的石刻文字數量很大，是我國楷書眞迹的寶庫。

楷書到了唐代，完全發展成熟了。字體端正一致，筆畫平穩適當，所有的楷字都是由、一丿乀丨ㄱ亅等幾種筆畫結構而成的，字形、筆畫規矩清楚，有統一的標準，便於人們認識。唐楷的名家有歐陽詢、柳公權、顏眞卿等，舉其作品如下（圖 22、23）：

圖 22：歐陽詢書《九成宮醴泉銘》

圖 23：顏眞卿《多寶塔碑》

漢字自甲骨文以來，經過二千多年的形體演變，到了楷書，才形成一套固定的筆畫構字材料，並完成了字形的方塊化。自唐以後，字體再無大的變化。

9. 行書

行書是介於楷書和草書之間的一種字體。正如張懷瓘《書斷》說：「行書非草非眞，在乎季孟之間」，可以說是兼收了草、楷兩體的優點而成。行書在運筆方面吸取了草書的寫法，筆畫間有自然的連接和簡省，從而縮短了點畫之間的距離；行體結構則基本上保持了楷書原來的面貌。它既不像楷書那麼工整難寫，也沒有草書那麼潦草難認；而是寫起來比楷書快捷，認起來比草書容

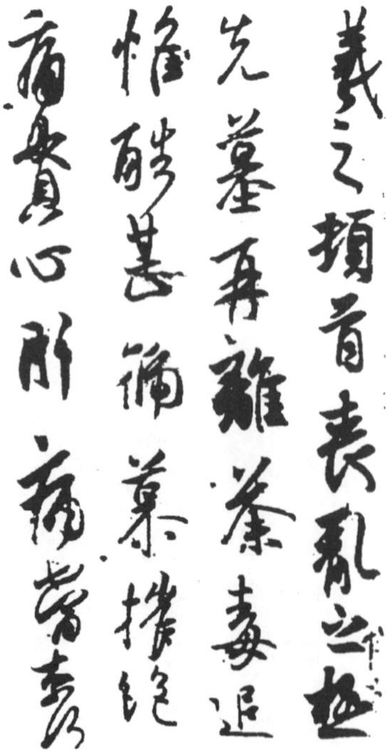

圖 24：晉王羲之《喪亂帖》

圖 25：集王書聖教序

易的一種字體。

行書中楷書成分居多的叫作「眞行」或「行楷」，如武定本《蘭亭序》即是；草書成分居多的稱爲「草行」或「行草」，王羲之的《喪亂帖》（圖 24）屬於此種。

行書大約產生在東漢末年，正當草書、楷書盛行之時。主要用於來往書信、書稿、帳簿之類的書寫。最早的行書家，據載是東漢的劉德升。衛恆《四體書勢》和張懷瓘《書斷》都談到了他，並說胡昭、鍾繇都學過劉氏的行書。可是劉德升的行書墨迹並沒有流傳下來。以後有眞迹傳世的行書大家，要數王羲之。王氏善眞、草、行，而以行書爲冠，已經超過了劉、鍾。唐朝懷仁和尚據唐太宗收集的三千多本王羲之墨迹，從中選字重編成《集王書聖教序》（圖 25），集中了大量的王氏行書墨迹。

王羲之的行書代表作是《蘭亭序》（圖 26），唐太宗特別喜愛，視爲希世之寶，以至太宗死時將《蘭亭序》眞迹隨身殉葬了。現在我們所能見到的都是臨本、翻刻本，其中以歐陽詢臨刻的武定本最接近原貌。

自魏晉行書通行以來，它和楷書一直並行至今。由於它書寫便捷、又容易認識，實用價值很高，因此一直是人們常用的手寫體。

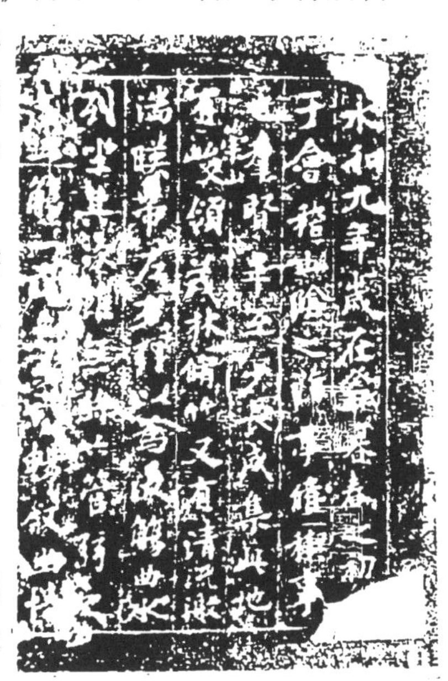

圖 26：王羲之《蘭亭序》（武定本）

㈢漢字形體演變與古書閱讀

漢字各種字體的演化流變，在歷史上往往是互相交搭的。一種新的字體產生了，要取代舊的字體，但是舊的字體還不能一下子就絕迹，新舊字

迹，新舊字體常常要共存一個時期。在這個時期裡產生的作品，可能反映出漢字字體交搭階段的複雜情況。這是一。

各個時代的作品都是用各個時代通行的字體書寫並傳播的，由於轉寫次數的多少以及轉寫人所處的時代不同和文字修養的不同，不可避免地要把不同時代的字體多多少少地反映在同一部作品當中。這是二。

有一些人好古成癖，特別是清代以來的一些經學家、小學家，往往以篆籀入之楷書，以示其博古高雅。他們的作品刊行於世，若不懂古字，是很難閱讀的。這是三。

由於這些原因，現在用楷書刊行的古籍當中，可能有以前不同時代的各種字體夾雜其間，雖然數量不會太多，但已是一種既成的事實。我們閱讀、整理古籍，是不能不加以了解和掌握的。這些古體字，其實就是歷史上的異體字。現將古籍中常見的列表如下：

楷體字與古體字對照表

筆畫	楷　字	古體字	筆畫	楷　字	古體字
3	子	𢀈		册	笧
4	仁	𡰥	6	死	𣦸
	反	𠬡		列	𠛱
5	正	𤴓		地	墬
	以	㠯		西	𠧧
	四	亖		旨	𠮛恉
	申	𦥔		光	炗
	斥	㡿		网	㒺

	帆	颿		妖	䄏
	尖	鑯		妣	⿰女匕
	夙	⿰歹丮		采	⿱爫丂
	匈	胷		狂	⿰犭㞷
	年	秊		兵	⿱斤廾
	企	⿱人足		利	𥝢
7	艮	⿸尸目	8	卷	⿱𠔉㔾
	沉	沈		法	灋
	祀	禩		卒	⿱亣十
	折	𣂚		宜	宐
	克	⿱卢木		享	亯
	抄	鈔		玩	貦
	更	⿱丙攴		表	䙵
	戒	⿱戈廾		居	凥
	防	埅		屈	⿸尸出
	邪	衺		幸	⿱夭屰
	車	⿰車戔		武	⿱戈止
	豕	帀		長	⿱𠂉兀
	走	⿱夭止		函	圅
	赤	烾		明	朙
	別	⿰冎刂		昌	昌
	吻	脗		叔	村

	肯	肎		帥	帨
	刮	[illegible]		香	[illegible]
	服	[illegible]		姻	婣
	往	徃		侯	[illegible]
9	活	湣		矦	医
	春	萅		省	[illegible]
	前	歬	10	退	[illegible]
	甚	[illegible]		旁	[illegible]
	耶	邪		疾	[illegible]
	要	[illegible]		袖	褎
	厚	垕		陣	敶陳
	括	捪		流	𣶒
	虹	[illegible]		射	䠶
	封	[illegible]		容	[illegible]
	囿	[illegible]		席	[illegible]
	冑	[illegible]		原	邍
	星	[illegible]		書	[illegible]
	則	[illegible]		泰	太
	叟	叜		起	[illegible]
	信	㐰訫		晉	[illegible]
	秋	龝		恐	[illegible]
	後	[illegible]		眞	[illegible]

	展	屡
	時	旹
	員	鼎
	蚊	蟁
	草	艸
	娘	孃
	脈	衇
	俯	頫
	倉	仺
	耜	梠
	徒	辻
	乘	椉
	脆	脃
11	棄	棄
	郭	郭
	許	鮓
	孰	孰
	造	艁
	粗	麤
	商	啇
	殺	布
	淵	囦

	淫	婬
	曹	䡙
	梅	楳
	專	嫥
	掩	揜
	雪	䨮
	陳	陣
	敗	敗
	堂	坣
	野	埜 壄
	啖	噉
	移	迻
	得	㝵
	偷	媮
	動	連
	晨	曟
12	裌	袷
	普	𣋡
	善	譱 譱
	惰	媠
	視	眎
	尊	𢍜

	湛	滋		絕	㡭
	逵	馗		猨	蝯
	揚	敭	13	話	諙
	搜	捜		道	衜
	敢	㪉𣪘		遂	邇
	散	㪔		裸	臝
	疏	䟽		慄	㮚
	聒	聐		意	㦤
	喪	𠷎		雍	雝
	朝	𦩘		慎	昚
	款	欵		愧	媿
	晰	晣		馱	佗
	鄂	鄂		幹	榦
	蛙	鼃		電	霏
	晴	夝		雷	靁
	華	𠌶		搗	擣
	嫂	㛐		較	𨋳
	腕	掔		碗	盌
	剩	賸		塊	凷
	飲	㱃		靴	鞾
	創	刅		農	䢉莀
	遊	逰		睹	覩

	蜂	蠭		嘔	歐
	鉢	盋		蝶	蜨
	愆	諐		暴	㬥
	愛	㤅		餐	飡
14	誥	[illegible]		鞋	鞵
	察	詧		膝	厀
	蜜	蠠		衛	衞
	慷	忼		德	悳
	厭	猒		貌	䫉
	遠	[illegible]	16	遲	遟
	望	朢		擔	儋
	夢	㝱		憩	愒
	與	[illegible]	17	艱	囏
15	窖	窯		聳	竦
	熟	[illegible]	18	額	頟
	澄	澂		擲	擿
	審	宷		翻	飜
	憂	𢝊		簋	匭
	彈	弓丸弓		歸	[illegible]
	履	屨		颺	敭
	養	𢼊	19	難	[illegible]
	劉	鐂		簷	檐
	墮	隓	20	襪	韤

21	懼	愳		鐵	銕

三、閱讀古書遇到的書寫形式障礙

㈠古今字及其舉例

古今字是由於詞的分化或字的同音借用而產生的。

隨著社會的發展，生活內容的豐富，人們認識的不斷深入，語言中的詞也處於不斷發展的狀態中。詞的發展，一般是在舊詞的基礎上增加新義，使原有的詞義膨脹，產生一詞多義。然後多義中的某些常用義由於無數次地反覆運用，逐漸獨立出來，形成新詞，這一過程就是詞的分化過程。例如「包」本是胎胞之胞，詞義引申之後，又產生了一切外裹之義爲包。胎胞之胞和外裹之包，這兩個意義最初都用「包」字來表示。漢字寫詞這種兼職的現象在書面交際中常常造成混誤，爲了能在字形上區別詞，就在原字形的基礎上加偏旁另造新字。例如「包」字加肉旁而形成新造的「胞」字，表示胎胞義，原字「包」表示外裹義。原字稱爲「古字」，後造的新字稱爲「今字」。它們的關係就是「古今字」。

另一種情況是由於同音假借而導致另造新字。漢語裡的虛詞和某些意義抽象的實詞，用象形的辦法造不出字來，可是這些詞在書面上又不能沒有字形來表示，在沒有辦法的情況下，就借用一個同音字作記音符號，作爲書面上的臨時代表。例如「須」字本是鬍須的須，常常借來表示必須的「須」。鬍須、必須兩個詞都用一個「須」字表示，在書面交際中容易造成誤解。人們爲了從字形上區別詞，就在原字的基礎上加偏旁另造新字：表示必須時用原字「須」，表示鬍須則用加「髟」旁構成的新字「鬚」。原字「須」稱古字，後造的「鬚」稱今字。

古今字不論是由於詞的分化而產生的還是由於同音假借而產生的，都有個共同點，就是未造今字以前，古字是身兼二職的：既表示原來的詞，又表示分化後的詞或借字記音的詞。後代人習慣於用各有分工的兩個字形的眼光來識讀古書上的古字，就容易造成誤解。閱讀和整理古籍要特別注意這一點。爲便於讀者掌握更多的古今字，現將常用古今字列表如下：

常用古今字表

筆畫	今字	古字	例句
4	太	大	•請京，使居之，謂之京城大叔。（《左傳·隱公元年》）
	勾	句	•其兩旁各有三星，鼎足句之。（《史記·天官書》）
6	汝	女	•由，誨女知之乎？（《論語·爲政》）
	仰	卬	•王卬天嘆曰。（《漢書·武五子傳》）
	伙	火	•出門看火伴，火伴皆驚惶。（《木蘭詩》）
7	佔	占	•男子一人，占田七十畝。（《晉書·食貨志》）
	伸	申	•使己志不申。（《三國志·諸葛亮傳》）
	抄	鈔	•鈔詩聽小胥。（杜甫《贈李八祕書別》）
	尿	溺	•賓客飲者醉，更溺睢。（《史記·范睢傳》）
	技	伎	•案謹募選閱材伎之士。（《荀子·王制》）
	妓	伎	•名姝異伎。（《新唐書·元載傳》）
8	披	被	•將軍身被堅執銳。（《史記·陳涉世家》）

	返	反	•寒暑易節，始一反焉。（《列子・湯問》）
	枝	支	•支葉茂接。（《漢書・晁錯傳》）
	肢	支	•四支委隨。（枚乘《七發》）
	供	共	•爾貢包茅不入，王祭不共。（《左傳・僖公四年》）
	炕	坑	•其俗貧窶者，多冬月皆作長坑，下燃熅火以取暖。（《舊唐書・高麗傳》）
	歿	沒	•不幸早沒。（曹操《褒棗祇令》）
	佯	陽	•乃漆身爲厲，陽狂以避之。（《後漢書・譙玄傳》）
9	訃	赴	•子駟使賊夜弒僖公，而以虐疾赴於諸侯。（《左傳・襄公七年》）
	背	北	•吳師大北。（《國語・吳語》）
	屎	矢	•殺而埋之馬矢之中。（《左傳・文公十八年》）
	畋	田	•焚林而田，偷取多獸，後必無獸。（《韓非子・難一》）
	型	刑	•刑範正，金錫美，工冶巧，火齊得，剖刑而莫邪已。（《荀子・强國》）
	屍	尸	•漢遣使三輩至康居求谷吉等尸。（《漢書・陳湯傳》）
	拱	共	•聖人共手。（《荀子・賦篇》）
	耶	邪	•獨不憐公子姊邪？（《史記・信陵君列傳》）
10	納	內	•亡走趙，趙不內。（《史記・屈原列傳》）
	紋	文	•蝮蛇多文。（《論衡・言毒》）
	陞（昇）	升	•而符獨耿介不同於世俗，以此遂不得升進。（《後漢書・王符傳》）

	胸	匈	• 適啓其口，匕首已陷其匈矣。（《漢書・賈誼傳》）
	悌	弟	• 弟子入則孝，出則弟。（《論語・學而》）
	陣	陳	• 既陳而後擊之。（《左傳・僖公二十二年》）
	娩	免	• 將免者以告。（《國語・越語上》）
	座	坐	• 公子引侯生坐上坐。（《史記・魏公子列傳》）
	俸	奉	• 奉厚而無勞。（《戰國策・趙策》）
	値	直	• 湯死，家產直不過五百金。（《史記・張湯傳》）
	彩	采	• 抑爲采色不足視於目乎？（《孟子・梁惠王上》）
	悅	說	• 秦伯說，與鄭人盟。（《左傳・僖公三十年》）
	倡	唱	• 爲天下唱，宜多應者。（《史記・陳涉世家》）
11	捲	卷	• 我心匪席，不可卷也。（《詩經・邶風・柏舟》）
	猝	卒	• 軍旅卒發。（《後漢書・仲長統傳》）
	捧	奉	• 奉觴加璧以進。（《左傳・成公二年》）
	娶	取	• 吳起取齊女爲妻。（《史記・吳起列傳》）
	現	見	• 圖窮匕首見。（《史記・刺客列傳》）
	荷	何	• 何戈與祋。（《詩經・曹風・候人》）
	婚	昏	• 男女有昏，生死相卹。（晁錯《言守邊備塞疏》）
	採	采	• 參差荇菜，左右采之。（《詩經・周南・關雎》）
	偶	耦	• 人各有耦。（《左傳・桓公六年》）

	捨	舍	•公賜之食，食舍肉。（《左傳·隱公元年》）
	惘	罔	•罔然若酲。（張衡《東京賦》）
	授	受	•因能而受官。（《韓非子·外儲說左上》）
	訣	決	•姊去我西時，與我決於傳舍中（《史記·外戚世家》）
	措	錯	•以君爲長者，故不錯意也。（《戰國策·魏策四》）
	僞	爲	•其言談者，爲設詐稱。（《韓非子·五蠹》）
	途	塗	•晏子出，遭之塗。（《史記·管晏列傳》）
	趾	止	•當斬左止者，笞五百。（《漢書·刑法志》）
	着	著	•不農則不地著。（晁錯《論貴粟疏》）
	烹	亨	•羽亨周苛。（《漢書·高帝紀》）
	凰	皇	•鸞鳥鳳皇，日以遠兮。（《楚辭·涉江》）
12	雲	云	•峽裏誰知有人事，世中遙望空云山。（王維《桃源行》）
	稀	希	•地廣人希。（《史記·貨殖列傳》）
	睎	希	•知慧之人，希主好惡。（《商君書·農戰》）
	智	知	•失其所與，不知。（《左傳·僖公三十年》）
	筐	匡	•蠶則績而蟹有匡。（《禮記·檀弓下》）
	裂	列	•古書列地建國。（《荀子·大略》）
	間	閒	•晏子爲齊相，出，其御之妻從門閒而闚其夫。（《史記·管晏列傳》）
	閑	閒	•冬春閒月，不妨農事。（《後漢書·劉般傳》）
	菓	果	•民食果蓏蚌蛤。（《韓非子·五蠹》）
	傑	桀	•伯兮朅兮，邦之桀兮。（《詩經·衛風·伯兮》）

	陲	垂	• 邊境之臣處，則邊垂不喪。（《荀子・臣道》）
	裌	夾	• 漠漠新寒試夾衣。（陸游《示客詩》）
	腋	掖	• 高后遂病掖傷。（《史記・呂太后本紀》）
	渡	度	• 猶度江河亡維楫。（《漢書・賈誼傳》）
	匾	扁	• 夢至一亭，扁日侍康。（《宋史・吳皇后傳》）
	滋	茲	• 賦斂茲重。（《漢書・五行志》）
13	軾	式	• 夫子式而聽之。（《禮記・檀弓下》）
	債	責	• 誰習計會，能爲文收責於薛者乎？（《戰國策・齊策》）
	腰	要	• 廷尉當惲大逆不道，要斬。（《漢書・楊惲傳》）
	嫉	疾	• 龐涓恐其賢於己，疾之。（《史記・孫子吳起列傳》）
	嗅	臭	• 耳之於聲也，鼻之於臭也。（《孟子・盡心下》）
	傭	庸	• 若爲庸耕，何富貴也？（《史記・陳涉世家》）
	嗜	耆	• 少益耆食。（《戰國策・趙策》）
	慄	栗	• 登高不栗。（《莊子・大宗師》）
	源	原	• 地者，萬物之本原。（《管子・水地》）
	溢	益	• 澭水暴益。（《呂氏春秋・察今》）
	詠（咏）	永	• 詩言志，歌永言。（《尚書・舜典》）
	綵	采	• 文采千匹。（《漢書・貨殖傳》）

	傾	頃	•不單頃耳而聽已聰。（《漢書・王褒傳》）
14	誡	戒	•觀往事，以自戒。（《荀子・成相》）
	銘	名	•大禹行而見之，伯益知而名之，夷堅聞而志之。（《列子・湯問》）
	誌	志	•博聞强志。（《史記・屈原列傳》）
	蓑	衰	•仲幾之罪何，不衰城也。（《春秋公羊傳・定公元年》）
	蝕	食	•君子之過也，如日月之食焉。（《論語・子張》）
	蓄	畜	•則畜積足而人樂其所矣。（賈誼《論積貯疏》）
	煽	扇	•奸諂頗相扇構。（《晋書・謝安傳》）
	賑	振	•大命將泛，莫之振救。（賈誼《論積貯疏》）
	嫡	適	•殺適立庶。（《左傳・文公十八年》）
	劃	畫	•我不欲戰，畫地而守之。（《孫子兵法・虛實》）
	像	象	•嘗圖裴楷象。（《晋書・顧愷之傳》）
	境	竟	•惜也，越竟乃免。（《左傳・宣公二年》）
	彰	章	•或欲蓋而名章。（《左傳・昭公三十一年》）
	媸	蚩	•孰知辨其蚩妍。（《後漢書・趙壹傳》）
15	輛	兩	•車四千餘兩。（《漢書・趙充國傳》）
	燃	然	•以須爐火之然也。（《墨子・備穴》）
	熟	孰	•既而爨孰。（《後漢書・方術列傳》）
	瘥	差	•因病危甚，服醫朱嚴藥，遂差。（沈括《夢溪筆談・卷二十四》）
	鋩	芒	•莫不衄鋭挫芒。（左思《吳都賦》）
	賙	周	•周人之急。（賈思勰《齊民要術・序》）

	緞	段	•我有一匹好素絹，重之不減綿繡段。（杜甫《戲爲雙松圖歌》）
	暮	莫	•莫春者，春服既成。（《論語・先進》）
	瀉	寫	•以澮寫水。（《周禮・地官・稻人》）
	諍	爭	•以數諫爭不合，去。（《後漢書・王充傳》）
	慾	欲	•不覺寒暑之切肌，利欲之感情。（劉伶《酒德頌》）
	瘡	創	•吾君背有疽創。（《論衡・書虛》）
	慼	戚	•哭泣無涕，心中不戚。（《莊子・大宗師》）
	墜	隊	•豕人立而啼，公懼，隊於車。（《左傳・莊公八年》）
	墟	虛	•君出魯之四門以望魯四郊，亡國之虛則必有數蓋焉。（《荀子・哀公》）
	影	景	•辟之是猶立直木而求其景之枉也。（《荀子・王霸》）
	擄	虜	•虜其人民而還。（《三國志・吳書・吳主傳》）
	增	曾	•所以動心忍性，曾益其所不能。《孟子・告子下》
	價	賈	•布帛長短同，則賈相若。（《孟子・滕文公上》）
	懈	解	•夙夜匪解。（《詩經・大雅・烝民》）
	僻	辟	•苟無恆心，放辟邪侈，無不爲己。（《孟子・梁惠王上》）
16	諮	咨	•事無大小，悉以咨之，然後實行。（《三國志・蜀書・諸葛亮傳》）
	艙	倉	•船倉周圍各五尺。（楊萬里《初二日苦熱》）
	擒	禽	•不禽二毛。（《左傳・僖公二十二年》）

	穅(糠)	康	•四穀不升謂之康。(《穀梁傳·襄公二十四年》)
	憑	馮	•神所馮依，將在德矣。(《左傳·僖公五年》)
	儔	疇	•物各有疇。(《戰國策·齊策三》)
	劑	齊	•醫者齊藥也。(《韓非子·定法》)
	勵	厲	•親秉旄鉞，以厲三軍。《三國志·蜀書·諸葛亮傳》)
	曆	歷	•君子以治歷明時。(《周易·革》)
	嬖	辟	•友便辟，友善柔，友便佞，損矣。(《論語·季氏》)
	導	道	•不如小決使道。(《左傳·襄公三十年》)
	燃	然	•以須爐火之然也。(《墨子·備穴》)
17	齋	齊	•齊則緇之。(《儀禮·士冠禮》)
	輾	展	•憂心展轉。(《楚辭·九歌》)
	縱	從	•約從連衡。(賈誼《過秦論》)
	禦	御	•我有旨蓄，亦以御冬。(《詩經·邶風·谷風》)
	殮	斂	•結斂葬具。(《漢書·趙廣漢傳》)
	鍥	契	•其劍舟中墜於水，遽契其舟。(《呂氏春秋·察今》)
	縴	牽	•渡河自撐篙，水急船斷牽。(高啓《贈楊滎陽詩》)
	避	辟	•姜氏欲之，焉辟害？(《左傳·隱公元年》)
	擱	閣	•閣筆相視。(《新唐書·劉知幾傳》)
	嚐	嘗	•未嘗君之羹。(《左傳·隱公元年》)
18	燻	熏	•憂心如熏。(《詩經·大雅·雲漢》)
	臍	齊	•后君噬齊。(《左傳·莊公六年》)

	罇	尊	• 出其尊彝。（《國語・周語中》）
	櫃	匱	• 藏於金匱。（晁錯《賢良文學對策》）
	癒	愈	• 昔日疾，今日愈。（《孟子・公孫丑下》）
	歟	與	• 管仲非仁者與？（《論語・憲問》）
19	礪	厲	• 堅甲厲兵以備難。（《韓非子・五蠹》）
	麳	來	• 貽我來牟。（《詩經・周頌・思文》）
	饈	羞	• 看核庶羞，裁令充足而已。（《陳書・高祖本紀下》）
	懸	縣	• 探淵者知千仞之深，縣繩之數也。（《商君書・禁使》）
	曝	暴	• 秋陽以暴之。（《孟子・滕文公上》）
20	癢	養	• 疾、養、滄、熱、滑、鈹、輕、重以形體異。（《荀子・正名》）
	譭	毀	• 好面譽人者，亦好背而毀之。（《莊子・盜跖》）
	譬	辟	• 君子之道，辟如行遠，必自邇；辟如登高，必自卑。（《禮記・中庸》）
21	闢	辟	• 欲辟土地，朝秦楚，蒞中國而撫四夷也。（《孟子・梁惠王上》）
22	鬚	須	• 隆準而龍顏，美須髯。（《漢書・高帝紀》）
	鑑	監	• 人無於水監，當於民監。（《尚書・酒誥》）
	臟	藏	• 人死五藏腐朽。（《論衡・論死》）
23	醼	燕	• 帝與齊王燕飲。（《漢書・高五王傳》）
	饜	厭	• 或信者百年之餘，或不厭糟糠也。（《鹽鐵論・錯幣》）
24	魘	厭	• 適有臥厭不悟者。（《論衡・問孔》）
	癲	顛	• 持花歌咏似狂顛。（張籍《羅道士詩》）

	囑	屬	•使人屬孟嘗君。（《戰國策・齊策》）
25	顰	頻	•他日歸，則有饋其兄生鵝者，已頻顣曰……（《孟子・滕文公下》）
	贓	藏	•受納藏賂。（《後漢書・陳禪傳》）
26	讚	贊	•下詔褒贊。（《三國志・魏書・許褚傳》）

㈡異體字及其舉例

異體字，是指同一個詞的不同的書寫形式，換句話說，就是同一個詞用兩個以上的字形來表示，這些不同的字形在任何情況下都可以互相代替，在表示詞義上不引起任何歧解。這種表示同一個詞的不同的字就是「異體字」，也叫「或體字」。漢字寫詞如果一個詞只有一個字形來表示，是最理想最方便的了，但事實上漢字中的異體字很多，同一個詞在古書中往往用不同的字形去表示。

異體字分造字的異體和繁簡的異體兩種。

1. 造字的異體

漢字是漢民族廣大羣衆創造的，不是出自一人之手。古人造字是在不同的時間和空間裡進行的，沒有統一的管理機構，也沒有統一的原則和計劃，創造文字的人由於取材不同，構字方法不同，為同一個詞造出兩個以上不同的字形是難免的，這就是造字的異體。例如：

羴羶 是造字方法不同的異體字，羴从三羊，會意；羶从羊亶聲，形聲字。

徧遍 是造字材料不同的異體字。徧从彳扁聲，遍从辵扁聲，所用形符不同。

蚓螾　也是造字材料不同的異體，螾从虫寅聲，蚓从虫引聲，所用聲符不同。

愬訴　這是形符與聲符選材都不同的異體字，一個从心朔聲，一個从言斥省聲。

翅翄　這是改變形聲字偏旁位置的異體字，筆畫結構並沒有變化。

2. 繁簡的異體

同一個字有繁簡的不同，也是書寫形式上的異體。簡體字早在古代就有了。人們寫字爲了方便、迅速，常常減少筆畫、簡化結構、更換偏旁部件，這就出現了簡化字，而繁體字又同時使用，這是古代的繁簡異體字。甲骨文、金文中都有簡省字。每個朝代正統的字體都比較繁，人民羣衆中通用的字簡化的多。

下面分別以表列舉常見的異體字：

造字的異體字表

筆畫	異體字		含不常用字的例句
	常用的	不常用的	
5	仙	僊	• 安期生僊者。（《史記・封禪書》）
6	札	箚	• 牋箚，用以奏事，非表非狀者謂之箚子。（《正字通》）
	吃	喫	• （羅友）答曰：友聞的羊肉美，一生未曾得喫，故冒求前耳，無事可咨。（《世說新語・任誕》）
	吊	弔	• 莊子妻死，惠子弔之。（《莊子・至樂》）
	阱	穽	• 無仁義之德而有富貴之祿，若蹈坎穽，食於懸門之下。（《鹽鐵論・毀學》）

	圬	杇	•朽木不可雕也，糞土之牆不可杇也。（《論語・公冶長》）
7	坂	阪	•瞻彼阪田，有菀其特。（《詩經・小雅・正月》）
	妒	妬	•循善則見妬，行賢則見嫉也。《潛夫論・賢難》）
	泛	氾	•氾愛萬物，天地一體也。（《莊子・天下》）
	劫	刦	•庸衆駑散，則刦元以師友。（《荀子・修身》）
	吝	悋	•不驕不悋，時乃無敵。（《逸周書・寤敬》）
	災	烖	•眚烖過赦。（《史記・五帝紀》）
	皂	皁	•人有十等。……故王臣公，公臣大夫，大夫臣士，士臣皁，皁臣輿，輿臣隸，隸臣僚，僚臣僕，僕臣臺。（《左傳・昭公七年》）
	妝	粧	•別賜黃金五十斤，與夫人柳眉兒添粧。（《元曲選・金錢記》）
	囤	笹	•守其篅笹。（《淮南子・精神》）
8	並	竝	•竝封列侯。（《後漢書・董卓傳》）
	抵	觝	•爾乃顛波奔突，狂赴爭流，觸巖觝隈，鬱怒彪休。（《文選・琴賦》）
	附	坿	•坿城郭。（《呂氏春秋・十月》）
	杰	傑	•古者桀紂長巨姣美，天下之傑也。（《荀子・非相》）
	侃	偘	•詞氣偘然，觀者屬目。（《隋書・房彥謙傳》）

	氓	甿	• 陳涉，甕牖繩樞之子，甿隸之人，而遷徙之徒。（《史記・秦始皇本紀・太史公曰》）
	拓	搨	• 古碣憑人搨，閒詩任客吟。（王建《原上新居》）
	玩	翫	• 步寒林以悽惻，翫春翹而有思。（陸機《嘆逝賦》）
	泄	洩	• 今夫地一撮土之多，及其廣厚，載華嶽而不重，振河海而不洩，萬物載焉。」（《禮記・中庸》）
	岩	巖	• 千巖盛阻積，萬壑勢迴縈。（鮑照《登廬山詩》）
	岳	嶽	• 崧高維嶽，駿極於天。（《詩經・大雅・崧高》）
	坺	墢	• 王耕一墢，班三之，庶民終於千畝。（《國語・周語上》）
9	昵	暱	• 上帝甚蹈，無自暱焉。（《詩經・小雅・菀柳》）
	畎	甽	• 舉舜甽畝，任之天下身休息。（《荀子・成相》）
	恤	卹	• 今不卹士卒而徇私，非社稷之臣也。（《漢書・項籍傳》）
	姻	婣	• 二曰六行：孝、友、睦、婣、任、恤。（《周禮・地官・大司徒》）
	玳	瑇	• 犀象珠玉，虎魄瑇瑁。（《後漢書・王符傳》）
	珏	瑴	• 虢公晉侯朝王，王饗禮，命之宥，皆賜玉五瑴，馬三匹。（《左傳・莊公十八年》）
	瓮	甕	• 醯醢百甕。（《禮記・檀弓上》）

10	耻	恥	•越王苦會稽之恥。（《呂氏春秋・順民》）
	鬥	鬭	•鄉鄰有鬭者，被髮纓冠而往救之，則惑也；雖閉戶可也。（《孟子・離婁下》）
	俯	頫	•百粤之君頫首係頸，委命下吏。（《漢書・項籍傳・贊》引《過秦論》）
	個	箇	•爲問門前客，今朝幾箇來？（《唐詩紀事》二十李適之詩）
	浣	澣	•薄汙我私，薄澣我衣。（《詩經・周南・葛覃》）
	浚	濬	•禹別九州，隨山濬川。（《尚書・禹貢》）
	荐	薦	•天子能薦人于天，不能使天與之天下。（《孟子・萬章上》）
	留	畱	•可急去矣，愼勿畱。（《史記・越世家》）
	效	傚	•君子是則是傚。（《詩經・小雅・鹿鳴》）
	哲	喆	•聖喆之治。（《漢書・敍傳》）
	秕	粃	•灰、康、粃、杯、馬矢，皆謹收藏之。（《墨子・備城門》）
	挼	捼	•靈壽輕無賴，梅條皺可捼。（王惲《秋澗集》）
	逖	逷	•用戒戎作，用逷蠻方。（《詩經・大雅・抑》）
	荇	莕	•《爾雅・釋草》：「莕，接余，其葉苻。」疏：「《詩・周南・關雎》云『參差荇菜』是也。」

11	粗	麤	• 布帛精麤不中數，……不粥於市。（《禮記・王制》）
	啖	噉	• 廉頗噉肉百斤。（《北堂書鈔・發蒙記》）
	訛	譌	• 百姓怨其法，天下畔之，皆譌曰：「始皇上泰山，爲暴風雨所擊，不得封禪。」（《史記・封禪書》）
	烽	㷭	• 匈奴不敢飲馬於河，置㷭隧，然後敢牧馬。（《漢書・韓安國傳》）
	桴	枹	• （郤克）左並轡，右援枹而鼓。（《左傳・成公二年》）
	畝	畮	• 不易之地，家百畮。（《周禮・地官・大司徒》）
	豚	㹠	• 武帝嘗降王武子家，……食烝㹠，肥美異於常味。（《世說新語・汰侈》）
	衅	釁	• 將以釁鐘。（《孟子・梁惠王上》）
	野	埜	• 及莊公陳武夫，尚勇力，欲辟勝干邪，而嬰不能禁，故退而埜處。（《晏子春秋》）
	庵	菴	• 密邇寇庭，下無安志。編草結菴，不違涼暑。（《南齊書・竟陵文宣王子良傳》）
12	傲	慠	• 勇者凌怯，壯者慠幼，從此生矣。（《呂氏春秋・侈樂》）
	遍	徧	• 望於山川，徧於羣神。（《書・舜典》）
	逼	偪	• 實偪處此。（《左傳・隱公十一年》）
	創	刱	• 大夫種爲越王墾草刱邑。（《戰國策・秦策》）

	堤	隄	•修利隄防，道達溝瀆。（《禮記·月令》）
	遁	遯	•台小子舊學于甘盤，既乃遯於荒野。（《尚書·說命下》）
	皓	皜	•晨風淒以激冷，夕雪皜以掩路。（《文選·懷舊賦》）
	跬	蹞	•故不積蹞步，無以至千里。（《荀子·勸學》）
	揚	颺	•何曾華之無實兮，從風雨而飛颺。（《楚辭·九辯》）
	貂	鼦	•狐鼦裘千皮。（《史記·貨殖列傳》）。
	遌	遻	•死生驚懼而不入乎其胸中，是故遻物而不慴。（《莊子·達生》）
	峈	喀	•兩手據地而歐之，不出，喀喀然，遂伏而死。（《列子·說符》）
	硜	礥	•器多堅礥，善惡無所擇。（《鹽鐵論·水旱》）
	确	確	•可申敕諸州，月一臨訊，博詢擇善，務在確實。（《梁書·武帝紀》）
	椏	枒	•巔崖老樹纏冰雪，石觜枒杈橫積鐵。（王惲《秋澗集》）
13	酬	醻	•君子有酒，酌言醻之。（《詩經·小雅·瓠葉》）
	搗	擣	•長安一片月，萬戶擣衣聲。（李白《子夜吳歌》三）
	蜂	蠭	•《說文》：「蠭，飛蟲螫人者。」
	禍	旤	•數其旤福。（《漢書·五行志》）

	愧	媿	•以不敏不明，而久撫臨天下，朕甚自媿。（《漢書・文帝紀》）
	豎	豎	•始出營，豎矛戟，舒旛旗，鳴鼓角。（諸葛亮《軍令》見《北堂書鈔》）
	搜	挖	•《說文》引《詩》曰：「束矢其挖。」
	溯	遡	•遡洄從之，道阻且長。（《詩經・秦風・蒹葭》）
	携	攜	•於是夫負妻戴，攜子以入于海，終身不反也。（《莊子・讓王》）
	綉	繡	•翡翠黃金鏤，繡成金縷衣。（《李白《贈裴司馬》）
	萱	藼	•安得藼草。（《說文》引《詩》）
	稚	穉	•黍稷重穋，植穉菽麥。（《詩經・魯頌・閟宮》）
	罪	辠	•蔽兆之紀，失臣之官，有二辠焉，何以事君？（《國語・晋語一》）
	稑	穋	•黍稷重穋。（《詩經・豳風・七月》）
	塊	凷	•寢苫枕凷。（《禮・喪服》）
	碗	椀	•惟斯椀之所生，於涼風之浚濱。（曹植《車渠椀賦》）
	楦	楥	•《說文》：「楥，履法也。」指做鞋的木模。
	埙	壎	•伯氏吹壎・仲氏吹篪。（《詩經・小雅・何人斯》）
14	蜡	禮	・夏日清祀，殷曰嘉平，周曰大禮，秦曰臘。（《廣雅・釋天》）
	褓	緥	•是以業隆爲繈緥，而崇冠於二后。（《文選》司馬相如《封禪文》）

	駮	駁	• 粹而王，駮而霸，無一焉而亡。（《荀子·王霸》）
	澄	澂	• 千載不作，淵原誰澂？（《後漢書·儒林傳·贊》）
	管	筦	• 鐘鼓喤喤，磬筦將將。（《詩經·周頌·執競》）
	奩	筒	• 鏡筒疏比各異工。（《急就篇》）
	寧	甯	• 穰穰復正直往甯，馮蠵切和疏寫平。（《漢書·禮樂志》）
	嘆	歎	• 今吾子臨政而歎，何也？（《國語·楚語下》）
	噓	歔	• 故物或行或隨，或歔或吹。（《老子》）
	屣	躧	• 舜視棄天下，猶棄敝躧也。（《孟子·盡心上》）
	踪	蹤	• 軼五帝之遐迹兮，躡三皇之高蹤。（《漢書·揚雄傳·河東賦》）
	隙	隟	• 故上惛則隟不計。（《管子》）
	蜮	魊	• 況鬾魊與畢方。（張衡《東京賦》）
	嫭	嫮	• 嫮目宜笑，娥眉曼只。（《楚辭·大招》）
	稭	䕸	• 當戶夜織聲咿啞，地爐豆䕸煎土茶。（陸游《浣花女》）
	褒	襃	• 不疑冠進賢冠，帶櫑具劍，佩環玦，樞衣博帶，盛服至門上謁。（《漢書·雋不疑傳》）
	諂	讇	• 爲人臣下者有頌而無讇。（《禮記·少儀》）
	輝	煇	• 故德煇動於內。（《禮記·樂記》）

	漿	𩞄	•吾嘗食於十𩞄。（《莊子・列禦寇》）
	蹋	蹹	•長史王融、參軍孟暢蹹折（張）鎮檄，排閤入諫。（《晉書・張軌傳》）
	璇	璿	•璿、瑾、瑜，美玉也。（《太平御覽・逸論語》）
16	霓	蜺	•蜺為挈貳。（《爾雅・釋天》）
	嬝	嫋	•兩枝楊柳小樓中，嫋娜多年伴醉翁。（白居易《別柳枝詩》）
	燁	爗	•爗爗震雷。（《詩經・小雅・十月之交》）
	樽	罇	•岐山得銅器，形似酒罇，獻之。（《後漢書・章帝紀》）
	蕳	葌	•吳林之山，其中多葌草。（《山海經・中山經》）
17	馘	聝	•《說文》：「聝，軍戰斷耳也。春秋傳曰：以為俘聝。」
	懦	懧	•（孟嘗君）謝曰：「文倦於事，憒於憂，而性懧愚，沈於國家之事，開罪於先生。」（《戰國策・齊策》）
	鼢	蚡	•狠狐入城，蚡穴於門，人心危駭。（《新唐書・高麗傳》）
	殮	𣧑	•喪三日而𣧑。（《路史・昊英氏》）
	鮮	尠	•〔孔子〕又稱知德者尠。（《潛夫論・交際》）
18	斃	獘	•《說文》：「獘，頓仆也……春秋傳曰：與犬，犬獘。獘或從死。」
	雜	襍	•好以智矯法，時以私襍公，法禁變易，號令數下者，可亡也。（《韓非子・亡徵》）

	蹠	跊	•病非徒瘇也，又苦跊盭。（《漢書·賈誼傳》）
19	櫝	匵	•有美玉於斯，韞匵而藏諸。（《論語·子罕》）
	鐫	鐫	•鐫金石者難爲功，摧枯朽者易爲力。（《漢書·異姓諸侯王表序》）
	韜	弢	•彭越觀時，弢迹匿光。（《文選·漢高祖功臣頌》）
20	蘇	甦	」暖日烘梅冷未甦，脫葉隨風，獨見枯株。（《坦庵詞·一剪梅》）
	耀	燿	•焜燿寡人之望。（《左傳·昭公三年》）
	臛	膗	•長魚出網健欲飛，新兔臥盤肥可膗。（陸游《劍南詩稿·豐年行》）
	蠕	蝡	•端而言，蝡而動，一可以爲法則。（《荀子·勸學》）
22	歡	懽	•怵惕之恐，欣懽之喜，不監於心。（《莊子·盜跖》）
	鑒	鑑	•春始治鑑。（《周禮·天官·凌人》）
24	艷	豔	•美而豔。（《左傳·桓公元年》）
	蠹	螙	•遺文銷白螙，留骨待青山。（清黃景仁《兩當軒集》）

㈢通假字及其舉例

通假有時稱爲同音通用。通假和假借是有區別的：假借是「本無其字」，借用一個同音字來表示；通假是本來有字不用，另借一個同音字來表示。爲什麼本來有字不用，偏偏要借用同音字？這有兩個原因：

一是古人寫作時，由於倉猝筆誤或一時忘了本字，順手寫了一個同音字，用現代的話說，就是寫了別字，後人由於盲目崇古，不敢改動，以致將錯就錯，沿用不變，給今人閱讀古書帶來麻煩。

再就是古人寫字力求簡單，也往往以筆畫少的代替筆畫多的，造成通假。

通假字給閱讀和整理古書帶來很大的不便，因爲通假字雙方本來各自代表特定的詞，偶爾通用，後人讀書，往往用經常代表的詞義去理解，就會造成誤解。詳見下表：

常用通假字表

筆畫	借字	本字	例　　　　句
2	丁	壯	• 丁年奉使。（《文選・答蘇武書》）
	卜	僕	• 卜人師扶右。（《禮記・檀弓》）
3	干	岸	• 寘之河之干兮。（《詩經・魏風・伐檀》）
	工	官	• 允厘百工。（《書・堯典》）
	土	度	• 以土地相宅。（《周禮・土方氏》）
	子	慈	• 不可使子民。（《晏子春秋・外篇》）
	上	尙	• 上農除末，黔首是富。（《史記・秦始皇本紀》）
4	午	迕	• 午其軍，取其將。（《荀子・富國》）
	以	已	• 固以怪之矣。（《史記・陳涉世家》）
5	半	片	• 士卒食半菽（《漢書・項籍傳》）
	册	策	• 此全師保勝安邊之册。（《漢書・趙充國傳》）
	由	猶	• 由弓人而恥爲弓。（《孟子・公孫丑上》）
6	伐	發	• 一耦之伐。（《考工記・匠人》）

	字	慈	•牛羊腓字之。（《詩經・大雅・生民》）
7	角	校	•孟冬肄射御角力。（《呂氏春秋》）
	求	幼	•享牛求牛。（《周禮・牛人》）
	豆	斗	•飲一豆酒。（《考工記・梓人》）
	扶	匍	•扶服救之。（《禮記・檀弓》）
	材	哉	•無所取材。（《論語・公冶長》）
	伯	佰	•有仟伯之得。（晁錯《論貴粟疏》）
	妙	渺	•妙遠不測。（《韓非子・難言》）
	佚	逸	•以近待遠，以佚待勞。（《孫子・軍爭》）
8	其	期	•死其將至。（《易・繫辭》）
	居	車	•望乘居。（《爾雅・釋草》）
	金	噤	•金舌弊口。（《荀子・正論》）
	空	衡	•小國當空道。（《漢書・張騫傳》）
	定	成	•秋分蕈定。（《淮南子・天文訓》）
	牧	敏	•君子牧乎固哉。（《莊子・齊物論》）
	武	舞	•秦武陽。（《戰國策・燕策》）
	罔	妄	•學而不思則罔。（《論語・爲政》）
	卷	拳	•解雜亂糾紛者不控卷。（《史記・孫子吳起列傳》）
	押	壓	•以石押其頭使扁。（《晋書・東夷辰韓傳》）
9	貪	探	•捨狀以貪性。（《後漢書・郭躬傳》）
	追	彫	•追琢其章。（《詩經・大雅・棫樸》）
	風	放	•風馬牛不相及。（《左傳・僖公四年》）
		分	•春風至。（《淮南子・原道》）
10	財	裁	•唯陛下財擇。（晁錯《言兵事疏》）

	捍	悍	•民雕捍而少慮。（《史記・貨殖列傳》）
	能	耐	•鳥獸希毛，其性能暑。（晁錯《言守邊備塞疏》）
11	貫	彎	•士不敢貫弓而報怨。（《史記・陳涉世家》）
	康	空	•酌彼康爵。（《詩經・小雅・賓之初筵》）
	望	怨	•絳侯望袁盎。（《史記・袁盎傳》）
	從	縱	•七十而從心所欲。（《論語・爲政》）
	常	嘗	•夫日月之有蝕，風雨之不時，怪星之黨見，是無世而不常有之。（《荀子・天論》）
	崇	終	•周流四海，曾不崇日。（《荀子・賦篇》）
12	棘	戟	•子都攏棘以逐之。（《左傳・隱公十一年》）
	琴	種	•冬夏播琴。（《山海經・海內經》）
	朝	召	•朝四靈於九濱。（《楚辭・遠逝》）
	萌	氓	•姦巧邊萌。（《史記・三王世家》）
	惠	慧	•甚矣，汝之不惠。（《列子・湯問》）
13	嗛	歉	•一穀不升謂之嗛。（《穀梁傳・襄公二十四年》）
	農	努	•小人農力以事其上。（《左傳・襄公十三年》）
	資	至	•資冬祈寒。（《禮記・緇衣》）
	頓	鈍	•莫邪頓兮，鉛刀爲銛。（《史記・賈誼列傳》）
14	歉	謙	•主信愛之則謹愼而歉。（《荀子・仲尼》）
	奪	遂	•以奪其志。（《史記・秦本紀》）
	暴	搏	•不敢暴虎。（《詩經・小雅・小旻》）
	罷	疲	•勁者先，罷者後。（《孫子・軍命篇》）

16	錫	賜	• 王三錫命。（《易・師卦》）
	擅	禪	• 堯舜擅位。（《荀子・正說》）
	豫	與	• 及楚靈會申，亦來豫盟。（《後漢書・東夷傳》）
17	購	媾	• 將西購於秦。（《史記・韓世家》）
18	歸	饋	• 歸公乘馬。（《左傳・閔公二年》）
	謾	慢	• 輕謾宰相。（《漢書・翟方進傳》）

（王夢華）

2 詞彙

一、單音詞與複音詞

一個詞只有一個音節的稱單音詞。如《爾雅》所載作「我」解的「卬、吾、台、予、朕、身、甫、余、言」；作「往」解的「如、適、之、嫁、徂、逝」等即是。一個詞有兩個或兩個以上音節的稱複音詞。如《詩經》所用的「悠悠」、「參差」、「逍遙」、「農夫」、「莎雞」等，《爾雅》所載的「大荒落」、「大淵獻」、「攝提格」等即是。

現代漢語的詞有單音詞與複音詞之分，古代漢語也是這樣。但是古代漢語單音詞占絕對優勢。有人根據某些古代文獻做了大致的統計，估計古文中單音詞占80%～90%，複音詞占10%～20%；而現代漢語恰恰將這個比例顛倒過來，複音詞占80%～90%，單音詞占10%～20%。這個反比例的背後隱藏著古今構詞方法的質變。古代是以增加單音詞，並使一部分單音詞詞義不斷豐富，作爲當時詞彙發展的主要途徑。現代則是以增加複音詞作爲詞彙發展的主要途徑。複音詞的不斷增加，有助於克服單音詞無限膨脹大量產生同音詞而影響交際的局限性，使語言更好地滿足社會交際的需要。

㈠古代漢語單音詞的特點

1. 多義性

所謂「多義性」，是指一個詞具有很多義項，也就是一詞多義。複音詞雖然也有一詞多義現象，但不如單音詞突出。例如文言中「節」這個單音詞，就有下列諸義項：

竹節　《說文》：「節，竹節也。」左思《吳都賦》：「竹則……苞筍抽節。」

木節　（用於樹木）《後漢書・虞詡傳》：「不遇槃根錯節，何以別利器乎？」

關節　（用於動物）《莊子・養生主》：「彼節者有閒，而刀刃者無厚。」

節奏　（用於音樂）陸機《擬古》詩：「長歌赴促節。」

節操　（用於道德）文天祥《正氣歌》：「時窮節乃見。」

法度　（用於社會政治）《禮記・曲禮》：「禮不踰節。」

節制　（用於人或事）《論語・學而》：「不以禮節之，亦不可行也。」

節省　（用於物）《論語・學而》：「節用而愛民。」

節氣　（用於時日）《史記・太史公自序》：「四時八位十二度二十四節。」

單音詞義項較多，常常隨文而異，必須分析它在句中的地位和作用，才能確定它在句中的詞義。

2. 靈活性

單音詞義項較多，但有些義項所表示的意義有時還沒有達到十分精確的程度，往往在具體作品中需要靈活加以解釋，特別是那些表示抽象概念的詞更是如此。例如「嚴」有「認眞而一絲不苟」的意思，但這是籠統的解釋，至於程度上的差別，單從「嚴」是看不出來的。如果是一般程度，可以是「嚴肅」；嚴肅而達到厲害的程度，就是「嚴厲」；嚴厲而達到殘酷的程度，就是「嚴酷」。《史記・太史公自序》有個「法家嚴而少恩」的句子，這個「嚴」應該解作「嚴肅」呢？還是應該解作「嚴厲」或「嚴酷」呢？這需要在語言環境中加以考察。法家「信賞必罰」，說明它的「嚴」不是一般的「嚴肅」；同時，在司馬遷看來，「嚴」是法家之長，「少恩」是法家之短，因此把「嚴」解作「嚴酷」，有失作者的本意，恐怕只有解作「嚴厲」較爲合適。

3. 能產性

單音詞除極少數以外，絕大多數都具有一定的構詞能力。例如「亡」這個詞，就可以構成「逃亡」、「流亡」、「死亡」、「滅亡」……等複音詞。有時候，單音詞的某個義項，就能構成一連串意義相同的複音詞，如「書」有很多義項，僅「書信」這個義項，就可構成「書信」、「書牘」、「書函」、「書簡」、「書啓」、「書札」、「書翰」等同義詞。單音詞的能產性，是漢語由單音詞向複音詞發展的必不可少的條件。

㈡古代漢語雙音詞分析

說古代漢語單音詞占絕對優勢，並不意味古代漢語的複音詞很少。事實上古代漢語中複音詞的絕對量並不是很少的，而且愈是接近口語的作品或愈是後代的作品，複音詞的數量愈多。現僅就古代漢語複音詞中雙音詞的構成分析如下：

1. 單純詞

有兩種類型：

⑴**疊音詞**。如：

飄飄　翩翩　渺渺　漠漠　蒼蒼　茫茫　潺潺　淙淙　洋洋
皇皇　綿綿　萋萋　蕭蕭　颯颯　遲遲　紛紛

⑵**聯綿詞**

⒜屬於雙聲聯綿詞的，如：

唐棣　蟋蟀　蜘蛛（以上爲名詞）
踴躍　匍匐　踟躕（以上爲動詞）
參差　含糊　倜儻（以上爲形容詞）

⒝屬於疊韻聯綿詞，如：

芍藥　葫蘆　倉庚（以上爲名詞）
逍遙　徘徊　綢繆（以上爲動詞）
窈窕　依稀　觳觫（以上爲形容詞）

疊音詞與聯綿詞是不能拆開解釋的。關於聯綿詞，下面即將談到。

2. 合成詞

其構成方式有下列五種。

⑴**聯合式**。如：

馳驅　暴露　離散　嘆息　殺戮　遷徙　節儉　奢侈　聖明
社稷　聲譽　朋友　長久　遼遠

這類詞一般是由兩個意義相同或相近的單音詞構成的，構成雙音詞以後，原來的單音詞在這裡只作爲一個詞素看待。

⑵**偏正式**。如：

先王　天子　寡人　不穀　皇天　后土　諸侯　陪臣　百姓
黔首　聖人　庶人　大人　小人　不肖　不佞

這類詞一般是以一個中心詞作爲詞素，前面加上另一詞素來修飾或限制該中心詞。用這種方式構成的新詞，它的詞義一般都在原有基礎上延伸或改變，去專指另一事物。如「先王」不再理解爲「先前的國君」而指「故去的國君」；「天子」由「天之子」而來，但構詞以後指帝王了。同樣，「大人」與「小人」也不指身材高大或矮小的人，而是指被認爲尊貴的人和卑下的人，或者指奴隸社會、封建社會中的統治者和被統治者。如此等等。

⑶**支配式**。如：

藉口　將軍　執事　徼幸　於是　是以

這類詞或由動賓方式構成，或由介賓方式構成。

⑷**主謂式**。如：

夏至　天命　日食　波及

這類詞構成新詞後，也專指某一事物或行爲。如「夏至」不再理解以「夏天到來」，而是指二十四節氣之一。

⑸**附加式**。如：

第一　阿姊　老鴉　有頃　缽頭　蜂兒　婢子　欣然　沃若　莞爾　晏如　頃之　久之

這類詞一般是把一個虛詞素附加在一個實詞素的前後，也有是由兩個虛詞素粘附在一起構成的。

㈢正確區分古代漢語中的單音詞和雙音詞

由於古代漢語單音詞占優勢，同時又存在不少雙音詞，又由於古代漢語的單音詞逐漸凝聚，在使用中按一定結構方式臨時搭配而逐漸發展爲雙音詞，這就給閱讀古書帶來一個問題：到底某兩個字所寫的詞是兩個單音詞，還是一個雙音詞？是需要拆開來認識，還是合起來理解？這確是令人費神思索的地方。下面談談與此有關的幾個問題：

1. 貌似雙音詞的兩個單音詞

有人習慣於現代漢語雙音詞多這一特點，一接觸單音詞多的古文，很容易按既成的習慣去讀，尤其是遇到相連的兩個古代漢語的單音詞恰好是現代漢語的一個常用的雙音詞的時候，如不詳審，就很容易誤解。例如：

老師費財，亦無益也。（《左傳・僖公三十三年》）（「老」，使軍隊長久駐紮；師，軍隊。這是兩個單音詞，語法上是動賓關係）

墨子者，顯學也。其身體則可，其言則不辯。（《韓非子・外儲說左上》）（身，親身；體，體驗，實踐。）

且相如素賤人，吾羞，不忍爲之下。宣言曰：「我見相如，必辱之。」（《史記・廉頗藺相如列傳》）（宣，宣揚，散布；言，言論。）

璧有瑕，請指示王。（《史記・廉頗藺相如列傳》）（指，用手指點；示，給……看。）

至陛下，秦舞陽色變振恐。（《史記・刺客列傳》）（陛，宮殿的台階；下，方位詞。）

當時爲是，何古之法？（《漢書・杜周傳》）（當，適應；時，時代。）

其牙機巧製，皆隱其中，覆蓋周密無際。（《後漢書・張衡傳》）（周，四周；密，密合。）

盛名之下，其實難副。（《後漢書・黃瓊傳》）（其，指示代詞，那；實，指與「名」相對的實際才能。）

天下雲集而響應。（賈誼《過秦論》）（響，回聲。與前面的「雲」處於同一語法地位，是名詞作狀語，譯爲「像回聲一樣」；應，回應，應合。）

先帝不以臣卑鄙，猥自枉屈，三顧臣於草廬之中。（諸葛亮《出師表》）（卑，地位卑微；鄙，見識淺陋。）

進攻劍閣，不克，引退。蜀軍保險拒守。（《三國志・鍾會傳》）（保，保住；險，險要之地。）

因覽足下去通日所留新舊文二十六軸，開卷得意，忽如會面。（白居易《與元九書》）（得，領悟到；意，意思。）

昨日入城市，歸來淚滿巾。（張俞《蠶婦》）（城，城市；市，交易。）

子布、元表諸人各顧妻子，挾持私慮。（《資治通鑑・漢紀》）（妻，妻子；子，孩子。）

婉貞於是率諸少年結束而出，皆玄衣白刃。（徐珂《清稗類抄》）（結，結衣；束，束帶。）

一日晌午，諜報敵騎至。（徐珂《清稗類抄》）（諜，刺探軍情的人；報，報告。）

君家所寡有者以義耳，竊以爲君市義。（《戰國策·齊策四》）（以，用，介詞，後面省略介詞賓語「責（債）」；爲，替，介詞。）

大王加惠，以大易小，甚善；雖然，受地於先王，願終守之，弗敢易。（《戰國策·魏策四》）（雖，連詞，雖然；然，代詞，這樣。）

公曰：「小大之獄，雖不能察，必以情。」對曰：「忠之屬也。可以一戰。」（《左傳·莊公十年》）（可，可以；以，介詞，其後省略賓語「之」，代「忠」。）

遂墨以葬文公。晋於是始墨。（《左傳·僖公三十三年》）（於，介詞，從；是，代詞，此。）

立足於現代的人多從凝固的結果出發，把不是雙音詞的看成是雙音詞，容易產生的錯誤已如上述；立足於古代一端的，多從源頭出發，把本該是雙音詞的硬拆爲單音詞去解釋，這一極端往往來自古代的訓詁學家，難免有失偏頗。例如《國語·魯語上》：「饑饉薦降，民羸幾卒」，《論語·先進》：「加之以師旅，因之以饑饉」，「饑饉」是一個詞，不必分解。但《爾雅·釋天》說：「穀不熟爲饑，菜不熟曰饉」，《韓詩外傳》則說：「一穀不升曰歉，二穀不升曰饑，三穀不升則饉。」這實際是強生分別。「饑饉」經常連用，表示嚴重的饑荒，而「饉」從不單用。「饉」實際來源於「殣」，餓死人叫「殣」。「饑」與「殣」結合，表示饑荒達到使人餓死的程度。「殣」受「饑」字形同化的作用寫成「饉」。

單音詞發展爲雙音詞是一個漸變的過程，所以在古代漢語中同樣是兩個音節的單位，有時是兩個單音詞連用，有時又是一個雙音節詞，這就需要我們根據具體情況作具體分析。例如：

《左傳・桓公二年》：「吾聞國家之立也，本大而末小，是以能固。故天子建國，諸侯立家。」此「國家」是兩個詞，「國」指天子之國，「家」指諸侯之家。唐人柳宗元《封建論》：「今國家盡制郡邑，連置守宰，其不可變也，固矣」。此「國家」爲一個詞，與今義同。

《韓非子・五蠹》：「布帛尋常，庸人不釋。」「尋常」是兩個詞，古代八尺爲「尋」，兩尋爲「常」，都是長度單位。劉禹錫《烏衣巷》詩：「舊時王謝堂前燕，飛入尋常百姓家。」此「尋常」是一個詞，即「平常」。

像上面的情況，它們雖有區別，但沒有形式上的標誌，判斷它們是兩個詞還是一個詞，唯一可靠的辦法就是看其是否表示概念的單一性，即看兩個音節是否已融化爲一體構成新義。

2. 聯綿詞的不可分性與書寫形式的多樣化

聯綿詞，前人稱之爲「連語」或「連綿字」，是只包含一個詞素的雙音詞。聯綿詞的來源有兩類，一類是漢語本身早就存在的，一類是翻譯過來的。前者如：蟋蟀、秋韆、萊菔、猶豫、窈窕、狼狽等；後者如：葡萄、獅子、琉璃（以上來源於西域），剎那、夜叉（以上來源於梵文）。

❖聯綿詞有兩個特點：

一是它的「不可分性」。即聯綿詞雖有兩個音節，卻只含有一個詞素，它們渾然一體，不能拆開解釋。它屬於複音詞中的單純詞，不同於複音詞中的合成詞。它的詞義單一，不是複合的，兩個音節拆開了就無意義（或是另外的意義）。如「匍匐」一詞，不能說「匍」怎麼講，「匐」又怎麼講，拆開來沒有意義，只有合起來才表示「伏地而行」的意義。

二是它的書寫形式多樣化。聯綿詞是以音寄義的，所以它的音同（或音近）多形的特點非常突出。就是說，聯綿詞不是靠書寫形式（字）來區別詞義，而是靠聲音區別詞義，因此一個聯綿詞可以有許多書寫形式，只要音同（或音近）就可以，至於用哪個字來書寫，要求並不十分嚴格。如「匍匐」又寫作匍伏、蒲伏、扶服；「徘徊」又寫作俳佪、裴回、盤桓、磐桓、盤旋、泮渙等。最突出的莫過於「委蛇」，又可寫作逶迤、逶蛇、螻蛇、委佗、遺蛇、委它、倭遲、倭夷、威遲、郁夷、褘隋、溈迤、褘隋、褘它、倭他、委移、歸邪、隝隮、委陀、逶俿、委維、委壝、靡匜、逶迱、蝺迤、蜮池、踒跑、遺迱……，據符定一《聯綿字典・凡例》說：「委蛇八十三形，音同而義相邇。」

在單音詞占優勢的古代，人們習慣了字即是詞、字有「字義」的觀念，所以往往把記音符號當成表意符號去理解。古代有些訓詁家，就常常忽略聯綿詞的不可分性與書寫形式多樣化的特點，被字形所拘泥，便把聯綿詞拆開來理解，以致造成望文生訓的笑話。有些錯誤看法沿襲至今，是必需予以糾正的。例如：

「**猶豫**」是個聯綿詞，古書上又寫作猶預、由豫、由與、猶予，尤豫、優與、容與、游移、夷猶等，如《史記・魯仲連鄒陽列傳》：「平原君猶預未有所決」，馬中錫《中山狼傳》：「徘徊容與，追者益近」……。但長期以來，對「猶豫」的解釋，說法很多。北齊顏之推說：「隴西謂犬子爲猶。吾以爲人將犬行，犬好豫在人前，待人不得，又來迎候，如此往還，至於終日，斯乃豫之所以爲未定也。」唐初孔穎達說：「猶，玃屬。豫，象屬。此二獸皆進退多疑，人多疑惑者似之，故謂之猶豫。」顏師古又說：「猶，獸名，善登木。此獸性多疑，常居山中，忽聞有聲，即恐有人且來害之，每豫上樹，久之無人，然後敢下，須臾又上，如此非一，故不決者稱猶豫焉。」各馳遐想，愈說愈奇，其實都是主觀臆斷。

「**首鼠**」也是一個聯綿詞，又寫作首施、首攝、踟躕、躊躇、躑躅等，表示進退不定、遲疑不決的意思，如《三國志・吳書・諸葛恪襄帝紀》：「以狐疑之心，爲首鼠之事」，《史記・魏其武安侯列傳》：「何爲首鼠兩端？」可是裴駰《史記集解》引服虔說：「首鼠，一前一卻也。」王念孫《讀書雜志餘編上》：「首鼠，亦即首尾之意。」服解含糊，王解更不得要領。更有甚者，今人《史記選注》竟把它說成「鼠出穴，常先探出頭左右視」，表示多疑，這更是從字面來理解了。

「**狼狽**」亦作狼貝、狼跋等，表示困頓窘迫之貌，也是聯綿詞，如《三國志・蜀書・馬超傳》：「超不得入，進退狼狽」，《漢書・任光傳》：「狼貝不知所向」，《三國志・蜀書・法正傳》：「當斯之時，進退狼跋」。但舊時卻把「狼狽」說成是兩種動物，如段成式《酉陽雜俎・廣動植》：「狼狽是兩物，狽前足絕短，每行常駕兩狼，失狼則不能動」。此說相沿成習，據此又創造出「狼狽爲奸」的成語，這都是見字思義的產物。不久前出版的《現代漢語詞典》也因襲此說，以訛傳訛。

「**望洋**」也寫作望羊、望陽、茫陽、茫洋、眊羊等，是聯綿詞，是寫目光呆滯、精神迷惘的樣子，如《莊子・秋水》：「於是焉河伯始旋其面目，望洋向若而嘆」，《朝野僉載》：「長孺子視望陽，目為呷醋漢」，孫樵《罵僮志》：「茫洋若癡人之行。」但《釋名・釋姿容》卻說：「羊，陽也。言陽氣在上，舉頭高，若望之然也」，這顯然是從「望陽」的字面加以訓釋的，所以後代多解「望洋」為「仰視」。《大陸成語字典》把「望陽」解為「望著太陽」，《成語小辭典》1959年版把「望洋」解作「眼望海洋」，更屬據字解詞。

這種分析聯綿詞的誤例很多，如《方言》「美心為窈，美色為窕」，朱熹《詩集傳》：「輾者轉之半，轉者輾之周」，《漢書注》：「囹，獄也；圄，守也」，都是分解聯綿詞的做法。有的甚至把音譯外來詞也當作有意義的詞素組合，如把「葡萄」解作用葡萄釀成的酒，喝了使人「陶然而醉」，這純屬望文生訓。清人王引之《經義述聞》上說，聯綿詞「求諸其聲則得，求諸其字則惑」，這話很有道理。硬從字面上做文章，只能是求之愈深，失之愈遠。

3. 偏義複詞的兩個詞素不能等量齊觀

所謂偏義複詞，是指一個複音詞由兩個單音的近義詞或反義詞作為詞素組成的，但其中只有一個詞素的意義作為這個雙音詞的意義，另一個詞素只是作為陪襯。例如：

今有一人，入人園圃，竊其桃李。（《墨子・非攻上》）（古代種樹的地方叫「園」，種菜的地方叫「圃」，這裡只有「園」義。）

罵其妻曰：「生子不生男，有緩急，非有益也。」（《史記・文帝紀》）（只有「急」義，「緩」字無義。）

大夫不得造車馬。（《禮記・玉藻》）（只有「車」義，「馬」字無義。）

多人不能無生得失。（《史記・刺客列傳》）（只有「失」義，「得」字無義。）

先帝嘗與太后不快，幾至成敗。（《後漢書・何進傳》）（只有「敗」義，「成」字無義。）

宮中府中，俱爲一體，陟罰臧否，不宜異同。（諸葛亮《出師表》）（只有「異」義，「同」字無義。）

無羽毛以御寒暑。（《列子・楊朱》）（只有「寒」義，「暑」字無義。）

趨走不足以逃利害。（《列子・楊朱》）（只有「害」義，「利」字無義。）

晝夜勤作息，伶俜縈苦辛。（《玉臺新詠・孔雀東南飛》）（「作」爲「勞作」，「息」爲「休息」，這裡只有「作」義。）

此三子者，皆布衣之士也，懷怒未發，休祲降于天。（《戰國策・魏策》）（「休」爲「吉祥」，「祲」爲「不吉」，這裡只有「祲」義。）

4. 同義詞的組合成詞與解體復原

漢語中有的雙音詞，古代大都經過同義詞的臨時組合階段。就是說，最初的時候，它們還只是兩個同義詞的並列，還沒有凝結成一個固定的整體。這類雙音詞最初還沒有固定的形式，例如「封疆」(《左傳・成公三年》:「而帥偏師以脩封疆」)、「邊疆」(《左傳・成公十三年》:「帥我蝥賊，以來蕩搖我邊疆」)、「疆域」(左思《魏都賦》:「爾其疆域，則旁極齊秦」)、「疆埸」(《左傳・成公十三年》:「鄭人怒君之疆埸」)等都表示邊界，一個「疆」字可以和幾個相同或相近的詞臨時組合。不但如此，臨時組合的同義詞前後的位置還可以任意顛倒，如「險阻」(《左傳・成公十三年》:「踰越險阻」)，可以說成「阻險」(《列子・湯問》:「雖山川阻險」)，險與阻都指山路難行，但位置可前可後。又如「困乏」(《詩經・小雅・綿蠻》箋:「或困乏於錢財，則賙贍之」)，還可以說成「乏困」(《左傳・僖公三十年》:「行李之往來，共其乏困」)。這都說明當時還處於臨時組合階段，雖然也應看成雙音詞，但結合是自由的。同義詞的臨時組合，經過長期使用而逐漸凝聚，才取得了穩定性。

由同義詞組成新的雙音詞，要把該詞看成一個整體，一般不需要再對同義詞加以區別。如《戰國策・齊策》:「齊王聞之，君臣恐懼」，「恐」和「懼」單用，雖有外在情況引起的害怕和發自內心的害怕的區別，但這裡連用已構成一個雙音詞，並不表示兩種害怕。又如韓愈《論淮西事宜狀》:「道路遼遠，勞費滋多」，這裡「道路」、「遼遠」都已構成雙音詞，「道」與「路」這裡沒有寬窄之分，「遼」與「遠」也沒有很遠與較遠之別。喜歡復古的人，他們缺乏歷史發展的觀點，對這種情況仍強生分別，是不適宜的。

但是這類雙音詞的每一個詞素，往往保持一定的獨立性。就是說，在某個地方它是雙音詞的詞素，在另個地方它又可以獨立成爲一個單音詞。例如前文所說「齊王聞之，君臣恐懼」，「恐懼」是一個雙音詞；但是《論語・顏淵》：「君子不憂不懼」，《孟子・梁惠王下》：「吾甚恐」，「恐」和「懼」都獨立運用，又分別是單音詞。不僅如此，有些同義詞組合成詞後，又可以解體復原，例如：

苟富貴，無相忘。（《史記・陳涉世家》）

保厥美以驕傲兮。（《楚辭・離騷》）

生而富者驕，生而貴者傲，生富貴而不能驕傲者，未之有也。（《漢書・鄒陽傳》）

以上前二例的「富貴」和「驕傲」可以看作雙音詞，因爲它們已經成詞，而且沒有必要拆開理解。最後一個例句的「富」指經濟富裕，「貴」指地位尊貴；「驕」指放縱自滿，「傲」指輕慢他人。因爲「生而富者驕，生而貴者傲」，「富貴」與「驕傲」已解體，分別獨立使用，自然是單音詞，所以後面的「富貴」與「驕傲」也應各看成兩個單音詞的連用。像這種複雜的情況，要進行具體分析。

二、古今詞彙與古今詞義

㈠古今詞彙

現代漢語是從古代漢語的基礎上發展起來的，古今漢語既有歷史的繼承性，又有時代的差別性。立足歷史長河的現代一端，去接觸古代典籍中所用的詞，大致會遇到兩種情況：

1. 古用今廢的歷史詞

這類詞是在詞彙發展中由於不斷推陳出新而被歷史淘汰了的詞。如「羳」（黃腹羊）、「羚」（五月生羔）、「羍」（六月生羔）、「asia」（羊未足歲）……這顯然是反映畜牧時代遺迹的詞。又如「砮」（可作箭頭之石）、「璑」（三彩玉），這很可能是反映石器時代的用詞。這類舊詞消失的原因，有的是隨著社會的發展，詞所代表的事物不存在了，詞也就隨著消亡，如「里正」、「撫軍」等；有的是詞所反映的概念名稱變了，如「脛」（現代說「小腿」）、「俾」（現代說「使」）等；有的是詞彙規範化的要求，促使某些詞消亡，如「促織」是蟋蟀的別名，「促織」一詞在現代漢語中被淘汰了。

這類詞在普通話的口語或書面語言中一般不再使用，它們像攔路虎一樣出現在書中，是現代人讀古書的障礙。但是正因爲它們面目生疏，所以倒使人提高警惕，使人們不能隨便放過它們，從而翻閱詞書查出它們的眞面目。這類詞是閱讀上的障礙，但一般不致引起混誤。

2. 古今傳承的通用詞

這又可分爲兩類，一類是古今義同詞，一類是古今義異詞。

(1)古今義同詞

有些詞，從古代傳至現代，幾千年來，古今詞義基本相同，如馬、牛、羊、雞、山、水、風、雨、東、南、西、北等等。這類詞是屬於基本詞彙的詞，是詞彙的重要組成部分，是語言的繼承性、穩固性的重要表現之一。這類古今概括的內容基本上相同的詞，不會造成閱讀古書的障礙；相反地，倒是溝通古今漢語的橋樑，是使古漢語讀來並不完全陌生、容易理解的因素。

當然，即使是這類詞，我們也應該注意，因爲其中仍有次要的差異，主要有兩種情況：

第一，詞所標誌的客觀事物本身起了變化

如「書」古今都指傳播文化的工具，但由於寫書用的材料不同，書的樣式、形態也有區別。漢魏以前主要是寫在竹簡、木牘上（東漢以後才逐漸使用紙張寫書），因而書的體積很大，分量很重，如果不了解這一點，就不會理解爲什麼用「汗牛充棟」表示藏書多，用「學富五車」表示知識淵博，當然也就不能懂得秦始皇每天批閱的簡牘文書爲什麼竟會重達一百二十斤。用竹木寫書，書是卷起來收藏的，用紙以後、改成冊頁制以前，書還是卷的。不了解這一特點，就不能眞正理解「讀書破萬卷」、「手不釋卷」的含義。

第二，人們對客觀事物的認識起了變化

如「虹」是古今同一的自然現象，但人們對虹的認識卻有很大的差別。古人認爲虹是有生命的蟲類，所以「虹」字形符从「虫」。《漢書・王旦傳》：「是時天雨，虹下屬宮中，飲井水，水泉竭」，如不了解古人對虹的認識，就難免會產生「虹」爲什麼能「下屬宮中，飲井水」的疑問。今天，隨著天文和物理科學的發展，人們認識到，「虹」是陽光射入水滴後，經折射、衍射而形成的在雨幕或霧幕上的彩色圓弧。

(2)古今義異詞

有些詞，從古代傳至現代，古今詞義既有聯繫又有區別。就區別來說，有的是顯著的差別（迥別），有的是細微的差別（微殊）。對閱讀古書來說，「迥別」容易造成理解上的障礙，如「該」，古代的常用義是「完備」。《楚辭・招魂》：「招具該備，永嘯呼些。」王逸注：「該，亦備也。言撰設甘美招魂之具，靡不畢備，故長嘯大呼以招君也」。《方言》卷十二：「備，該，咸也」。現代漢語中，「該」的常用義是「應當」，與古義迥然有別。成語有「言簡意賅」，這個「賅」字是完備的意思，不過字形有所不同。如果說「迥別」容易造成理解上的障礙，那麼，「微殊」卻最容易造成理解上的混誤。例如「睡」這個詞，古代專指坐著打瞌睡。《說文》：「睡，坐寐也」。《史記・商君列傳》：「孝公既見衞鞅，語事良久，孝公時時睡，弗聽」。這裡的「睡」就很容易誤解爲睡覺，但這樣講不僅文義上講不通，情理上也說不過去。其實，這裡的「睡」就是「坐寐」的意思。宋代歐陽修的《秋聲賦》中「童子莫對，垂頭而睡」，就是耷拉著腦袋打盹兒，也是「坐寐」。現在的「打瞌睡」一詞就是由此而來。後來「睡」的詞義發展了，不管是坐著睡還是躺著睡，白天睡還是晚間睡，都可以叫做「睡」。

㈡古今詞義

1. 古今詞義差別概述

前面談的古今詞彙，實際上已經接觸到古今詞義差別問題。這裡進一步從不同角度分類展開談一談。古今詞義的差別，大致表現爲如下幾個方面：

⑴概括範圍不同

這類古今詞義差別的詞，有的是古義概括的範圍大，而今義概括的範圍小。有的則與此相反。古義概括範圍大而今義概括範圍小的，如「寡」這個詞，《小爾雅》說：「凡無妻無夫通謂之寡」，即女無丈夫、男無妻子都叫「寡」。《墨子・辭過》：「天下之男多寡無妻」，同篇中又說：「內無拘女，外無寡夫，故天下之民衆。」這兩句中的「寡」說的都是男人，而現代漢語中

「寡」僅指喪夫女子。古義概括範圍小而今義概括大的，如「菜」這個詞，古代專指蔬菜，不包括肉類、蛋類等在內。《說文》：「菜，草之可食者」，這是「菜」的古義。《禮記・學記》：「大學始教，皮弁祭菜」。注曰：「菜，謂芹藻之屬。」《荀子・富國》：「然後葷菜百疏以澤量」。楊倞注：「葷，辛菜也」。所謂「辛菜」，就是葱蒜之類。郝懿行注：「葷菜，亦蔬耳」。直到宋代，「菜」還是不包括肉類、蛋類等副食品。羅大經在《鶴林玉露》中記載仇泰然對一幕僚說：「某爲大守，居常不敢食肉，只是吃菜；公爲小官，乃敢食肉，定非廉士」。這裡「肉」和「菜」區分是非常淸楚的，「菜」的概括範圍今義比古義大。

⑵適用對象不同

有些詞古今詞義基本相同，但適用對象卻有差別。如「肥」作爲「脂肪多」、「肥胖」講，在古漢語中不僅用來形容一般動物，也可以形容人。《雞肋篇》：「趙叔向爲天官侍郎，肥而喜睡」，同篇中又說：「范黨民作相，方三十二歲，肥白如冠玉」，以上兩個「肥」都用來形容人，而現代漢語普通話中，除了譏諷、嘲笑外，「肥」一般是不用來形容人的。又如「產」作「出生」講，在古漢語中不僅適用於物，而且可用於人。李斯《諫逐客疏》：「夫物不產於秦，可寶者多；士不產於秦，而願忠者衆」，句中前一「產」用於物，後一「產」用於人，而現代漢語中的「產」一般是不適用於人的。

⑶含量多寡不同

這主要是指表示度量的一些詞。這類詞，一般多是古義含量較小，而今義含量較大。如《戰國策・齊策》：「鄒忌修八尺有餘，而形貌昳麗」，如按今義計算，「八尺有餘」該是二米七十以上。如此看來，鄒忌非但夠不上是美男子，還可能患有「巨人症」。其實，古代的尺短，戰國時的一尺，略等於今尺的六寸。「八尺有餘」，等於今之一米八十左右，這與「形貌昳麗」就相吻合了。又如《史記．廉頗藺相如列傳》：「趙使者既見廉頗，廉頗爲之一飯斗米，肉十斤，被甲上馬，以示尚可用」，廉頗在趙國使者面前，故意擺出一副食量過人、老而不衰的樣子，「以示尚可用」，但是一餐吃淨斗米、十斤肉，是否可信呢？其實，那時的一斗僅相當於今天的四斤左右，那時的十斤僅相當於今天的五斤左右。廉頗是武將，平時飯量就大，這時又逞能，一餐吃下「斗米、十斤肉」還是可信的。

⑷詞義輕重不同

有些詞，古義輕，今義重。如「誅」最初是「責備」的意思，《論語．公冶長》：「於予與何誅」。今成語有「口誅筆伐」。後來發展爲「殺戮」的意思，詞義加重了。與此相反的情況是古義重，今義輕。如「感激」，古義是「憤激」，《異苑》卷五：「正月十五日，感激而死」，韓愈《張中丞傳後敍》：「皆感激爲云泣下」。「感激」而至於死，而至於「泣下」，這個詞義是很重的，而今義只是「感謝」的意思，詞義要輕多了。

⑸詞義褒貶不同

有些詞，古代是褒義，現代是貶義。如《明史．王驥傳》：「石亨、徐有貞等奉英宗復辟」。這裡「復辟」指恢復君位，是褒義，與今之「復辟」含貶義不同。也有古代是貶義，現在變爲褒義的。如「鍛煉」，在古代除了冶煉的意義外，還有玩弄法律對人進行誣陷的意思，《漢書．路溫舒傳》：「則鍛煉而周納之」。《後漢書．韋彪傳》：「鍛煉之吏，持心近薄」。注：「鍛煉，猶言成熟也。言深文之吏，入人之罪，猶工冶與鑄陶，鍛煉使之成熟也」。在現代漢語中，「鍛煉」完全是褒義，如「勞動鍛煉」、「思想鍛煉」、「鍛煉身體」、「鍛煉意志」等。還有一些詞，最初無所謂褒貶，後來有了貶義。如「謗」最初是中性詞，意思是背後議論或批評別人的過失，《國語・周語上》：「厲王虐，國人謗王」，「謗王」指不當面而在背後批評厲王的過失，沒有貶義。《左傳・襄公十四年》：「史爲書，瞽爲詩，工誦箴諫，大夫規誨，士傳言，庶人謗」，上面說到補救天子政令的過失，措施很多，其中百姓可以議論指責。既然「庶人謗」可以與「大夫規誨」、「士傳言」並列，顯然不是誹謗。到了漢代，「謗」才有「毀謗」、「中傷」這樣的貶義，如《史記・屈原列傳》：「信而見疑，忠而被謗」。

⑹詞所指對象在性質、形制、用途、狀態等的不同

如上古「燭」是把樹皮、樹枝等結束在一起，浸蘸油脂，點燃後用來照明，相當於今之「火把」，如《古詩十九首》：「晝短苦夜長，何不秉燭遊？」「燭」當「蠟燭」講，那是較晚的事。又如古今「牀」義基本相同，但古今牀的形制、用途不同。古時的牀較低矮，可坐可臥，因此《釋名》說：「人所坐臥曰牀」，而在現代漢語中，「牀」主要是用來睡臥的。

⑺其他

有些古今詞義不同的詞，它們多是由相關動作、相鄰事物、近似程度、情態等的轉移而形成的差異。如古代漢語中的「走」，相等於今天的「跑」，《孟子・梁惠王上》：「棄甲曳兵而走」。今成語有「走馬觀花」。這是相關動作的轉移。又如「湯」，古義是「熱水」，《孟子・告子上》：「冬日則飲湯，夏日則飲水」，今義則指菜湯、米湯等。這是鄰近事物的轉移。再如「稍」，古義是「逐漸」，《史記・項羽本紀》：「項王乃疑范增與漢有私，稍奪之權」。到了中古以後，「稍」才有「略微」的意思，明代宋濂《送東陽馬生序》：「錄畢，走送之，不敢稍逾約，以是人多以書假余」。這是近似程度、情態的轉移。

應該說明，古今詞義裡的「古」和「今」是一個相對的概念。這裡的「古」，指的是「非今」，無論先秦的、兩漢的、六朝的、唐宋的，沒有流傳到今天的意義都算古義（當然有的作爲詞素在雙音節詞中保存原義，或在成語中保存它的原義）；這裡的「今」，固然指現代，但今義許多也是歷史上產生的，所以不論是先秦、兩漢、六朝、唐宋……的意義，只要流傳到現代的就都叫今義。古義向今義的演變、過渡不是一朝一夕發生的，是一個漸進的漫長的過程。詞義的演變，它們是錯落不一地發生在各個語言時代，詞義從古到今的演變過程和轉變的確切時代，有的可以說清，多數詞還不能說清，是有待深入研究的。

2. 如何區分古今詞義

⑴參照古書注解

我們的祖先很早就已經察覺到漢語詞義的演變，發現古今詞義的距離，爲溝通古今詞義做了大量有益的工作。古注中就保存了大量而確當的詮釋，留下了古義的記錄，成爲揭示古義的珍貴資料，值得參考和借鑒。如《左傳・隱公元年》：「多行不義，必自斃」，《左傳》古注援引《爾雅・釋言》說：「斃，踣也。」「踣」是向前扑倒，而不是死亡，這個注釋恰當地揭示了「斃」的古義。又如《左傳・隱公元年》：「大叔完聚，繕甲兵，具卒乘」，關於「大叔完聚」的「完」，古注解釋爲「完城郭」，孔穎達進一步解釋說：「完城者，謂聚人而完之，非欲守城也。」指出聚人修繕城郭，使之完好。不僅指明了「完」的對象，並準確地詮釋了古義。

⑵利用較好的工具書

在解釋古代詞義方面，《說文解字》不失爲一部重要的參考書。例如許慎《說文解字》對「給」的解釋是：「給，相足也。」

段玉裁在注解「給」字時更進一步說：「相足者，彼不足，此足之也，故从合。」「對不足者供給」，這是「給」的古義，《說文》及段注都恰當地說明了「給」的古義。

舊《辭海》釋詞詳審，對我們了解古代詞義很有幫助。例如《辭海》對「勸」的解釋：

〔勸〕去怨切，音券，願韻。(1)勉也。《禮・表記》：「使民有所勸勉愧恥以行其言」，此爲勸勉他人； 又《論語・爲政》：「舉善而教不能則勸」，此爲受教而知所勸勉。(2)俗謂以言說使人聽從曰勸。

(1)是「勸」的古義，(2)是「勸」的後起意義，《辭海》把它們分得清清楚楚。但《辭海》有時把古今詞義混在一起，容易令人發生誤解。如對「給」字所做的解釋：

〔給〕基揖切，音急，緝韻。(1)足也。《孟子・梁惠王》：「秋省歛而助不給」。(2)供也。《左傳・僖四年》：「敢不共給」，給亦供也。《漢書・張湯傳》：「用善書給事尚書」，謂供給書寫之事。(3)賜與曰給。《晉書・輿服志》：「四望三望夾望車，形制如皂輪，王公大臣有勳德者特給之。」按凡與人以物亦曰給。(4)言辭捷給也。參閱口給條。

口給的「給」是特殊的意義，我們姑且不論。(1)(2)兩個意義是上古的意義，本來都不錯。(3)「賜予」則是後起義。「與人以物曰給」則更是現代的意義。《辭海》把它們混在一起，就分不清時代了。因此，我們看《辭海》的時候，自己要下一些判斷。從所舉的例子來看，還是可以解決一些問題的。(1)(2)所舉的是《孟子》、《左傳》的例子，可知是上古的意義；⑶「賜予」舉的是《晉書》的例了，《晉書》是唐代的著作，可知是後起義。至於「與人以物曰給」，舉不出古代的例子，可見是現代（至少是近代）的意義。

⑶積極開展科學研究

我們要珍視前人的勞動成果，但不能全部奉爲金科玉律，前人也有研究不到的地方，甚至有些結論有失片面或發生錯誤。因此，我們需要在前人研究成果基礎上，親自動手開展科學研究，廣泛統計普查，充分占有資料，對大量語言材料進行綜合、分析、歸納、比較，找出古代的眞正的詞義來，做到有所發現，有所前進。這方面的工作，還有待於我們更深入地進行研究。

3. 古今詞義差別舉例

在上面的闡述中，已舉出一些古今詞義有差別的詞，如書、虹、該等。爲了幫助掌握更多的古今詞義有差別的詞，下面再舉些例子：

【子】

「子」最初是指「孩兒」，不論男孩、女孩都叫「子」。如《詩經・小雅・斯干》：「乃生男子」，「乃生女子」，「男子」就是男孩，女子就是女孩。先秦古籍中「子」有時指「兒子」，如《戰國策・趙策》：「丈夫亦愛憐其少子乎？」有時指女兒，如《詩經・衞風・碩人》：「齊侯之子，衞侯之妻」。後來，「子」一般指兒子，不再指女兒。

【比】

古今都有比較、比照、比擬等意義。但古義最初指「並列」、「等同」，如《楚辭・涉江》：「與天地兮比壽，與日月兮齊光」，「比壽」不是比較誰長壽，這裡「比」與「齊」是同義詞，都是「等同」、「並列」義。《戰國策・齊策》：「食之，比門下之（魚）客」，是說給馮諼吃，跟門下吃魚的食客同等（對待），「比」也是「等同」，而不是「互相比較」。今成語「比肩繼踵」、「鱗次櫛比」的「比」，仍保有古義。由「等同」、「並列」引申爲「親近」，如《周禮・夏官・形方氏》：「大國比小國」。由此引申爲「勾結」，成語有「朋比爲奸」。

【去】

「去」在古代最常用的意義是「離開」（某地或某人），如《孟子・公孫丑下》：「孟子去齊」，指孟子離開齊國，與現代的意思正好相反。此例指離開某地。《詩經・魏風・碩鼠》，「逝將去女，適彼樂土」，此例指離開某人。現代成語「何去何從」的「去」仍保有古義。「去世」即離開人世，也保有古義。有時「去」不帶賓語，如《戰國策・趙策》：「遂辭平原君而去」，「去」仍有離開的意思，可譯爲「走了」，「走了」即離開原地。今成語有「拂袖而去」、「揚長而去」。「去」可引申爲「除掉」，如《墨子・天志下》：「必爲天之所欲，而去天之所惡」。今成語有「取其精華，去其糟粕」。「去」又引申爲「距離」，如《孟子・離婁上》：「地之相去也千有餘里」。

「去」在古代的反義詞是「就」（接近）、「留」，如《史記・屈原賈生列傳》：「同生死，輕去就」，陶潛《歸去來辭》：「曷不委心任去留。」

【右】

古今都指「右邊」的方位。但古人以右爲尊，《史記・廉頗藺相如列傳》：「位在廉頗之右」，《漢書・高帝紀》：「無能出其右者」。引申爲「尊尚」，《淮南子・氾論》：「兼愛，尚賢，右鬼，非命，墨子之所立也。」「右」在古代又指陪乘的人（立在車的右邊），《左傳・宣公二年》：「其右提彌明知之。」

【存】

古今都有「存在」的意義，與「亡」相對。但「存」在古代還有「思念」的意義，如《詩經・鄭風・出其東門》：「雖則如云，匪我思存。」引申爲「慰問」、「撫慰」，如《史記・魏公子列傳》：「臣乃市井鼓刀屠者，而公子親數存之」，司馬相如《上林賦》：「恤鰥寡存孤獨。」現代漢語有複音詞「溫存」。

【池】

上古漢語「池」的常用義是護城河，如《左傳・僖公四年》：「楚國方城以爲城，漢水以爲池」，《禮記・禮運》：「城郭溝池以爲固」，《孟子・公孫丑上》：「城非不高也，池非不深也。」今成語有「金城湯池」。「池」是有水的，所以也用來指「池塘」，但在上古這不是常用義，如《孟子・梁惠王上》：「數罟不入洿池」。後來池塘的意義逐漸取代了護城河義而成爲社會常用義。

【好】

古義指「貌美」，如《戰國策・趙策》：「鬼侯有子而好，故入之於紂」，是說鬼侯有個女兒長得漂亮，因此進獻給紂王。《史記・滑稽列傳》：「是女子不好……得更求好女，後日送之」。古樂府《陌上桑》，「秦氏有好女。」引申爲其它一切事物的美好。現代「貌美」的意義已消失。

【色】

《說文》：「色，顏氣也」，古代的常用義是「臉色」。《孟子・梁惠王上》：「民有饑色」，《戰國策・趙策》：「太后之色稍解」，《史記・滑稽列傳》：「皆叩頭，叩頭且破，額血流地，色如死灰。」今成語有「察顏觀色」、「正顏厲色」、「色厲內荏」、「變色而起」。古代有「顏色」一詞，也與今不同。「顏」本指兩眉之間，「色」是「臉色」。《楚辭・漁父》：「顏色憔悴，形容枯槁」，「顏色」與「形容」都是聯合詞組。「色」也指「女色」，這是古今一致的。在以男性爲主的封建社會裡，婦女是男子的玩物，男人看女人主要看容貌，所以「色」又指婦女貌美，如《孟子・梁惠王下》：「寡人有疾，寡人好色。」

至於「色」用來指各種顏色，如《莊子・逍遙遊》：「天之蒼蒼，其正色邪？」《呂氏春秋・察今》：「口惛之命不喻，若舟車衣冠滋味聲色之不同」，《孟子・梁惠王上》：「抑爲采色不足視於目歟？」這是色的引申義，這一意義並非常用義。

【再】

《說文》：「再，一舉而二也」，是說同一的動作進行兩次，所以「再」在古代指「兩次」（或「第二次」），如《左傳・莊公十年》：「一鼓作氣，再而衰，三而竭」，又《左傳・僖公五年》：「一之謂甚，豈可再乎！」古人表示動作的量，從一次到十次，都用一般數目字，如「一鼓作氣」，「三思而後行」，「六出祁山」，「九伐中原」，唯獨兩次不用「二」，而用「再」。古代「再」和「復」是有區別的。「再」著重於行爲的次數，「復」著重於行爲的重複，所以兩次以上仍可說「復」。

【字】

「字」在春秋戰國時期，沒有「文字」的意義，而是指生育或撫養孩子。如《易經・屯卦》：「女子貞不字，十年乃字」，「女子貞不字」，指女子久不生育。《左傳・昭公十一年》：「其僚無子，使字敬叔」，「使字敬叔」是說「使他撫養敬叔」。大約從秦始皇時代開始，「字」才用來指文字。最初文字叫「文」，據許慎《說文解字・敍》說，獨體爲文，合體爲字，「字」是「文」滋生增加出來的，所以可稱文字叫「字」。到了漢代，「文字」就成了「字」的常用義，如《漢書・劉歆傳》：「分文析字。」

【兵】

「兵」在上古主要指兵器，沒有現代的士兵、戰士的意義。如《左傳・成公二年》：「擐甲執兵，固即死也」，今成語「棄甲曳兵」、「短兵相接」還保留了此義。由兵器引申爲武裝力量（包括武器和人員），如《戰國策・趙策》：「必以長安君爲質，兵乃出。」先秦用作這一意義時，一般沒有「兵多少」的說法，似乎重在武器，漢以後意義重點可能已轉爲指人員，相當於今天的軍隊，如《史記・項羽本紀》：「項羽兵四十萬，在新豐鴻門；沛公兵十萬，在霸上。」今成語「大兵壓境」、「兵臨城下」保有此義。「兵」有時也指軍事、戰爭，如《莊子・則陽》：「今兵不起七年矣」，今成語有「紙上談兵」。

【牢】

「牢」的古義是「養牲畜的圈」，如《周禮・地官・充人》：「掌系祭祀之牲牷，祀五帝，則繫於牢，芻之三月」（用草料餵牲畜），《戰國策・楚策》：「亡羊而補牢，未爲晚也」。引申爲

「作祭品的牛羊豬」，《禮記・王制》：「天子社稷皆太牢，諸侯社稷皆少牢」，「太牢」指牛羊豬三牲俱全，「少牢」指只有羊豬。又引申爲「監牢」，司馬遷《報任安書》：「故士有畫地爲牢，勢不可入。」「監牢」的意義沿用至今，前二義現代已消失。

【乖】

古義指「違背」、「不協調」，如《荀子・天論》：「則父子相疑，上下乖離」。引申爲「不順適」，如元稹《遣懷悲》：「謝公最小偏憐女，自嫁黔婁百事乖」。在古漢語中，「乖」沒有現代的「乖巧」、「機靈」等義。

【金】

「金」在古代也可指黃金，黃金爲諸金之長，故獨得金名，如《尚書・舜典》：「金作贖刑」，傳：「金，黃金。」這個意義一直沿用至今。

但「金」本是金屬的總稱。《尚書・禹貢》：「厥貢惟金三品」（三品：金、銀、銅）。《史記・平準書》：「金有三等：黃金爲上，白金爲中，赤金爲下」，即金屬分黃金、白金（銀）、「赤金」（銅）三等。後來又分「五金」：金黃，銀白，銅赤，鉛青，鐵黑。「金」當「黃金」講，是詞義範圍的縮小。「金」在古代又特指銅，這是因爲銅在最初用途最廣的緣故。張衡《西京賦》：「高門有閌（門坎），列坐金狄」，「金狄」指銅鑄的人像。《後漢書・班固傳》：「擢雙立之金莖」，「金莖」指銅柱。金屬製品也稱「金」，如「金革」，金指戈矛之屬；「金鼓」，「金」指鉦鐃之屬。

「金」在古代又指貨幣，如《漢書・食貨志》：「及金刀龜貝。」引申爲錢；如《戰國策・秦策》：「位高而多金」，今有熟語「現金」、「獎金」等。「金」又指貨幣單位。秦以前以金一鎰（二十四兩）爲一金，《戰國策・齊策》：「使人操十金」。漢代以金一斤爲一金。近代以銀爲貨幣，又以銀一兩爲一金，如方苞《獄中雜記》：「費亦數十金。」

【股】

「股」在古代指人體從胯骨到膝上的部位，即大腿。如《左傳・僖公二十二年》：「公傷股」，是說宋襄公傷了大腿，不是傷了臀部。又如蒲松齡《聊齋誌異》：「屠自後斷其股」，「斷其股」指砍斷狼的兩腿。因爲大腿是整個軀體下邊的分支，所以後來引申爲一般事物整體的分支，即一股、兩股等義的「股」。

【乳】

上古「乳」指「生殖」。《說文》：「人及鳥生子曰乳」。《史記・扁鵲列傳》：「懷子而不乳」。古代「乳醫」指產科醫生，如《漢書・霍光傳》：「私使乳醫淳于衍行毒，藥殺許后。」「乳」在古代還常用來形容產子後哺乳期間的動物。《莊子・盜跖》：「跖大怒，兩展其足，案劍瞋目，聲如乳虎」，《荀子・榮辱》：「乳彘觸虎，乳狗不遠游」，以上乳虎、乳彘、乳狗，指哺乳期的母虎、母豬、母狗。母虎產乳護養幼虎，凶猛異常。母豬在哺乳期敢於頂老虎，母狗不遠走，都是爲了保護小豬、小狗。後來又引申爲「初生不久的」，鮑照《詠採桑》：「乳燕逐草蟲，巢蜂拾花蘂」，此「乳燕」不指雌燕，而是初生不久的小燕，讀古書時應加以分辨。

「乳」的「生殖」及「用來形容哺乳期間的動物」的意義，現代已消失。古代「乳」也有「乳房」、「乳汁」的意義，沿用至今。

【忠】

上古漢語「忠」的常用義是指盡心竭力地辦事，無論誰或給誰盡心辦事都可以叫「忠」。如《左傳・莊公十年》：「忠之屬也，可以一戰」，這裡的「忠」是曹劌（平民）對魯莊公（君主）的評價，是指國君「忠」。《論語・學而》：「爲人謀而不忠乎？」這裡的「忠」是指爲朋友盡心辦事。忠於君主，只是盡心盡職的一個方面，如《戰國策・秦策》：「昔者子胥忠其君」。後來「忠」主要指向君主盡職効力這一個方面。

【城】

最初指爲防禦進攻而修築的城垣，如《左傳・隱公元年》：「都城過百雉，國之害也」。用作動詞，表示築城、造城，如《詩經・小雅・出車》：「城彼朔方」，就是在朔方築城。「城」與「郭」連用時，泛指城；「城」與「郭」對用時，裏城叫「城」，外城叫「郭」。如《孟子・公孫丑上》：「三里之城，七里之郭」。古代王朝領地、諸侯封地、卿大夫采邑，都以有城垣的都邑爲中心，皆稱「城」，如《詩經・大雅・瞻仰》：「哲夫成城，哲婦傾城」。後發展爲「城市」的「城」。

【恨】

「恨」在古代主要是「感到遺憾」、「引爲遺憾」的意思。如《史記・魏其武安侯列傳》：「恨相知晚也」，「相知晚」談不上怨恨，只是心理上的一種「遺憾」或「懊喪」的情緒。《史記・淮陰侯列傳》：「大王失職入漢中，秦民無不恨者」，這是說秦民歡迎劉邦入關爲王，對劉邦進入漢中無不感到遺憾。諸葛亮《出師表》：「未嘗不嘆息痛恨於桓靈也」，「痛恨」指痛心和感到遺憾，因爲諸葛亮無論怎樣對本朝桓、靈二帝不滿，也不能達到痛恨的地步，只能是痛心而感到遺憾。

《說文》：「恨，怨也」。「恨」在古代確實與「怨」的意思有時相近，如《荀子・堯問》：「祿厚者民怨之，位尊者君恨之」，這是「怨」與「恨」對文。《史記・信陵君列傳》：「公子往而臣不送，以是知公子恨之復返也」。「恨」在這裡似有「怨」義。但實際古代「恨」的程度比怨輕，「不滿」的意思用「恨」，仇恨的意思才用「怨」。到了現代則相反，「恨」的意思程度比「怨」重得多。

【侵】

上古「侵」主要指「進攻」，準確地說是一種進攻方式，《左傳・莊公二十九年》：「凡師有鐘鼓曰伐，無曰侵，輕曰襲」。上古的「侵」基本上是中性詞，不含有「侵略」的貶義。《春秋》和《左傳》都是「尊魯」的，記載魯國對別國的軍事行動常用「侵」，如《春秋・莊公十年》：「公侵宋」，《春秋・定公八年》：「公侵齊」，《左傳・定公六年》，「公侵鄭」等等。《周禮・夏官・大司馬》載「大司馬」職掌之一是「以九伐之法正邦國」，其中有「負固不服則侵之」，鄭玄注：「侵之者，兵加其竟（境）而已。」此例很能說明「侵」在上古的含義。「侵」的這一用法，在漢以後間或出現，《晉書・慕容暐載記》：「時外則王師及苻堅交侵，兵革不息，內則暐母亂政」，這裡「王師」指晉兵，《晉書》以晉朝爲正統，此用「侵」，可見仍無貶義。

【宮】

上古泛指房屋，如《詩經・豳風・七月》：「上入執宮功」，是說還要從事給奴隸主蓋房子的勞動。《墨子・節用中》：「古者人之始生，未有宮室之時，因陵丘堀穴而處焉」，這裡宮、室連用，「宮」決不能講作「宮殿」，因為穴居時談不上有宮殿。秦漢以後，「宮」才指封建帝王的宮殿，如「阿房宮」、「未央宮」。有的寺廟也可叫「宮」，如「雍和宮」。隨著封建王朝的消滅，除了某些舊有的皇宮仍沿用舊稱外，現在只有某些文化娛樂場所才稱宮，如「文化宮」、「少年宮」等。

【除】

「除」古今都有「除去」的意義。但「除」在古代還有「宮殿的台階」的意義，這是它的本義，如《漢書・李廣蘇建傳》：「從至雍棫陽宮，扶輦下除」。引申為一般的台階，如杜甫《南鄰》詩：「得食階除鳥雀馴」。以上兩個意義現代已消失，只是在「黎明即起，酒掃庭除」這樣的語言中，「除」還保留了台階義。

【徒】

古義指「步行」，《周易・賁卦》：「舍車而徒」，《韓非子・外儲說左下》：「班白者多徒行。」引申為「步兵」，《左傳・昭公二十五年》：「帥徒以往。」

「徒」在古代又指徒黨，同一類的人，同一派別的人，如《韓非子・五蠹》：「其帶劍者，聚徒屬，立節操，以顯其名，而犯五官之禁」（徒，徒黨）；《史記・屈原列傳》：「屈原既死之後，楚有宋玉、唐勒、景差之徒者，皆好辭而以賦見稱」（徒，同類的人）；《孟子・梁惠王上》：「仲尼之徒，無道桓文之事者」（徒，同一派別的人）。引申為「門徒」、「徒弟」，《呂氏春秋・誣徒》：「善教者則不然，視徒如己」。這後一義沿用至今。

【涕】

上古「涕」是「眼淚」，不是鼻涕。《詩經・小雅・小明》：「念彼共人，涕零如雨」，《莊子・大宗師》：「孟孫才其母死，哭泣無涕，中心不戚。」現代成語「痛哭流涕」、「破涕爲笑」，仍保存著古義。

上古鼻涕叫「泗」或「洟」。《詩經・陳風・澤陂》：「涕泗滂沱」，毛傳：「自目曰涕，自鼻曰泗。」《易經・萃卦》：「齎咨涕洟」，鄭傳：「自目曰涕，自鼻曰洟。」

到了漢代「涕」才當鼻涕講，王褒《僮約》：「目淚下落，鼻涕長一尺」。「涕」由「眼淚」義轉爲「鼻涕」義，是因爲哭時往往是眼淚與鼻涕一齊流下，但這一意義即使在漢以後的文章中也比較少見。

【祝】

「祝」本指「禱告」。從字形上看，「祝」由示、人、口三部分組成。「示」代表神，段玉裁說：「此以三字會意，謂以人口交神也。」禱告的內容可善可惡，可以祝人得福，也可以咒人得禍，所以《釋名・釋言語》說：「祝……以善惡之辭相屬也。」表示「以言告神祈福」的，如《史記・滑稽列傳》：「見道旁有禳田者，操一豚蹄，酒一盂，祝曰：『甌窶滿篝，汙邪滿車，五穀蕃熟，穰穰滿家。』」表示「詛咒」的，如《漢書・外戚傳》：「後姊平安剛侯夫人謁等，爲媚道祝詛後宮有身者王夫人及鳳等。」

【訪】

「訪」在現代是「探望」、「拜訪」的意思，而上古漢語「訪」則是指「諮詢」，即向人徵求意見，如《尚書・洪範》：「王訪於箕子」，這是周武王向箕子徵求關於天道的意見。《左傳・僖公三十二年》：「穆公訪諸蹇叔」，這是秦穆公向蹇叔徵求關於襲鄭的意見。很顯然，上述二例「訪」的賓語是事，而不是人，不能當「拜訪」講。第一例「訪」的賓語省略了，其後用介詞「於」介紹訪的對象。第二例「訪」後有「諸」字，「諸」是「之於」的合音詞。其中「之」代襲鄭事，作賓語；「於」字介紹訪的對象。

中古「訪」才產生「拜訪」的意義，如杜甫《贈衞八處士》：「訪舊半爲鬼，驚呼熱中腸」。這個意義沿用至今，而「諮詢」這一古義，在現代已消失。

【國】

先秦時，「國」常用來指諸侯的封地，如《論語・季氏》：「丘也聞有國有家者」，「國」是諸侯的封地，「家」是大夫的封地。春秋戰國時的「秦國」、「齊國」的「國」，也都指諸侯的封地。到西漢時，諸侯王的封邑也叫「國」，《史記・楚元王世家》：「吳王，老人也……今乃首率七國，紛亂天下，奈何續其後！」諸侯王封邑的大小略等於「郡」，所以「郡國」連稱，具有行政區的意義。後來引申爲「國家」，意義範圍擴大了。

「國」在古代還有「首都」的意義，如《左傳・隱公元年》：「先王之制，大都不過參國之一」，「參國之一」即國都的三分之一。屈原《九章・哀郢》：「出國門以軫懷兮」，「國門」即首都的城門。范仲淹《岳陽樓記》：「登斯樓也，則有去國懷鄉，憂讒畏譏，滿目蕭然，感極而悲者矣！」「去國」指離開首都，並非離開國家。

【售】

「售」的今義是「賣」，古義則是「賣出去」。《廣韻》：「售，賣物出手」，這正是「售」的古義。《詩經・邶風・谷風》：「賈而不售」，柳宗元《鈷鉧潭西小丘記》：「貨而不售」，「不售」都指賣不出去，不能誤解爲不賣。引申爲「買」，《聊齋誌異・促織》：「欲居之以爲利，亦無售者。」

【速】

古今都有「速度快」的意思。但「速」在古代還有「招致」的意義，《詩經・召南・行露》：「誰謂女無家，何以速我獄？」《左傳・閔公二年》：「與其危身以速罪也。」這一意義現代已不再用，只保留在「不速之客」這一成語中。

【淫】

上古較早的意義是「浸潤」，《周禮・考工記・匠人》：「善防者水淫之」（防，堤壩；水淫之，用水浸土）。這個意義並不常見。

「淫」在古代的常用義是「過分而不得當」，《左傳・莊公十一年》：「天作淫雨，害於粢盛」（粢盛，泛指糧食）。《論語・八佾》：「關雎樂而不淫」，賈誼《論積貯疏》：「淫侈之俗，日日以長」。「淫」又特指不正當的男女關係，《左傳・宣公四年》：「淫於邳子之女」，《荀子・天論》：「內外無別，男女淫亂，父子相疑。」這一意義沿用至今。

【偷】

上古「偷」指「苟且」、「馬虎」，如《商君書·農戰》：「善為國者，倉廩雖滿，不偷於農」，「不偷於農」指對農業不馬虎，不掉以輕心，不是不向農夫偷。成語「苟且偷生」的「偷」仍保留古義。引申為「偷竊」，《淮南子·道應》：「楚有善為偷者。」上古的「偷」不當偷竊講，兩漢時也少用。

【造】

古今都有「製造」、「做成」的意義。但它最初的意義是「到（某地去）」，如《戰國策·齊策》：「先生王斗造門欲見齊宣王」，《孟子·公孫丑下》：「不幸而有疾，不能造朝。」今有雙音詞「造訪」。引申為「達到某一境界」，成語有「登峯造極」。

【登】

古今都有「從低處登上高處」的意義。但「登」在古代還有「穀物成熟」的意義，如《宋史·食貨志》：「秋稼甫登」，今成語有「五穀豐登」。

【揭】

古義指「高舉」，如《詩經·小雅·大東》：「維北有斗，四柄之揭」。《戰國策·齊策》：「於是乘其車，揭其劍，過其友曰：『孟嘗君客我』」。《史記·秦始皇本紀》：「斬木為兵，揭竿為旗」，「揭竿」本指陳涉舉竿為旗，後因稱農民起義為揭竿而起。引申為「蹶起」、「顯露」，如《戰國策·韓策》：「唇揭者其齒寒」。又引申為「掀起衣服」，如《詩經·邶風·匏有苦葉》：「深則厲，淺則揭」，傳：「揭，褰衣也。」現代「揭」

指「掀開」，與古義不同。

【替】

現代的常用義是「交替」、「代替」。上古的常用義是「廢棄」，《尚書・大誥》：「不敢替上帝命」，是說不敢廢棄天帝之命，不是代替天帝之命。《國語・周語》：「夫執玉卑，替其贄也。」這一意義現代已消失。上古時「替」和「代」不是同義詞。

【愛】

「愛」的親愛、疼愛意義從上古一直沿用到現代，古今是一致的。但是在上古，「愛」還有「捨不得」或「吝嗇」的意義，這是從表示有感情的「親愛」、「疼愛」義引申出來的：有了感情就捨不得。如《老子》：「甚愛必大費」，是說過於吝嗇就必然造成巨大浪費。這個意義一直沿用到唐宋以後，如《宋史・岳飛傳》：「文臣不愛錢，武臣不愛死」，是說文臣不吝惜錢財，武臣不吝惜戰死。現代漢語中，「捨不得」「吝嗇」一義已不再用。閱讀古書不要以今義去曲解古義，如《孟子・梁惠王上》：「齊國雖褊小，吾何愛一牛？」「愛一牛」是捨不得一頭牛，不要誤解爲「喜歡一頭牛」。

【僅】

這個詞的詞義發展有一段曲折的過程。先秦兩漢時期，是極言數量之少，或指情況限於某個較低的程度，意思是「只」、「才」，如《戰國策・齊策》：「狡兔有三窟，僅得免其死耳。」但在六朝至唐宋這一時期內，「僅」卻是極言甚多，或指情況達到某種較高的程度，意思是「將近」、「幾乎」，如韓愈《張中丞傳後敍》：「初守睢陽時，士卒僅萬人，城中居人戶亦且數萬，巡因一見問姓名，其後無不識者」，這裡「僅萬人」，不是說只有一萬人，而是將近一萬人。前文說「僅萬人」，後文說「且數萬」，「僅」與「且」都是「將近」之意。又如白居易《初出藍田路作》詩：「潯陽僅四千，行始七十里；人煩馬蹄跙（馬蹄有病），勞苦已如此」，前文四千里是言其多，後文七十里是言其少，「僅」仍是「將近」、「幾乎」之意。《唐語林》：「某有中外親族數千口，兄弟甥姪僅三百人」，「僅」也是言其多。到了唐宋以後，「僅」又仍然用來極言數量之少，如歸有光《項脊軒志》：「項脊軒，舊南閣子也。室僅方丈，可容一人居。」

【賂】

現代只用於「賄賂」一詞中，含有貶義。古代「賂」可以單用，沒有貶義，指贈送的財物（名詞），《左傳・莊公二十八年》：「數之以王命，取賂而還」。也指贈送別人財物（動詞），如《漢書・蘇建傳》：「因厚賂單于，答其善意。」古代「貨賂」二字有時連用，在財物的意義上，他們是同義詞，如《荀子・富國》：「貨賂將甚厚。」

今義「賄賂」上古叫作「賕」，如《漢書・刑法志》：「吏坐受賕枉法」，注：「謂曲公法而受賂者也。」

【勤】

「勤」在上古不是「努力」、「勤奮」的意思，而是「辛苦」、「辛勞」。《說文》：「勤，勞也」，這是它的古義。《論語・微子》：「四體不勤，五穀不分」，「四體不勤」，指四肢未受過辛苦，並非四肢不勤奮。《墨子・兼愛下》：「萬民多勤苦凍餒，轉死溝壑中者」，「勤苦」即「勞苦」。《左傳・襄公三十二年》：「勞師以襲遠，非所聞也。師勞力竭，遠主備之，無乃不可乎？師之所爲，鄭必知之，勤而無所，必有悖心」，前面說「勞師」（使軍隊疲勞）、「師勞」（軍隊疲勞），後面說「勤而無所」（軍隊勞苦而無所得），可見「勤」和「勞」詞義互見，是同義詞。

唐代除沿用古義外，已產生「努力」、「勤奮」的意義，如韓愈《進學解》：「業精於勤，荒於嬉。」

【厭】

古代常用義是「滿足」，《左傳・隱公元年》：「姜氏何厭之有？」是說姜氏有什麼滿足的，不是說姜氏有什麼討厭的。《論語・述而》：「學而不厭，誨人不倦」，「學而不厭」指學習不知道滿足，不是學習不知道厭煩。由滿足的意義引申爲「討厭」，如《左傳・隱公十一年》：「天旣厭周德矣，吾豈能與許爭乎？」在現代，「討厭」義已取代了「滿足」義。

【獄】

古義是「訴訟案件」、「官司」，如《左傳・莊公十年》：「小大之獄，雖不能察，必以情」，又《左傳・昭公二十八年》：「梗陽人有獄，魏戊不能斷」。《論語・顏淵》：「片言可以折獄者，其由也與？」「折獄」指判決案件。

漢代以前，監牢叫「囹圄」，如《禮記・月令》：「命有司，省囹圄，去桎梏，毋肆掠，止獄訟」，文中「囹圄」與「獄」區別得很清楚。漢代以後，「獄」才可指「監牢」，如《史記・李斯列傳》：「李斯乃從獄中上書曰。」

【漸】

古今都有「逐漸」的意義。但「漸」最初是動詞，意思是「浸泡」，如《荀子・勸學》：「蘭槐之根是爲芷，其漸之滫，君子不近，庶人不服」，「漸之滫」是把蘭槐的根泡在臭水裡，不是逐漸到臭水裡。

【誣】

《說文》：「誣，加言也」，所謂「加言」就是指言語不眞實，《韓非子・顯學》：「無參驗而必之者，愚也；弗能必而據之者，誣也」，《大戴禮記・曾子立事》：「不能行而言之，誣也」。以上二例中的「誣」都是言語不眞實，不能按今義去理解。引申爲「欺騙」，《荀子・性惡》：「今與不善人處，則所聞者欺誣詐僞也」，這也是今義所沒有的。「誣」的「捏造事實構陷罪名」的意義是後起的，如《宋史・秦檜傳》：「其頑鈍無恥者，率爲檜用，爭以誣陷善類爲功。」

【暫】

《說文》：「暫，不久也」，等於現代的「短時間」。如晉劉琨《答盧諶》：「排終身之積慘，求數刻之暫歡」，「暫歡」是短時間的歡樂。晉干寶《晉紀總論》：「若積水於防，燎火於原，未嘗暫靜也」，「暫靜」指短時間的安靜。現代漢語的「暫」（暫時）雖由此發展而來，但在意義上與古代仍有細微的差別。現代漢語的「暫」只表示暫時這樣，將來不這樣。而古代的「暫」只表示時間的暫短，不含有與將來對比的意思。例如今人說「暫停」意味著以後還要繼續；古人說「暫停」，只指一個短暫的時間，不意味著以後還要繼續。《唐書・李德林傳》：「心無別慮，筆無暫停」，「暫停」指短暫的停留。

「暫」在古代又有「突然」的意義，這也是現代所沒有的。如《史記・李將軍列傳》：「（李）廣暫騰而上胡兒馬」，「暫騰」即「突然躍起」。白居易《琵琶行》：「如聽仙樂耳暫明」，「暫明」就是「突然明亮」。

【幣】

「幣」在上古沒有貨幣的意義，而是指禮物。《莊子・讓王》：「使者致幣」，是說使者送上禮物，不要誤解爲使者送錢。《戰國策・齊策》：「千金，重幣也；百乘，顯使也」，是說持千金之資，這夠得上厚重的禮物了；攜百輛之車，這算得上顯要的使臣了。《說文》：「幣，帛也。从巾，敝聲。」「幣」本指用來送人的絲織品，後泛指禮物。上古外交使者帶的禮物有玉、馬、皮、圭、璧、帛，稱爲「六幣」，因而又有「幣馬」、「皮幣」等說法。《周禮・夏官・校人》：「飾幣馬，執撲而從之」，《墨子・尚賢中》：「外有以爲皮幣與四鄰諸侯交接」，就是指以馬或以皮革作爲禮物。

漢代「幣」已有了貨幣的意義，如《史記・平準書》：「黃金以溢名，爲上幣；銅錢識曰下兩，重如其文，爲下幣。」「幣」的禮物義在現代已消失。

【儉】

「儉」古今都有「節約」、「不奢侈」的意思，這是指用於錢財方面。但「儉」在古代還有「不敢放侈」的意思，這是指用於約束行爲方面。《說文》：「儉，約也」，段玉裁注：「約者，纏束也，不敢放侈之意。」《禮・樂記》：「恭儉而好禮」，疏：「儉，謂以約自處。」司馬遷《報任安書》：「然僕觀其爲人自奇士：事親孝，與士信，臨財廉，取與義，分別有讓，恭儉下人，常思奮不顧身，以徇國家之急」，句中的「儉」也是不放縱之意，並非「儉樸」。引申爲謙遜之貌，如《荀子·非十二子》：「儉然恀然」，注：「儉然，自卑謙之貌。」「儉」的「不放侈」、「謙遜貌」的意義，現代都已消失。

【僵】

現代指「僵硬」，而古義卻指「倒下」。《呂氏春秋·貴卒》：「管仲扜弓射公子小白，中鉤，鮑叔御公子小白僵」，注：「御，猶使也。僵，猶偃也」，偃即倒下。《史記·蘇秦列傳》：「詳僵而棄酒」，「詳僵」即假裝倒下，並非假裝僵硬。《漢書·眭弘傳》：「今大石自立，僵柳復起，非人力所爲」，「僵柳」即枯倒在地的柳樹。今成語「百足之蟲，死而不僵」，是說百足蟲由於腳多，死了也不至於趴下。

【憐】

《爾雅·釋詁》：「憐，愛也」，這是「憐」的古義。《莊子·秋水》：「夔憐蚿，蚿憐蛇，蛇憐風，風憐目，目憐心」，成玄英注：「憐是愛尚之名。」《戰國策·趙策》：「丈夫亦愛憐其少子乎？」「愛憐」是疼愛的意思，不能理解爲「喜愛並憐憫」。「憐」的「憐憫」義，大約是漢以後才產生的，《說文》：「憐，哀也」。《史記·淮陰侯列傳》：「且喜且憐之」。《舊唐書·劉盆子傳》：「莫不哀憐之。」「憐」的上述二義一直沿用到唐宋以後，「憐憫」的意義沿用至今。

「可憐」二字在唐宋詩詞中連用，有五種意義：

(1)可愛。杜甫《江畔獨步尋花》：「百花高樓更可憐。」

(2)可憐。白居易《賣炭翁》：「可憐身上衣正單。」

(3)可羨。白居易《長恨歌》：「可憐光彩生門戶。」

(4)可惜。韓愈《賦崔立之》：「可憐無補費精神。」

(5)可怪。陸游《平水》：「可憐陌上離離草，一種逢春各短長。」

以上這些意義都必須根據上下文細心體會。

【窮】

古代「窮」用為名詞表示「盡頭」，《說文》：「窮，極也」，「極」就是盡頭，今成語有「無窮無盡」。用作形容詞的時候，表示「盡」，如《荀子・勸學》：「梧鼠五技而窮」，今成語有「山窮水盡」、「理屈詞窮」。用作動詞的時候，表示「走到盡頭」，如《莊子・秋水》：「今我睹子之難窮也」。或表示「尋究到底」，如陶潛《桃花源記》：「欲窮其源」，今成語有「窮根問底」。

「窮」在古代又引申為「生活困苦」、「境遇不好」，如《孟子・梁惠王下》：「老而無妻曰鰥，老而無夫曰寡，老而無子曰獨，幼而無父曰孤：此四者，天下之窮民而無告者。」

「窮」在古代又特指不能仕進和不能顯貴，如王勃《滕王閣序》：「窮且益堅，不墜青雲之志。」

在上古，「窮」和「貧」不是同義詞。「窮」的反義詞是「通」，是「達」，如《莊子・讓王》：「君子通於道之謂通，窮於道之謂窮」，《孟子・盡心上》：「窮則獨善其身，達則兼濟天下。」「貧」的反義詞是「富」，如《莊子・德充符》：「死生存亡，窮達貧富。」

【憤】

上古是「懋懣」，即心欲通而未通的意思。如《論語・述而》：「不憤不啓」，是說學生想問題不到懋悶的時候不要去啓發他。《楚辭·九章》：「發憤以抒情」，「發憤」是指把懣在心裡的話抒發出來。上古「憤」和「懣」是同義詞，二字有時連用，如司馬遷《報任安書》：「是僕終已不得舒憤懣以曉左右。」

從漢代開始，「憤」才有「因不滿而感情激動」的意思，如鄒陽《獄中上梁王書》：「此鮑焦所以憤於世也」。它的意義也逐漸和「怒」接近，如文天祥《指南錄後序》：「北雖貌敬，實則憤怒」。中古以後，「憤」和「忿」的意義逐漸接近，二字有時可以通用，表示「憤怒」。而在上古，「發憤」跟「發怒」的意義毫不相干。

【寫】

《說文》：「寫，置物也」，段玉裁注：「謂去此注彼也」，指東西從一個容器傳置到另一容器裡。由於傳置必須先把東西從一容器弄出去，所以可引申為「排泄」，如《淮南子·修務》：「據地而吐之，盡寫其所食」，這一意義後代寫作「瀉」。憂悶泄除了，內心就寬暢，所以又引申為「舒暢」，如《詩經·小雅·蓼蕭》：「既見君子，我心寫兮。」從把東西排除出去這個意思，又引申為「免除」，如《管子·白心》：「臥名利者寫生危」，尹知章注：「臥猶息也，寫猶除也。能息名利，則除身之危。」

由傳物之體到傳物之貌，又引申為「鑄刻」（某人形狀）」，如《國語·越語下》：「王命金工以良金寫范蠡之狀而朝禮之。」鑄刻都要按照一定的樣子或模子，所以「摹仿」也叫「寫」，如《淮南子·本經訓》：「雷震之聲，可以鐘鼓寫也。「寫」在漢魏以後又有「描繪」的意思，《史記·秦始皇本紀》：「秦每破諸侯，寫放（倣）其宮室，作之咸陽北阪上。」現代仍有「寫眞」、「寫生」等美術用語。

由此本傳於彼本，就像以此器傳於彼器，所以照書籍原文「謄寫」、「抄錄」也叫「寫」，如《漢書・藝文志》：「孝武置寫書之官」。這也是漢魏之後的意義。再引申爲「書寫」，這一意義沿用至今。

【樹】

上古「樹」經常作動詞，意思是「種植」、「栽種」，《孟子・梁惠王上》：「五畝之宅，樹之以桑」。上古「樹」不僅可以指種樹，也可以指種穀、種草、種麻、種菽，如《管子・權修》：「一年之計，莫如樹穀」，《詩經・衛風・伯兮》：「焉得諼（萱）草，言樹之背（北堂）」，《呂氏春秋・任地》：「樹麻與菽」。

「樹」在先秦也有用作名詞的，如《左傳・宣公二年》：「有嘉樹焉，宣子譽之」。這種用法到漢代以後才逐漸多起來，如《史記・孫子列傳》：「龐涓死於此樹之下。」

「樹」用於抽象的意義就是「樹立」、「建立」，《戰國策・秦策》：「外樹怨於諸侯」，《漢書・鄒陽傳》：「樹功而不忘」。今成語有「樹碑立傳」，雙音詞有「樹敵」、「樹立」、「建樹」等。

【謝】

在上古主要是「道歉」的意思，如《戰國策・齊策》：「宣王謝曰：『寡人有罪國家。』」又《戰國策・趙策》：「入而徐趨，至而自謝曰：『老臣病足，曾不能疾走。』」引申爲「辭」，如《史記・儒林傳》：「謝絕賓客。」「謝」又指「對別人的幫助或贈與表示感激」，《漢書・張安世傳》：「安世嘗有引薦，其人來謝。」這與現代的意義一樣，但上古罕見。後來「感謝」成了

「謝」的常用義。

【臉】

《說文》沒有「臉」字，這是個後起字，到中古時期才廣泛使用。《集韻》：「臉，頰也。」《韻會》：「臉，目下頰上也。」「臉」在最初僅僅指顴骨部分，如溫庭筠《菩薩蠻》：「明鏡照新妝，鬢輕雙臉長」，晏殊《破陣子》：「笑從雙臉生。」正因爲「臉」指顴骨部分，所以才可以說「雙臉」，不像現代人們只說一個臉。「臉」是古代婦女擦胭脂的地方，所以詩詞中常有「紅臉」、「桃臉」、「胭脂臉」這些用語，如陳後主《紫騮馬樂府》：「紅臉桃花色」，顧敻《虞美人》：「香檀細畫侵桃臉」，白居易《山石榴》詩：「淚痕裛損胭脂臉」。後來「臉」的詞義範圍擴大，與「面」構成同義詞。

【購】

古代「購」和「買」意義差別很大。「購」是「懸重賞徵求」的意思。購求的對象可以是敵人或罪犯，也可以是要爭取的人，如《史記・項羽本紀》：「吾聞漢購我頭千金，邑萬戶」，《漢書・季布傳》：「高祖購求布千金」。引申爲「重價收買」，如《漢書・張安世傳》：「後購求得書」，《舊唐書・褚遂良傳》：「太宗嘗出王府金帛購求王羲之書迹。」直到宋代，「購」也只表示重價收買，和一般的「買」仍有不同，如蘇軾《送劉道原歸覲南康》詩：「十年閉戶樂幽獨，百金購書收散亡。」現代「購」雖然和「買」更接近了，但還有差別，「購」經常用於大批買進，如「採購」、「購銷兩旺」。

【藍】

「藍」的古義是一種可以染青色的植物，即蓼藍。如《荀子・勸學》：「青，取之於藍而青於藍」，是說藍色顏料是從藍草提取出來的，但是比藍草還藍。用它可提取藍顏料，所以藍色也叫「藍」，但這是後起義。「藍」在宋代古義已消失，只指顏色，蘇軾不了解「藍」的古義，於是就批評《荀子・勸學》這句話「無異夢中語」（見李元治《敬齋古今黈拾遺》卷一）。他認爲青和藍都是色，「青出於藍」等於「色出於色」，這就不成話。蘇軾的錯誤是忽略了詞義的古今差別。

【題】

古義指「額」，《楚辭・招魂》：「雕題黑齒」，意思是額上雕花紋，把牙齒染黑。這是古代有的少數民族的習俗。引申爲「物的頂端」，如《孟子・盡心下》：「高堂數仞，榱題數尺」，「榱題」即椽子頭。後引申爲「題目」，指標識篇首的文字，這一意義沿用至現代。

【羹】

「羹」在上古是一種帶汁的肉。《爾雅・釋器》：「肉謂之羹」。《說文》：「羹，五味和羹也」，是指加上梅、鹽、醯（醋）、醢（肉醬）等調料燉的肉，合起來共五味。《左傳・昭公二十年》：「和如羹焉，水、火、醯、醢、鹽、梅，以烹魚肉，燀之以薪，宰夫和之，齊之以味，濟其不及，以泄其過」，把做羹的過程說得比較清楚。「羹」是帶汁的肉，所以《左傳・隱公元年》說：「公賜之食。食舍肉。公問之。對曰：『小人有母，皆嘗小人之食矣，未嘗君之羹，請以遺之。』」前面說「肉」，後面說「羹」，其實指的是一回事，只是穎考叔自己喝汁而把肉留給母親而已。羹是有汁的，《戰國策・中山策》：「吾以一杯羹亡國，以一壺飡得士二人」，「羹」論杯，可見湯還不少。

貧苦的百姓吃不起肉，只能吃菜羹。菜羹也不是菜湯，而是煮熟了的野菜或蔬菜，如古書記載孔子被困在陳蔡時，「藜羹不糝」，是說吃的是煮熟的野菜，連點米粒也沒有。

【壟】

本指田地分界的土堆，田梗。《史記・陳涉世家》：「輟耕之壟上」。文言中有「壟斷」一詞，指高而不相連的土墩子，《列子・湯問》：「自此冀之南，漢之陰，無隴斷焉」，《孟子・公孫丑下》：「有賤丈夫焉，必求龍斷而登之，以左右望而罔市利」，以上「隴斷」、「龍斷」都是「壟斷」的另外寫法。「壟」又引申爲「墳墓」，如《戰國策・齊策》：「昔者秦攻齊，令曰『有敢去柳下季壟五十步而樵采者，死不赦。』」

【驟】

本指「馬跑」，《詩經・小雅・四牡》：「載驟駸駸」（駸駸，馬快跑貌），注：「不馳而小疾曰驟」。驟的步子小而急促，所以可引申「快速而急促」，《左傳・成公十八年》：「杞柏於是驟朝於晋」，《老子》：「驟雨不終日」。又引申爲「屢次」，如《呂氏春秋・適威》：「問於李克曰：『吳之所以亡者，何也？』李克對曰：『驟戰而驟勝。』」「驟戰驟勝」就是屢戰屢勝。《楚辭・九歌》：「時不可兮驟得，聊逍遙兮容與」，「驟得」即多次得到。段玉裁說：「今之『驟』爲暴疾之詞，古則爲屢然之詞。凡《左傳》、《國語》言『驟』者，皆與『屢』同義」。

三、詞的本義與引申義

㈠什麼是詞的本義與引申義

本義應指詞的本來意義。但這裡所說的詞的本義，只是一般習慣的叫法，是指現代人們所能找到的有文獻根據或字形根據的最古義。

文字的產生要比語言晚得多，迄今發現的最早的漢字，是在西安發現的龍山文化遺址出土的文字，它是距今大約四千五百年至五千多年的文字。而語言同人類、人類社會一樣古老。在漢字未產生以前，遠古漢語的詞就已經流傳了若干萬年，它們可能還有更原始的意義，但是我們現在已經無從考證了。因此，這裡所說的「本義」不是指詞的「最初義」或「原始義」，而是指有文字記錄以來所能見到的最古義。它只是一個相對的概念，對後代演變來說它是本義，對記錄前的長期使用來說它可能是演變的某一結果，而不是起點。

一個詞往往不只具有一個意義。當它具有兩個以上的意義的時候其中應該有一個是本義，另外還有一個或一些是引申義。所謂「引申義」，是指從本義發展出來的詞義。本義在一組詞中只能有一個，而引申義數量可以很多。舉例來說，「向」甲骨文寫作向，《說文》：「向，北出牖也。」本義是「向北的窗戶」。《詩經・豳風・七月》：「塞向墐戶」，譯成現代漢語就是「堵好朝北的窗子，用泥塗好柴門」（墐，用泥塗；戶，門）。由「朝北的窗戶」這個本義，引申出「朝著」或者「對著」的變義。又如「閒」，用從門縫中看見月亮的形象表示間隙，本義是「夾縫」、「縫隙」，如《莊子・養生主》：「彼節者有閒，而刀刃者無厚」。引申為「隔離」，如《史記·滑稽列傳》：「閒居齋戒」。也引申為「置身其中」、「參與」，如《左傳·莊公十年》：「肉食者謀之，又何閒焉？」還引申為「抄小路」（取其兩端最近者），如《史記·項羽本紀》：「從酈山下，道芷陽閒行。」以上「隔離」、「參與」、「抄小路」等都是從本義「夾縫」引申出來的意義。

(二)掌握詞的本義的作用

詞的意義不是一成不變的，它在使用中不斷豐富，就像樹不斷生出樹杈一樣不斷引申，乍看起來，好像一團亂麻，無從琢磨，確實給我們掌握詞義造成困難。

但是樹有許多枝杈，樹幹是一個。人有許多子孫，祖先是一個。詞的引申義有許許多多，本義卻是一個。所以掌握了本義就可以不被詞義的變化所迷惑，就可以提綱挈領，以簡馭繁，眾多紛繁的詞義就變得條理清晰而容易被理解。

例如「陽」這個詞，本義是「陽光」（按傳統的看法，本義是「山南水北」。這種看法和「陽」字從阜的字形是相符的，但從詞義發展角度看是有問題的），它還有下列諸意義：

(1)溫暖。《詩經·小雅·湛露》：「匪陽不晞。」

(2)明亮。《詩經·豳風·七月》：「春日載陽。」

(3)山的南坡或水的北岸。《詩經·召南·殷其雷》：「在南山之陽。」

(4)表面上，假裝。鄒陽《獄中上梁王書》：「是以箕子陽狂。」這一意義後來也寫作「佯」。

(5)哲學名詞，陰陽的陽。《周易·繫辭》：「一陰一陽謂之道」。

這些意義之間的關係，顯然是這樣：

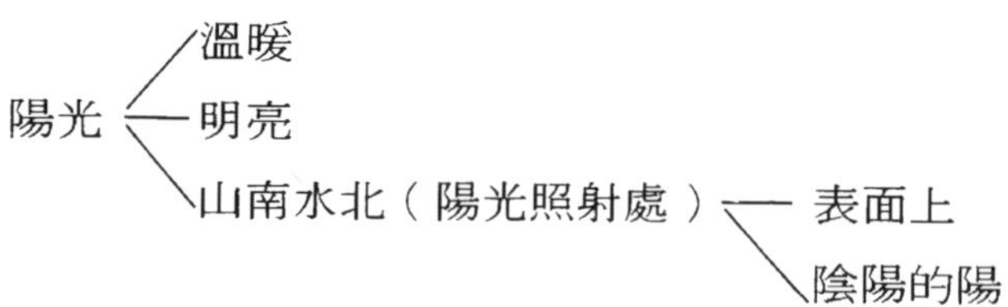

從上圖的分析中，詞的多義之間不是毫無聯繫的。抓住詞的本義，使詞義的演變容易讓人理解和掌握。

㈢如何推斷本義

首先，要根據詞的書寫形式——字形來推斷。古漢字屬於象形的音節表意文字系統，字形與詞義有很大關係，分析字形，對了解詞的本義有重要的參考價值。這裡所說的字形，主要指甲骨文、金文、小篆的字形。

下面僅就《左傳・成公二年》舉兩個例子：

御，金文寫作，像一個人在道上執鞭驅車之狀，本義是「駕駛車馬」，如「邴夏御齊侯，逢丑父爲右」。

即，金文寫作，像一個人走到食物之前就食的形狀，本義是「走向」、「靠近」，如「擐甲執兵，固即死也」。今成語「不即不離」、「若即若離」、「可望而不可即」仍保存其本義。

用字形來推斷詞的本義固然是較爲得力的方法，但是有局限性。漢字中直接用形象來表意的字不多，只有一千多個。占漢字絕大多數的形聲字，對本義雖然能起一定的指示作用，但它本身並不能獨立承擔解決本義的職能。

詞的本義，除可以從字形推斷外，還可以運用詞義發展的規律，從多義的歸納中去求得。一個詞內部相互關聯的諸意義，就一般情況來說，它們的產生總是有先有後，存在著派生和被派生的關係。先產生的意義和後產生的意義之間，總是存在著許多「相同點」、「相似點」或「某種條件下的聯繫」，只要我們緊緊抓住它們相互聯繫的紐帶，按照它們派生和被派生的內在的邏輯順序去「順蔓摸瓜」，就不難找出它們的本義。

例如「集」這個詞，它有下列意義：

(1)羣鳥落在樹上。《詩經・周南・葛覃》：「黃鳥于飛，集於灌木。」

(2)聚合。賈誼《過秦論》：「天下雲集而響應。」

(3)聚會。一般指親友的聚會。王羲之《蘭亭宴集序》：「羣賢畢至，少長咸集。」

(4)落。《聊齋誌異・促織》：「臨視，則蟲集冠上，力叮不釋。」

(5)成，成就。《左傳・成公二年》：「此車一人殿之，可以集事。」

(6)詩文的彙集。曹丕《與吳質書》：「頃撰其遺文，都爲一集。」

這些意義之間的層次顯然是這樣的：

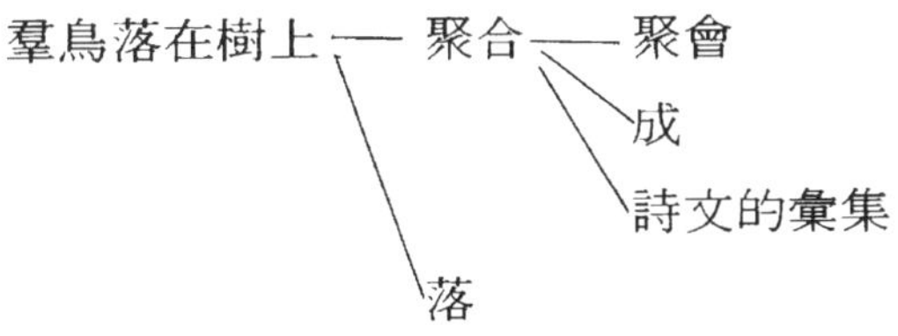

這是合乎邏輯的排列層次，不能任意調換。金文「集」寫作

𣡽，正像羣鳥落在樹上，可證其本義。小篆寫作雧，楷化後寫作「集」。

㈣引申義是怎樣產生的

引申義的產生，和社會的發展以及語言的交際作用有關。社會是不斷向前發展的，作爲交際工具的語言必須隨社會的發展而不斷發展，以適應社會發展的要求。語言的發展是多方面的，就用詞標誌新遇到或新產生的事物來說，人們採用的手段之一，就是創造新詞。但是語言中的詞是有限的，而新遇到或新產生的事物是層出不窮的。二者無論就數量上或發展速度上都是有矛盾的。於是人們除了創造新詞外，不得不採用另一辦法——引申新義，來克服造詞不適應記錄語言的矛盾。引申新義是一種「舊瓶裝新酒」的辦法，就是利用詞義所反映概念的靈活性，在不改變某詞的形式的情況下，只部分地改變某詞所包含的內容，去標誌新遇到或新產生的事物。創造新詞，是用一個詞來標誌某一事物，使語言中的詞的數量增加；而引申新義，是用一個詞來標誌某幾個事物，使一個詞所代表的意義增多。當然，引申新義也是造詞的基礎，當一詞多義之間互相干擾產生混淆時，爲求區別就會另造新詞。

詞義引申一開始都出現在個別語言實踐中，如果某一新義在語言實踐中被人們反覆應用，成爲該詞的一個固定的穩定的詞義，就成爲該詞的引申義。

㈤引申義的範圍

引申義是在一詞多義的情況下使用的一個名稱。因此，在談論引申義的時候，必須確定一詞多義的範圍，就是說必須把一詞多義現象與其它語言現象區別開來，這是談論引申義的前提。凡是用同一語音形式或書寫形式表達的詞，不論它有多少意義，只要它們之間意義上有關聯，就屬於一詞多義的範疇。

1. 引申義與同音詞的關係

有些詞，雖然它們的語音形式和書寫形式相同，但意義毫無關聯，不能看做一詞多義，而應看做同音同形詞。如「鬍鬚」的「鬚」和「必須」的「須」，它們雖然同念一個音，但在意義上毫無關聯，不存在引申和被引申的關係，僅僅是書寫形式的假借，因而應該看成兩個詞。

2. 引申義與同源詞的關係

有些詞雖然意義上有關聯，但它們的語音形式有改變，或書寫形式有改變（不包括異體字），也不能看作是一詞多義，而應看成是同源詞。

語音形式改變的，如「朝」本義是「早晨」，引申爲「朝見」、「朝廷」的「朝」（因古時早晨要在朝中面君奏事）。兩義雖有關係，存在引申與被引申的關係，但已經用音變的方法區別爲兩個詞了。又如「折」本意是「折斷草木」，引申爲表示其結果的「折」，也應看成是兩個詞。

書寫形式有改變的，如「受」原來的意思是「相付」，它包括「授予」和「接受」兩方面的意義，《詩經・豳風・七月》：「九月受衣」使用的是「授予」義，《韓非子・五蠹》：「斬敵者受賞」使用的則是「接受」義。後來，由於詞義在使用中容易混淆，爲求區別，給「授予」義另造「授」字，分化成「受」「授」兩個書寫形式。像這種情況，在書寫形式未分化以前，應看成一詞多義，但一經獨立門戶以後就各自成詞了。

在歷史上有引申關係的詞，只能在追溯詞的歷史——詞的來源時去研究它們的引申關係。但這已屬於詞源的追溯，超出引申義的範圍了。

㈥詞義引申的途徑

詞義引申的途徑是指一個詞究竟以怎樣的方式或手段由基礎義引申出新義的。這個問題較複雜，應該說，目前的研究成果還很不夠；儘管如此，我們通過對一些詞義的引申情況進行分析，還是可以找出一些規律性的東西來的。詞義引申的途徑，大體可以概括為以下幾個方面：

1. 延展引申

延展引申是指在特定語言環境中，將原有詞義所概括的內容中的某一特徵加以突出或延伸，使原有詞義被賦予了新特點的引申方式。例如：

引，《說文》：「開弓也，从弓丨。」如《孟子．盡心下》：「君子引而不發。」開弓是牽拉弓弦，把弓弦拉長了，從這一特徵可以引申為「延長」、「伸長」義，如馬中錫《中山狼傳》：「狼引首顧曰」，今成語有「引領（脖子）而望」。開弓是把箭拉向後方，如果所引的不是弦而是人，「引」就有「導」的意義了，如《詩經．大雅．行葦》：「以引以翼」（引，導；翼，撫助），今雙音節詞有「引導」。開弓是向後拉弓，所以又引申為「退」，如《戰國策．趙策》：「秦軍引而去」，今成語有「功成引退」。

攻，《說文》：「攻，擊也」，「攻」和「擊」是同義詞，但二者有區別。「攻」表示為了某一特定的目的，持續地、反覆地去敲打某一對象，使其改變性質、狀態或屬性，而「擊」則表示自上而下的猛打。如《詩經・小雅・鶴鳴》：「它山之石，可以攻玉」，所謂「攻玉」，就是不斷反覆地敲擊含玉的石頭（璞），直至弄出玉來。如換上「可以擊玉」，意思就變爲將玉打得粉碎了。正因爲「攻」所概括的詞義含有這樣的特點，所以在它與城陣之類的賓語結合的時候，可以引申爲「攻打」，如《左傳・僖公四年》：「以此攻城，何城不克」（「攻打」有預定目的，行爲是持續不斷的）；當它和加工的對象結合時又可引申爲「修治」、「整治」，如《考工記》：「凡攻木之工七，攻金之工六，攻皮之工五」（「整治」是爲了特定目的，持續操作去改變某事物的性質、狀態或屬性）；它以某種學問或技能爲對象時就有鑽研、學習的含義了，如韓愈《師說》：「聞道有先後，術業有專攻」（這是爲了某一特定目的，持續地對付某一目標而獲得某種專長）。

這類引申的情況很多，如：

抑（用手壓物→用於人的感情意願時表示克制）。

舉（舉物→用於人，表示推薦）。

採（用手擠物→用於事，表示選擇）。

悸（心跳→用於意外引起心跳，表示恐懼）。

明（明亮→用於眼睛表示視力好）。

延展引申因爲是在特定條件下突出或延展了原有詞義的某一特徵，賦予了它新的特點，這樣就使基礎義與引申義之間既有共同點，又有差異點，既有共性，又有個性。共同點決定於二者的淵源關係（這是延展的基礎），差異點標明二者應用的對象、範圍……不同（這是延展賴以實現的環境）。因此，分析這類詞義現象的關鍵在於找出它們概括的內容的「同」和「異」。

2. 條件引申

是指一個詞的某一詞義借助某個特定的條件（自然的或社會的）去標誌另一事物的引申方式。例如：

年，本義是「收成」、「五穀成熟」，《春秋・宣公十六年》：「冬，大有年」，「大有年」就是大豐收。由於我國古代黃河流域一般的穀物是一年一熟的，這種特點、條件，把「穀熟」與穀熟相應的一段時間的周期聯繫起來了，「年」於是由農作物收成引申為時間的單位。

歲，指「歲星」（木星）。古人把周天分為十二「次」，歲星由西向東十二年繞天一周，每年恰好行經一個星次，因此古人就用「歲在××」或「歲次××」來紀年。《國語・晉語》：「君之行也，歲在大火（十二星次之一，相當於天蠍宮）」，就是以歲星來紀年的例子。以歲星來紀年，使「歲」和時間單位發生了聯繫，從而在「歲」（歲星）的基礎上產生出年的意義。這個變化不是詞義的突出或延展，而是在以歲星紀年的特定條件下所產生的新義。

漢，是一條水名，指「漢水」，如《詩經・周南・漢廣》：「漢之廣矣，不可泳思。」但是它在後來又指漢朝、漢族，聯繫的條件是什麼呢？這要追溯歷史。原來，秦末楚漢相爭時，項羽自立西楚霸王，封劉邦為漢王（封國在漢水一帶和四川，主要根據地在漢水上游的漢中）。後來劉邦統一天下，在這一特定條件下，「漢」遂由地域變為劉家天下的國號——漢朝。把華夏族稱為漢人，這不是漢人自己叫開的，而是入侵的少數民族叫開的。晉代內亂，北方被鮮卑等少數民族統治，因為漢代統治時間較長，國勢強大，所以當時北方的少數民族就把華夏族稱爲「漢」。後來相沿成習，就成爲對漢人的稱呼了。

代，唐朝以前，「代」有「朝代」的意義，但是沒有「世代」（父子相繼爲一世）的意義。那時「代」和「世」區別得很嚴格：「三代」指三個朝代，如《禮記・禮運》：「大道之行也，與三代（指夏、商、周三個朝代）之英，丘未之逮也」；「三世」則指祖孫三輩。到了唐代由於避唐太宗李世民的名諱，世代的「世」才改稱爲「代」。於是「朝代」的「代」在這一特定歷史條件下產生了「世代」的意義。如王維《李陵詠》詩：「漢家李將軍，三代將門子。」

百姓，原來指「百官」，是統治階級的上層分子。最初只有統治階級才有姓氏，一般平民沒有姓氏。在較早的古籍中，「百姓」一般泛指「百官」，如《尚書・堯典》：「九族旣睦，平章百姓」，「平章百姓」就是品評百官的功勞，加以彰顯表揚；又如《國語・楚語下》：「百姓、千品、萬官、億丑（醜，類，指平民）」，把「百姓」放在「千品」「萬官」之上，可見地位之高。春秋、戰國之後，由於階級關係逐漸發生了變化，如《左傳・昭公三十二年》所說的「三后（虞、夏、商三代君主）之姓（子孫），於今爲庶」；尤其是戰國時代，一部分貴族淪爲平民，而另一方面，一般民衆也逐漸有了標明姓氏的權利，「百姓」也隨之就可以指平民了。

條件引申與延展引申的區別是很明顯的：前者借助於特定的社會歷史條件、事物間的特定關聯來實現，後者只是在語言應用中因結合的對象不同而延展了某一方面的含義。因此分析條件引申現象，主要不是找出它們概括的內容有什麼異同，而在於找出它們演變的條件。

3. 修辭引申

修辭引申指運用修辭手段在原有詞義的基礎上產生新義的引申方式。常見的有：

(1)比喻引申：

即以原詞爲喻體而引申出新義。例如：

斗，原是一種酒器。《詩經・大雅・行葦》：「酌以大斗」，《史記・項羽本紀》：「玉斗一雙，欲與亞父」，此二處「斗」指的都是酒器。因爲天上的北斗七星與有柄的舀酒器形狀相像，於是人們用比喻的方式，用舀酒器的「斗」去指稱「北斗」的「斗」，於是「斗」產生了「北斗」的新義，如《詩經・小雅・大東》：「維北有斗，不可以挹酒漿。」

盔，《玉篇》：「缽也」，《韻會》：「盔，盂器也。」「盔」原是缽盂之類的容器，現在北方農村還有「瓦盔子」的器名。我國古代戰士所戴的革製的或金屬製的帽子，當初叫做「胄」，後來由於它的形狀像一具倒放的盔，於是就叫起「盔」來。現代戰士所戴的鋼盔的「盔」，就是由此而來的。

爪牙，原指鳥獸的爪和牙。因其鋒利可以致用，遂用以比喻「武臣」，如《詩經・小雅・祈父》：「祈父，予王之爪牙」，《國語・越語》：「然謀臣與爪牙之士，不可不養而擇也」（「謀臣」指文官，「爪牙」指武將）。爪牙又由武官比喻爲主子服務的「黨羽」，《後漢書・竇憲傳》：「憲既平匈奴，威名大震，以耿夔、任尚等爲爪牙。」

作爲修辭手段的比喻與詞的比喻引申是有區別的。像「呆若木雞」、「其壯如牛」顯然只是一般的比喻，這是一目了然的。而比喻引申除運用修辭手段外，必須由原來詞義產生新義，新產生的詞義還必須是這個詞的穩定的常住性意義。試看下面的例子：

梁山崩。（《左傳・成公五年》）

天崩地坼，天子下席。（《戰國策・趙策》）

一旦山陵崩，長安君何以自托於趙。（同上）

周烈王崩。（同上）

「崩」的本義是「山塌下來」。第二例是敍述周烈王死時訃告上的一句話，上文說「天崩地坼」，下文說「天子下席」，這顯然只是一種比喻，比喻客體在前，主體在後。第三例是用「山陵崩」比喻趙太后的死，以明貴賤。第四例的「崩」比喻天子死，雖然從來源上說是一種比喻的手段，但因產生了「天子死」這一新義，而且社會上經常這樣使用，已約定俗成而變成常住性的意義了，所以《禮記・曲禮》說：「天子死曰崩」，這樣一來，崩就成爲獨立的比喻引申義了。

⑵借代引申：

即利用事物間的關聯關係，用甲事物去借稱與之相關的乙事物而引申出新義。例如：

身，原指軀幹，如《楚辭・國殤》：「首身離兮心不懲。」引申爲「身軀的整體」，如《孟子・告子下》：「餓其體膚，空乏其身。」這是以局部代整體。

江，原指「長江」，如《孟子・滕文公上》：「決汝漢，排淮泗，而注之江」，引申爲「一般的河流（後起義）」。這是以專名代共名。

革，原指「去毛的獸皮」，如《詩經・召南・羔羊》：「羔羊之革」。因爲用獸皮可以做護身的鎧甲，所以人們常用「革」來稱「甲」，久而久之，「革」就有了「甲」義。如《莊子・徐無鬼》：「兵革之士樂戰」。這是以原料代成品。

官，原指「行政機關」，如《墨子・尚賢中》：「不能治千人者，使處於萬人之官」。引申爲「行政職務」，如《左傳・成公二年》：「敢告不敏，攝官承乏」。這是以處所代其主持者。

借代引申與臨時性的借代不同。陳陶《隴西行》：「可憐無定河邊骨，猶是春閨夢裡人」，「骨」在這裡代「長逝者」，但「骨」並沒有「長逝者」的意義。范仲淹《岳陽樓記》：「錦鱗游泳」，「錦鱗」在這裡代「魚」，但它並沒有「魚」的意義。像這種情況，都是臨時性的借代，不屬於詞義學研究的範圍，而是修辭學討論的問題。

4. 語法引申

語法引申指詞在句中充當不同成分而產生新義的引申方式。例如：

泣，原指眼淚，如《史記・呂后本紀》：「太后哭，泣不下」，轉用爲動詞，表示落淚，如「泣不成聲」。

樹，原爲「種植」、「栽種」，是動詞，如《孟子・滕文公上》：「后稷教民稼穡，樹藝五穀」。引申爲名詞「樹木」，如《史記・孫子吳起列傳》：「龐涓死於此樹之下。」

美，原指「好的」，是形容詞。引申爲動詞「贊美」，如《莊子・齊物論》：「毛嬙、麗姬，人之所美也。」

一，原爲數詞，引申爲形容詞「專一」，如《荀子・勸學》：「螾無爪牙之利，筋骨之强，上食埃土，下飲黃泉，用心一也」。又引申爲動詞「統一」，如杜牧《阿房宮賦》：「六王畢，四海一。」

凡此種種，都是因爲詞在句中充當不同成分，引起了詞性的變化而產生新義。這種變化必須是經常使用，形成某詞的一個固定詞義，而被人們公認。臨時的詞性的活用，不在詞義變化討論之列，如《左傳・成公二年》中的「從左右，皆肘之」，其中的「肘」只是在特定環境中名詞臨時活用爲動詞，因爲「肘」並沒有引申出固定的「用肘觸」的意義來。

語法引申不限於實詞之間。有時候，也可以由實詞虛化爲虛詞。如：

信，本義是「語言眞實」，如《老子》：「信言不美，美言不信。」由於「信」經常處於狀語的位置上，逐漸虛化爲副詞「的確」、「眞個地」，如《孟子・公孫丑上》：「信能行此三者，則鄰國之民仰之若父母矣。」

益，其中一個詞義是「增加」，如《孟子·告子下》：「曾（增）益其所不能。」「益」也因其經常做狀語，虛化爲副詞「更加」，如《墨子·非攻上》：「其不仁茲甚，罪益厚。」

歷，本義是「經過」，如司馬遷《報任安書》：「足歷王庭。」「歷」後來虛化爲副詞「逐一地」，如《漢書·藝文志》：「歷記成敗存亡禍福古今之道。」

私，原與「公」相對，後虛化爲副詞「私下地」、「偷偷地」，如《漢書·霍光傳》：「私使乳醫淳于衍行毒，藥殺許后。」

上面我們談了詞義演變途徑的一般規律，這只是一個大概的情況，詞義引申的情況比這複雜得多，還須進一步深入探討。

四、同義詞與同義詞辨析

同義詞是指詞彙中詞義相同、相近或詞義部分交搭的詞。同一語言中詞義完全相同的詞（等義詞）是很少見的；絕大多數的同義詞都是詞義相近或詞義部分交搭的近義詞。這裡所說的「同義詞」是就它的廣義說的，不同的詞只要在意義上大部分相同，或者只要在某一意義上相同，不論其餘方面有多少相異之點，都可算作同義詞。

㈠辨析同義詞的意義

同義詞辨析的主要目的，在於從對比當中深入地理解詞義。同義詞辨析的過程，是對詞義進行由表及裡，由淺入深的認識過程。詞義經過辨析，就達到了對詞的理性認識。辨析詞義對我們正確地理解古書有很大的幫助。

1. 古文中同義詞經常對舉或連用，其意義或通用無別，或兩相區別，或互相補足。這就需要我們細加體會。例如：

上稱帝嚳，下道齊桓，中述湯武。（《史記・屈原列傳》）

新沐者必彈冠，新浴者必振衣。（同上）

例一的「稱」、「道」、「述」在「敍述」這一意義上是同義詞，在上面的的語言環境中可以通用，不必再尋求它們的差別。例二的「沐」和「浴」在潔身的意義上是同義詞，但所洗的部位有別。《說文》：「沐，濯髮也」，「浴，洒身也。」「沐」是洗頭髮，「新沐者」怕弄髒了頭髮，所以要「彈冠」；「浴」是洗身子，「新浴者」怕弄髒剛洗淨的身體，所以要「振衣」。

太子丹恐懼。（《戰國策・燕策》）

羣臣驚愕，卒起不意，盡失其度。（同上）

今太子聞光壯盛之時，不知吾精已消亡矣。（同上）

例一的「恐」和「懼」連用，例二的「驚」和「愕」連用，在這裡已通用無別，我們不妨把「恐懼」和「驚愕」都看成雙音節詞。例三的情況則不同，「消」和「亡」雖然在「消失」（從有到無）這一意義上相同，但二者仍有區別。「消」側重說過程，經常表示「逐漸減少或消失」的意義；「亡」則指結果，意思是「不存在」。「消」和「亡」這一對同義詞在上面的句子裡連用，一指過程，一指結果，意義有別，互相補充。

⑵辨析同義詞的細微差別，可以使我們對古書理解得更正確、更透徹。

有些句子，如果我們不了解同義詞之間的細微差別，有可能根本讀不懂，甚至搞錯。例如：

管仲有疾。桓公往問之，曰：「仲父之疾病矣，將何以教寡人？」（《呂氏春秋・知接》）

子疾病，子路請禱。（《論語・述而》）

如果不了解「疾」與「病」詞義的差別，對例一就可能讀不懂；對例二則可能讀錯，誤以爲「孔子病了，子路請求（替他）禱告。」其實「疾」與「病」雖然在「生病」這一意義上是同義詞，但還是有區別的。《禮記》鄭注就注意到了這種分別，指出「疾甚曰病」。從史料上看，「病」單用時雖然有時指「有病」（如《戰國策・趙策》：「老臣病足，曾不能疾走」），但多數指患重病。特別是「疾」「病」連用或對舉的時候，「疾」多指一般的病，而「病」則指重病。例一「仲父之疾病矣」，是說「您的病程度加重了」，齊桓公擔心管仲一病不起，恐怕不久人世，才說出了「何以教寡人」的話。例二的「子疾病」是說「孔子病了，病得很重」，因此他的學生子路才請求祈禱。如果僅是一般的病就請求祈禱，豈不小題大作？《韓非子・喻老篇》：「君有疾在腠理（皮膚和肌肉之間的組織），不治將恐深」，又「君之病在腸胃，不治將益深。」前一句用「疾」，說明病尚在初發階段，僅僅在「腠理」，故言「不治將恐深」。後一句用「病」，說明病已嚴重，已深入至腸胃，故言「不治將益深」。像這種句子不辨析就讀不通。又如：

「凡邦（國家）有會同、師役（戰爭）之事，則治其糧與其食。」（《周禮・地官・廩人》）

如果不了解「糧」與「食」的差別，就會覺得這句話中的「治其糧與其食」彆扭、重複；懂得「糧」與「食」的差別，就會一目了然。「糧」是焙乾的米，是供遠行吃的；「食」則指平日吃的飯食。這句話的意思是說：凡是國家遇有會同、師役的事情，就要給他們準備好路上吃的乾糧，供應平日吃的飯食。《漢書・嚴助傳》：「居則無食，行則無糧」，「食」指平日飯食，「糧」指遠行時的乾糧。在《論語》裡，講到遠行時所吃的用「糧」，如《論語・衛靈公》：「子在陳絕糧，從者病」；講到平時所吃的飯用「食」，如《論語・述而》：「飯疏食，飲水，曲肱而枕之，樂亦在其中矣」，《論語・雍也》：「一簞食，一瓢飲，在陋巷，人不堪其憂，回也不改其樂」，這都可證明「糧」與「食」的區別。

有些句子雖然可以讀懂，但如果不去辨析同義詞的細微差別，不去揣摩作者選字用詞的細膩之處，也不可能懂得更透徹。例如：

范增起，出，召項莊，謂曰：「君王為人不忍，若入前為壽。壽畢，請以劍舞，因擊沛公於坐，殺之。」（《史記・項羽本紀》）

坐須臾，沛公起如廁，因招樊噲出。（同上）

媼之送燕后也，持其踵爲之泣。（《戰國策・趙策》）

例一用了「召」，例二用了「招」，用得恰到好處。「召」和「招」在「招喚」義上是同義詞，區別在於「召」是「以言召人」，有時特指上召下；「招」則是「以手招人」。例一是范增向項莊面授機宜，所以用「召」。例二是劉邦見勢不妙，乘機逃席，暗自向樊噲招手示意，讓樊噲一同逃走，因此用「招」。如果我們把這兩個詞混爲一談，就不能透徹地理解此處行文的微妙處。

例三的「泣」理解爲「有淚無聲」的「落淚」是最恰當的。趙太后的女兒燕后遠嫁到別國，母女從此不再見面，太后很傷心，但女兒出嫁到燕國做后是喜事，趙太后雖然傷心，又不能放聲痛哭，只能暗然淚下，所以用了個「泣」。如果把這個「泣」譯成「哭」或「放聲痛哭」，就有些大煞風景，不盡事理了。像這樣用詞細致入微的地方，要依靠對同義詞進行辨析去細加玩味。

㈡辨析古代同義詞應注意的問題

1. 從歷史角度看，注意詞義的時代性

同義詞跟整個詞彙系統一樣，有著漫長的發展歷史，是經過不同時代的積累、演變而逐漸形成的。因此，辨析古代同義詞必須用歷史主義的原則，搞清詞義的時代性。這分兩種情況：

⑴在一定歷史時期內是同義詞，後來逐漸變得不同義。

例如：

「**行**」和「**道**」。先秦時它們在「道路」的意義上是一對同義詞。「行」金文寫作「𠄔」，表示道路。《詩經・豳風・七月》：「女執懿筐（深筐），遵彼微行，爰求柔桑」，「微行」就是「小道」；又《詩經・小雅・大東》：「糾糾葛屨（鞋），可（何）以履霜。佻佻公子，行彼周行」，「周行」就是周人所開闢的通往東方的大道。但是「行」的這個意思用得很少，而且應用的時間一般限於上古。後來這個詞的意義多用於動詞，與「道」不同義了。

「**后**」和「**君**」。在上古有一段時間它們是同義詞。「后」也有「君主」的意思，如《左傳・僖公三十二年》：「其南陵，夏后皋之墓也。」《楚辭・離騷》：「昔三后之純粹兮，固衆芳之所在。」後來「后」由君主的意思發展爲「皇后」、「太后」義，彼此就不同義了。

⑵在一定歷史時期內不同義，後來逐漸成爲同義詞。

例如：

「**恨**」和「**怨**」。它們最初不是同義詞。「恨」是「感到遺憾」、「引爲遺憾」，如《史記・魏其武安侯列傳》「恨相知晚也」，《史記・淮陰侯列傳》「信（韓信）言恨不用蒯通計。」以上的「恨」都不是怨恨，因爲「相知晚」、「不用蒯通計」都談不上怨恨，只是一種心理上的「遺憾」或「懊悔」的情緒。「怨」才指「懷恨在心」，如《史記・魏其武安侯列傳》：「武安因此大怨灌夫、魏其」，又《戰國策・燕策》：「夫秦王之暴，而積怨於燕，足爲寒心。」後來因爲「怨恨」經常連用，「恨」逐漸與「怨」構成同義詞。

「**屨**」和「**履**」。戰國以前，「屨」是名詞，指「鞋子」。

如《左傳·成公二年》：「郤克傷於矢，流血及屨，未絕鼓音」，《左傳·莊公八年》「公懼，隊（墜）於車，傷足喪屨」。而「履」只用作動詞，表示「踩」、「在……行走」，如《詩經·小雅·小旻》：「戰戰兢兢，如臨深淵，如履薄冰」，《詩經·魏風·葛履》：「糾糾葛屨，可以履霜」。「屨」與「履」的區別很明顯，決不能互換。戰國以後，「履」才有了「鞋子」的意義，如《韓非子·外儲說左上》：「鄭人有欲買履者」，《史記·留侯世家》：「孺子下取履」，「履」與「屨」遂成爲同義詞。

2. 從詞義系統的角度看，注意詞義的層次性

這可分爲三種情況：

(1)甲詞與乙詞的本義相同

有些同義詞，它們的本義基本相同。說它們基本相同，並不是完全相同，其間還有細微的差別。例如：

「諂」和「諛」。《說文》：「諂」，「諛也」，「諛，諂也」。兩詞的本義相同。但《荀子·修身》說：「以不善先人者謂之諂，以不善和人者謂之諛」，《莊子·漁父》又說：「希意道言謂之諂，不擇是非謂之諛」。由此可辨析出它們的細微差別：揣摩對方的思想感情在他還沒有正式表達自己的意向之前，就迎合對方的心意去說話，這就叫「諂」，現代漢語「諂媚」一詞就是由此而來的；不分是非善惡，別人說好自己也說好，別人說壞也說壞，跟著捧場奉承，這叫「諛」，現代漢語「阿諛」一詞就是由此而來的。

「思」、「念」、「想」。它們的本義都是思考、考慮，是同義詞，但也還有細微的區別。「思」是指一般的思考，如《論語·爲政》：「學而不思則罔，思而不學則殆」；「念」表示反

覆地想，如《史記・陳涉世家》：「陳涉、吳廣喜，念鬼，曰：『此教我先威衆耳』」；「想」則表示希望遇見、羨慕、懷念等義，如《史記・孔子世家》：「余讀孔氏書，想見其爲人」。

(2)甲詞的本義與乙詞的某變義相同

有些同義詞，它們原來並不同義，後來一方經過引申與另一方同義了。例如：

「**果**」和「**實**」。「果」的本義是樹上結的「果子」，如《韓非子・五蠹》：「民食果蓏蜯（同蚌）蛤」。引申爲圓滾突起的樣子，有「充實」的意思，如《莊子・逍遙遊》：「腹猶果然」，今成語把吃不飽肚子叫「食不果腹」。「實」的本義是裡面裝得滿滿的，如《莊子・山水》：「向也虛而今也實」；引申爲果皮所包的果肉，再引申爲「果實」，如《晏子春秋・內篇・雜下》：「桔生淮南則爲桔，生於淮北則爲枳，葉徒相似，其實味不同。」這樣一來，「果」的本義與「實」的引申義同義了；反過來，「實」的本義又與「果」的引申義同義了。

「**兒**」和「**孩**」。《說文》：「兒，孺子也」，本義是「嬰兒」、「小孩」（當「兒子」講是引申義），如《老子》：「常德不離，復歸於嬰兒。」「孩」本義是「小兒笑」，如《老子十二章》：「如嬰兒之未孩（未孩，還不會笑）」。「孩」後來引申爲「嬰孩」（後起義），如杜甫《山寺》詩：「自哂同嬰孩」。這樣，「兒」的本義與「孩」的引申義成了同義詞。

(3)甲詞的某變義與乙詞的某變義相同。

例如：

「**貶**」和「**謫**」。「貶」的本義是「減損」，如《左傳・僖公二十一年》：「貶食省用」，現代漢語雙音詞「貶值」還保留了它的減損義。引申到人事上，表示「給予低的評價」（跟

「褒」相對），如《公羊傳・隱公二十年》：「何以不氏？貶。」再由此引申到職務上，表示「降職並外放」，如韓愈《柳子厚墓誌銘》：「未至，又例貶永州司馬。」「謫」的本義是「譴責」，如《左傳・成公十七年》：「國子謫我。」意思是遭到世卿國子的譴責。「謫」經常和處分聯繫在一起，表示「降職並外放」，如范仲淹《岳陽樓記》：「慶曆四年春，滕子京謫守巴陵郡。」這樣一來，「貶」和「謫」本義雖不相同，變義卻構成同義詞。

「身」和「體」。「身」本義指人或動物的軀幹，是指頭頸以下的部分，如《楚辭・國殤》：「身首離兮心不懲」。引申爲「身體」，如《觸龍說趙太后》：「少益嗜食，和於身。」「體」原指身體的各部分，如頭、面、肩、臂、股、腳等，如《論語・微子》：「四體不勤，五穀不分」，「四體」指雙臂雙腿。「體」的引申義是「身體」，如《戰國策・趙策》：「恐太后玉體之有所郄也，故願望見趙太后」，「玉體」表示尊貴的身體。「身」和「體」本義雖不相同，但在變義上卻構成同義詞。

㈢古代同義詞差別的項目

古人很重視同義詞的辨析，《說文》、《爾雅》有很多就是講同義詞的。古書中也有一些直接進行辨析的句子，如《左傳・莊公二十九年》：「凡師有鐘鼓曰伐，無曰侵」，《孟子・盡心下》：「征者，上伐下也、敵國不相征也」，兩書清楚地指出了「伐」、「侵」、「征」的區別，許多舊注詮釋詞義時，也往往注意同義詞的細微區別，如《禮記・月令》鄭玄注：「大者可析謂之薪，小者合束謂之柴」。《詩經・豳風・破斧》毛傳：「方銎（斧頭上用以裝柄的孔）曰斨」，《詩經・豳風・破斧》毛傳：

「楕（橢）銎曰斧」。《說文》段注：「凡蠶者爲絲，㡾者爲縷」等等。辨析古代同義詞，必須從大量的語言材料中去歸納比較。同義詞都是一些同中有異的詞，辨析的關鍵是從意義相近的詞中找出它們的不同之點，這種不同點應是眞實的、本質的而非皮毛的。

同義詞之間的差異因詞而異，要作具體分析。同義詞差別的項目大致有以下幾方面：

1. 內容上的不同

名詞主要表現爲它所概括的對象，所指的部位，所表示的事物的形制、特徵等的不同；動詞則表現爲行爲的方式、狀態、特點、頻率、速度、所施及的對象等的不同；形容詞則表現爲它所表示的性質、程度、範圍，所修飾的對象等的不同。舉例如下：

⑴對象的不同

「**肌**」和「**肉**」。在先秦，二者區別很嚴格：「肌」是人的肉。如《莊子・逍遙遊》：「有神人居焉，肌膚如冰雪」；「肉」多指禽獸的肉，如《左傳・莊公十年》：「肉食者鄙。」只有當「骨肉」連用或對舉的時候，或指稱死人的時候，「肉」才指「人肉」，如《戰國策・趙策》：「骨肉之親也」，《墨子・節葬》：「其親戚死，朽其肉而棄之，然後埋其骨。」漢以後，「肉」用來指人的肉也是有條件的。「皮」和「膚」的區別也如此。先秦時，「膚」指人皮，「皮」多指獸皮，只有在罵人時，才說「食其肉，寢其皮」。這是把人當獸看待了。

⑵部位的不同

「**根**」和「**本**」。二者都指樹身的主要部分。「根」指樹根，是地下的部分；「本」有時也指根，如《國語・晋語》：「伐木不自其本」，有時則指樹幹，是地上的部分。如《左傳・成公二年》：「禽之，乘其車，繫桑本焉」。如果把這個「本」也解作「根」，是萬萬講不通的。

⑶形制的不同

「璧」和「玦」。都是古代的玉器。璧是平圓版形的玉，正中有孔，《爾雅・釋器》：「肉倍好，謂之璧」（肉是邊，好是孔，邊的寬度倍於孔的叫璧）。《史記・項羽本紀》：「謹使臣奉白璧一雙，再拜獻大王足下」，這個璧就是圓形有孔的璧玉。「玦」是一種有圓口的半環形佩玉，如《史記・項羽本紀》：「舉所佩玉玦以示之者三」。因「玦」與「決」同音，並且都含有「缺口」的意思（決，沖開堤口），所以古人常用「玉玦」表示「決斷」、「決裂」等意。范增舉玦，正是暗示項羽下決心殺掉劉邦。

⑷方式的不同。

「誓」和「盟」。「誓」是「發誓」，如《左傳・隱公元年》：「遂置姜氏於城潁而誓之曰：『不及黃泉，無相見也。』」「盟」是「宣誓結約」，如《左傳・僖公四年》：「屈完及諸侯盟。」「誓」一般不需要舉行儀式，「盟」則需要舉行儀式。「誓」只是關係到一個人的決心，「盟」則關係到一方或多方的諾言。

⑸狀態的不同。

「坐」、「跪」、「跽」。古代的「坐」是雙膝著地，臀放在腳後跟上，呈卩形。上古沒有椅子之類的坐具，人們是坐在席子上的，如《莊子・德充符》：「其明日，又與合堂同席而坐。」古代也有牀和榻，但它們的腳都很短，在牀或榻上坐著同在席上坐的姿態一樣，如《三國志・管寧傳》說管寧「常坐一木榻，積五十餘年，未嘗箕股（像簸箕形伸開兩腿，是一種不禮貌的坐態），其榻上當膝處皆穿」。所謂「當膝處皆穿」，是說榻上同膝蓋接觸的地方都磨出了窟窿，可見仍是雙膝著地而坐。

「跽」和「跪」同「坐」的區別在於：「坐」時身體鬆弛自然；「跽」或「跪」則聳體向上，上身挺直，臀離腳根。因爲「跪」和「跽」比「坐」時身體略高，所以又稱「長跽」或「長跪」。

「跽」和「跪」的區別在於：「跽」是表示恭敬或特殊注意的姿態，馬中錫《中山狼傳》：「先生伏躓就地，匍匐以進，跽而言曰……。」這是東郭先生對趙簡子所表示的敬畏。《史記・項羽本紀》：「項羽按劍而跽曰：『客何爲者？』」這是當樊噲突然闖帳時項羽戒備的一種姿態，這時項羽由原來的「坐」，猛然挺腰聳身而變爲「跽」。「跪」則常常和「拜」聯繫在一起，如《荊軻刺秦王》：「太子再拜而跪。」

(6)程度的不同

「飢」和「餓」。古代的「飢」是一般的「飢」，是肚子空想吃東西的一種感覺，與「飽」相對，如《荀子・性惡》：「飢而欲飽，寒而欲暖，勞而欲休，此人之性情也。」古代「餓」是嚴重的「飢」，它是長時間不吃飯或沒飯吃，如《論語・季氏》：「伯夷、叔齊餓於首陽山下」，伯夷、叔齊是在首陽山絕食，所以用「餓」。又《孟子・梁惠王上》：「民有飢色，野有餓莩」，「餓莩」連用，可見「餓」是能致人於死命的。

2. 習慣用法的不同

「畜」和「養」。二者在「養活」這一意義上是同義詞。但「畜」習慣上用於「養禽獸」，如《孟子・梁惠王上》：「雞豚狗彘之畜，無失其時……」；「養」習慣上指「養人」，如《戰國策・齊策》：「是助王養其民者也」。它們也有通用的時候，如《孟子・梁惠王上》：「仰不足以事父母，俯不足以畜妻子」，司馬遷《報任少卿書》：「倡優畜之」，但這是比喻用法，是爲降低妻子、倡優的身分把他們比作犬馬的，在多數情況下，「畜」和「養」還是有分別的。

「**獲**」和「**穫**」。都有「取得」的意義。但「獲」的用途廣，既用於狩獵方面的「獲得」的意義，也用於戰爭方面的「虜獲敵人」的意義，又用於一般的「取得」的意義，如《孟子・滕文公下》：「終日而不獲一禽」，《左傳・文公九年》：「陳人敗之，獲公子筏」，《墨子・天志下》：「不與其勞，獲其食」。「穫」則專用於農事收成，如《詩經・豳風・七月》：「十月穫稻。」古書中二者區別很嚴。

3. 語法特點的不同

「**之**」和「**往**」。在「去」的意義上是同義詞。但「之」必須帶賓語，表示「到……去」，如《戰國策・魏策》：「吾欲之楚。」「往」則僅僅表示方向性或目的性，不能帶賓語，如《戰國策・燕策》：「今日往而不返者，豎子也」，又如《孟子・滕文公上》：「往之女家」。正是由於「往」不能帶賓語，所以後面才常常加一個動詞。

「**至**」和「**致**」。二者詞義相近。但是「至」是不及物動詞，一般不要求賓語，意思是「到」，如柳宗元《黔之驢》：「至則無可用」（不帶賓語），《戰國策・燕策》：「至易水之上」（「易水之上」是補語）。「致」是及物動詞，一般要求賓語，其賓語有時雖可以省略，但理解時應把賓語塡補上去，意思是「使……到」，如《荀子・勸學》：「假輿馬者，非利足也，而致千里」，「致千里」是「致」〔之〕千里」的省略，意思是「車馬使（他）到達千里」。因爲借助車馬的人不是自行到達千里的，而是憑借車馬把他拉到千里之遠的。正因爲「致」是「使……至」的意思，才可引申爲「導致」、「招致」、「得到」、「傳送」等意義。

4. 感情色彩和等級觀念的不同

這是從愛惡褒貶傾向和用詞的階級影響去進行比較。如：

「**笑**」和「**哂**」。二者都有「笑」的意義。但是「哂」含有不以爲然，或者輕蔑、嘲弄的感情色彩，如《論語・先進》：「子路率爾而對曰：『千乘之國，攝乎大國之間，加之以師旅，因之以饑饉。由也爲之，比及三年，可使有勇，且知方也。』夫子哂之。」又杜甫詩：「王楊盧駱當時體，輕薄爲文哂未休。」

「**若**」、「**汝**」、「**爾**」。都是第二人稱代詞，相當於「你」或「你們」。但是「若」是一般的稱呼。「爾」和「汝」除了作爲極爲熟悉的平輩之間或上對下的稱呼外，有時帶有嫌惡、輕視的感情色彩，如《列子・湯問》：「甚矣，汝之不惠」，又《粵各鄉居民示喻英夷》：「自喻之後，爾等倘敢仍循故轍，執迷不悟……」。古代有嚴格的等級觀念，臣對君，部屬對長官，子對父，都不能用「若」、「汝」、「爾」這些人稱代詞。

「**殺**」、「**戮**」、「**誅**」、「**弒**」。這四個詞都有「殺」的意思。「殺」對一切生物都是適用的，不論用什麼器物，或徒手，凡致死都叫「殺」，如《荊軻刺秦王》：「殺太子丹欲獻之秦」，馬中錫《中山狼傳》：「狼，速去！不然，將杖殺汝！」

《左傳・宣公二年》：「公嗾夫獒焉，明搏而殺之。」「戮」和「誅」只限於對人，而且常指殺有罪的人，表示處以死刑，如《戰國策・燕策》：「父母宗族皆為戮沒」，《韓非子・五蠹》：「犯禁者誅」（「誅」有時不指殺，而指「譴責」，這裡是「殺」）。「弒」一般指臣殺君，子殺父，如《左傳・宣公二年》：「趙盾弒其君」。在等級森嚴的中國古代社會中，「弒」被認為是一種大逆不道犯上作亂的行為。

㈣辨析古漢語同義詞的方法

1. 詞源分析法

同義詞中，有一部分是屬於來源相同的同源同義詞。就是說，同義詞中的某些詞，它們開始本是一個詞，後來由於人們的認識的不斷深化，才使原來的母體詞分化出兩個或幾個既有血緣關係又能顯示詞義區別的詞。同源詞的分化途徑，往往能顯示出詞義的重要差別。例如：

「媾」和「講」，就是同源同義詞。說它們是同源詞，是因為從來源上說，他們都從「冓」（「構」的本字）分化而來，「冓」甲骨文寫作[illegible]，像「架木」之形。最初凡事物兩相交搭都可以叫「冓」，後來由於表達的逐漸精細，才從「冓」分化出「媾」「講」等詞。說它們是同義詞，是因為它們都有「媾和」、「講和」的意義，如《國策・趙策》：「不媾，來年秦復攻王，得無更割其內而媾？」《國策・燕策》：「請西約三晉，南連齊楚，北講於單于，然後乃可圖也。」上述二例，「媾」與「講」同義，不應視為古音通假。但「媾」和「講」仍有區別，這可以從同源的分化途徑中去尋求。「媾」在「冓」的母體中加

「女」旁分化而出，表示「雙方親上加親」，如《左傳·隱公十一年》：「如舊昏（婚）媾，其能降以相從也」，這一意義區別於「講」；「講」在「冓」的母體上加「言」旁分化而出，表示「雙方反覆研究」（先秦不指單方的談話或講解），如《論語·述而》：「德之不脩，學之不講，聞義不能徙，不善不能改，是吾憂也」，這一意義又不同於「媾」。「媾」和「講」出於同一詞源，又從不同角度表示雙方交構的意思。正因爲「媾」和「講」從母體分化出以後已顯示出區別，所以即使在表示「媾和」、「講和」義上同義，也是同中有別，「媾」一般重在恢復親善關係，而「講」則重在談判講和條件。

當然，同源詞並非都是同義詞。如「溝」、「篝」、「覯」、「購」也都是從母體「冓」分化出來的同源詞。「溝」指田間水道，以其縱橫交錯構成水網，所以叫「溝」；「篝」是用竹縱橫編織的竹器；「覯」是雙方相遇；「購」是懸賞徵求，以其所懸的賞價與所求之物相應，所以叫「購」。上面這些詞只能說它們是一些意義上有血緣關聯的同源詞，不是同義詞。

同義詞中，有一部分是屬於來源不同的異源同義詞。異源同義詞之間的差別，往往也能從源的不同反映出來。例如：

「論」和「議」，在「發表議論」的意義上是同義詞。但它們來源不同，「論」從「侖」分化而來，「議」從「義」分化而來。凡和「侖」同源的詞，都包含著有層次、有條理、有秩序或從中選擇之義，如「倫」指人中的君臣父子、長幼尊卑的分類，「淪」指有層次的水波，「掄」是選擇等。而「義」是「宜」的意思，本義是「合理的事」（各個時代都把當時認爲正當合理的事叫作「義」）。認淸「論」和「議」來源的不同，有助於我們辨析「論」和「議」的差別。「論」從「侖」，和「侖」所包含的條分縷析的意義有關，所以「論」就側重指分析道理或論列是非，「論」的結果往往是做出判斷；「議」從「義」，含有「義」的合理、恰當義，所以「議」側重指講清利害得失，「議」的結果往往是做出認爲合理、恰當的決定。

2. 義素分析法

辨析現代漢語同義詞差別的有效方法之一，是詞素分析法。如「保持」和「堅持」是一組同義詞，它們的共同詞素是「持」（保持不變），它們的示差詞素一個是「保」（守住），一個是「堅」（不動搖）。由此可斷定「保持」是指「守住原樣使之不變」，「堅持」是指「毫不動搖照原樣做下去」。詞素分析法對辨析文言中一部分雙音節詞也是行之有效的，但文言中單音節詞占優勢，這就使詞素分析法在絕大多數情況下無用武之地。因此，辨析文言同義詞必須使用義素分析法。所謂義素，是指把一個詞的意義再分解爲若干個意義成分，它是詞義的微觀層次。同義詞（並非等義詞）就是具有相同或相近義素的詞，同時也是包含不同義素的詞，這樣才使同義詞同中有別。同義詞的示差義素能顯示出同義詞的重要區別，例如：

「躍」和「踊」，《六書詁》說：「大爲躍，小爲踊；躍離其所，踊不離其所。」根據這一解釋，「躍」的詞義指「向前跳」，「踊」的詞義是「向上跳」。它們共同的義素是表示向一定的方向「跳」，即兩腿用力使身體跳躍離開地面的動作；示差的義素一個是「向前」，一個是「向上」，從而表示出跳的方向和特點不同。「躍」是向前跳，總是要跳出一段距離的，《荀子・勸學》：「騏驥一躍，不能十步」，是說馬向前跳躍一次，跳不出十步遠。而「踊」是原地向上竄跳，古代父母死後，兒子要雙腳向上竄跳搥胸痛哭，但瘸子可以免跳，故《禮記・喪服四制》說：「跛者不踊」。《左傳・僖公二十八年》記載受傷的魏犨違背了晉文公的命令，晉文公想殺他又捨不得，就派人去看視，傷重就殺掉他，輕傷就免其一死，「魏犨束胸見使者……距躍三百，曲踊三百」，這裡的「距躍」即指向前跳，即跳遠；「曲踊」即向上跳，即跳高。可見「躍」「踊」是有分別的。又如：「賓」和「客」，都指「客人」，與「主」相對。但《說文》說：「賓，所敬也」，「客，寄也」。根據《說文》的提示，「賓」是指地位尊貴、受人尊敬的客人，如《左傳・僖公三十三年》：「相敬如賓」，《史記・范雎傳》：「敬執賓主之禮」。而「客」是指寄居他人或旅居他鄉的客人，不一定地位都是尊貴的，如《易・需》「有不速之客三人來」，《史記・秦始皇本紀》：「李斯上書說，乃止逐客令」。「外來的客人」也包括寄食於豪門爲其奔走效勞的門客、食客。比較「賓」和「客」的詞義，它們共同的義素是「客人」，（即非「主」）；示差的義素，「賓」是指尊貴的、受人尊敬的，而「客」只指寄身他人他鄉的，不一定是尊貴而受人尊敬的。

3. 義列分析法

詞義是不斷發展變化的，其基本運動形式是引申。而引申是一種有規律的詞義運動，並非是隨心所欲的，即詞義從一點（本義）出發，沿著它的特徵所決定的方向，不斷地派生出與之有某些相同、相似或相關之處的新義，從而構成有規律可循的系統的義列。文言中的交叉同義詞，即指多義詞的某個義項相同，也就是說，在兩個詞的引申系列中，只有「點」的重合。交叉同義詞的區別，往往可以從反映它們不同特徵的整個義列中顯現出來，因而考察兩個詞整個義列的不同特徵，就會排除「點」的偶然重合的迷惑，發現同義詞的重要差別。例如：

「陳」、「說」、「述」這三個詞都有「向人說些什麼」的意思，但觀察它們整個的義列，就會發現它們的差別。「陳」是「陣」的古字，本義是「列陣」，即擺開陣勢，如《左傳·成公二年》：「癸酉，師陳於鞌」。引申爲「陳列」，即把東西擺開給人看，如《楚辭·九歌·東皇太一》：「陳竽以浩倡（唱）」。又引申爲「成排地站立」，如《戰國策·燕策》：「諸郎中執兵，皆陳殿下。」又引申爲「陳說」，即把要說的話有條理地說出來，如《孟子·公孫丑下》：「吾非堯舜之道，不敢以陳王前。」「說」，《說文》：「說釋也」，本義指和顏悅色地向人解釋、解說，《荀子·正名》「說不喻然後辯」，是說正面解說不能使人明白然後進行討論。又引申爲「陳說」，如《國語·吳語》：「夫差將死，使人說於子胥曰：『使死者無知，則已矣；若其有知，吾何面目以見員也。』遂自殺。」這裡「說」仍含有解釋的意味。「說」又讀ㄕㄨㄟˋ，是勸說別人使人信服聽從的意思，如《史記·淮陰侯列傳》：「廣武君李左東說成安君」。「說」又爲名詞，表示「主張」、「學說」，如《史記·樗里子甘茂列傳》：「學百家之說。」而「述」的本義是「順行」，《說文》「述，循也」，即「沿著習慣的老路走」的意思。引申爲抽象的遵循，如《書·五子之歌》：「述大禹之戒以作歌」。又引申爲「陳述」，但由「遵循」引申而來，一般指述舊，即闡發別人或自己做過的事，說過的話，如《論語·述而》：「述而不作」，這是孔子說他自己只傳述先王的遺言遺訓，不加創新或改動。《史記·屈原列傳》：「上稱帝嚳，下道齊桓，中述湯武，以刺世事」，「述湯武」指敍述商湯、武王過去的所做所爲。比較上面三個詞的不同義列可以發現，它們只在表示跟人說話這一意義上重合，而其他詞義卻相距甚遠，即使在某一點上意義重合，但仍然各有側重。「陳」著重在有條理地陳述事實，目的是爲了使人了解；「說」著重在說清看法或主張，目的是爲了使人接受；而「述」主要是述說以往的言行，目的是令人曉其始末。又如：

「隨」和「從」在「跟從」這一意義上是同義詞，如《莊子・人間世》：「自吾執斧斤以隨夫子，未見材如此其美也」，《論語・微子》：「子路從而後」。但「隨」可以引申爲「沿著」（《書・禹貢》：「禹敷土，隨山刊木」）、「順隨」（《法言・淵騫》：「蕭也規，曹也隨」）、「聽任」（《史記・魏世家》：「聽使者之惡之，隨安陵氏而亡之」）；而「從」可以引申爲「追趕」（《左傳・成公二年》：「故中御而從齊侯」）、「聽從」或「信從」（《左傳・莊公十年》「小惠未徧，民弗從也」）、「參與其事」（如「從政」、「從軍」等）。比較二者的義列所反映的不同特徵就可發現：「隨」不强調隨從者的主觀意志，是引路到哪裡就跟從到哪裡；而「從」則包含著跟隨者的主動性在內，是出自各種原因自願地、有意地跟從。

4. 搭配分析法

哪些詞語同哪些詞語搭配是遵循一定規則的，這就是詞語的分布特徵，即一般人常說的詞語的結合功能。詞語之間的搭配關係（包括語法性上下文的搭配和詞彙性上下文的搭配），能顯示出詞義的某些特點。因此，考察同義詞之間的差別，還必須考察同義詞分布的位置、環境，從它們在語言運用中的搭配關係上去發現它們的區別。

人們比較注意同義詞之間語法性上下文搭配的不同，例如：

「諫」和「諍」都含有規勸君主、並使之改正錯誤之意。但「諫」是直言規勸，《左傳・僖公五年》記載「宮之奇諫假道」可以說是說理透闢，直言相勸。如果有必要說明規諫的程度，則可以附加狀語來修飾說明。《戰國策・趙策》：「太后不肯，大臣强諫」，《左傳・宣公二年》：「晉靈公不君……宣子驟諫」，《荀子・臣道》：「微諫而不倦」，《論語・里仁》：「事父母幾諫」。「强諫」是竭力勸諫，「驟諫」是多次勸諫，「微諫」是婉轉勸諫，「幾諫」是輕微婉轉地勸諫。而「諍」一般指力爭、强諫，詞義比「諫」重，因而前面一般不附加狀語，如用狀語一般常加「苦」字，如《新唐書・崔玄亮傳》：「玄亮率諫官叩延英苦諍，反覆數百言」。《荀子・臣道》說：「大臣父兄有能進言於君，用則可，不用則去，謂之諫；有能進言於君，用則可，不用則死，謂之爭（通「諍」）。……伊尹、箕子可謂諫矣，比干、子胥可謂爭矣」，這段話說出了「諫」與「諍」詞義的不同。另外，「諫」有時可帶賓語，如《周禮・地官・保氏》：「保氏掌諫王惡」，而「諍」一般是不帶賓語的。

但是，人們在注意語法性上下文搭配的時候，有時卻忽視詞彙性上下文的搭配。語法性上下文的搭配，可以說明詞義的某些特徵，但有局限，如「桌子讀書」這句話，並不違背「主＋謂＋賓」的語法規律，但卻違背詞彙的搭配規律。因此，我們在注意語法性上下文搭配的同時，還必須考察詞彙性上下文的搭配。詞彙性上下文的搭配有狹義和廣義的兩種情況，狹義的搭配是指某詞的前後有哪些詞與之結合，廣義的搭配是指某詞在語言環境中與上下文的聯繫。

⑴狹義的搭配

「斷」和「絕」在「把某事物分爲兩部分」這一意義上是同義詞。但考察唐代以前的「斷」的搭配關係，它前面的詞語多指人，如《莊子・逍遙遊》：「越人斷髮文身」，《戰國策・燕策》：「王負劍，遂撥以擊荊軻，斷其左股」，《莊子・駢拇》：「鶴脛雖長，斷之則悲。」到了唐代以後，「斷」前面的詞語指事物的才逐漸多起來，如李白《太堤曲》：「不見眼中人，天長音信斷」，杜甫《赴奉先咏懷五百字》：「霜嚴衣帶斷」；而「絕」當「斷絕」講，前面的詞語一般多是指物的，如《史記・滑稽列傳》：「淳于髡仰天大笑，冠纓索絕」，枚乘《上書諫吳王》：「繫（繩索）方絕，又重鎭之」。由此可知，唐以前「斷」多指人把東西斷爲兩截，說的是行爲；而「絕」主要是指東西斷了，說的是結果。類似的情況又如「災」和「難」，都可以表示「災難」，但是「災」可以受水、火、蟲、旱、雹等修飾，說成水災、火災、蟲災、旱災、雹災，如《左傳・昭公元年》：「山川之神，則水旱厲疫之災，於是乎禜（營）」。由此可知，「災」是指自然界造成的災害。但在古人的觀念中，災是上天的懲罰，《春秋繁露・必人且知》：「災者，天之譴也」，所以又可以說「降災」（上天降下災禍）、「禳災」（祈禱上天除災）。而「難」則可以搭配成「遇難」、「蒙難」、「殉難」、「死難」、「構難」等，如《戰國策・楚策》：「楚嘗與秦構難，戰於漢中」，此「難」指兩國之間交兵之事。從「難」的搭配關係中，可知「難」並非天災，而是指人爲產生的各種事變或災難。

(2)廣義的搭配

「行」和「列」都有排列有序的行列義，但仍同中有異。請看「行」所處的語境。《後漢書・應奉傳》：「奉讀書，五行並下」，《晉書・朱皙傳》：「有人於嵩高山下得竹筒一枚，上二行科斗書」，古書上的字是上下排列的，考察「行」在這個語境上下文的意義，可知豎排稱「行」。再看「列」所處的語境，《史記・淮陰侯列傳》：「今井徑之道，車不得方軌（兩車並行），騎不得成列」，這是說井陘之道狹窄，騎兵只能單行走，不能橫排成隊形，可知橫排稱「列」。又如：

「歸」、「還」、「復」、「反」這組詞都有往回走的意思，但也是同中有異。「歸」是離開某地，經過或長或短的停留，再回到故地。歸的終點多半是家，或者是故鄉、故國以及所嚮往眷戀的地方。這個結論是「歸」所處的下列語境得出來的：陶潛《歸去來辭》：「歸去來兮，田園將蕪，胡不歸」，這是歸家；《史記・高祖本紀》：「大風起兮雲飛揚，威加海內兮歸故鄉」，這是歸鄉；《左傳・襄公三年》：「請歸死於司寇」，這是歸國；李白《送陸判官往琵琶峽》：「長安如夢裡，何日是歸期」，這是歸到所眷戀的地方。「還」也是往回走，「還」的目的地可以是家鄉、故地，如《南史・劉之遴傳》：「令卿衣錦還鄉」，「還鄉」同於「歸鄉」，這是它們重合的地方。但「還」側重表示沿著去路回來，如《漢書・高帝紀》：「行前者還報曰：前有大蛇當徑」。「復」是指去了又回來，如《易・泰》：「無往而不復」，「復」與「往」相對。又如《左傳・僖公四年》：「昭王南征而不復」，是說昭王南征沒有回來。「反」則側重表示走到地方後掉頭向相反的地方走的意思，如丘遲《與陳伯之書》：「夫迷途知反，往哲是與！」

在進行搭配分析時，可以運用置換試驗作爲輔助手段，就是用甲詞去替換其同義詞乙，這樣就會從具體的語言環境中比較出其間的差別。如「孤」、「獨」這組同義詞，都有「單獨」的意思，但《禮記・學記》：「獨學而無友」，《莊子・人間世》：「其行獨也」，《釋文》：「獨與人異也」，這些地方的「獨」都不能換成「孤」，其它如「獨出心裁」、「專斷獨行」也都不能換成「孤」；反過來說，李密《陳情表》：「況臣孤苦，特爲尤甚」，這裡的「孤」也不能換成「獨」，其它如「孤孤單單」、「孤立無援」也都不能換成「獨」。經過置換加以比較，「孤」側重指無依無靠，「獨」側重指不依不靠。又如「良」、「善」都有「好」的意思，但它們除了在「良言」與「善言」、「良心」與「善心」等少數詞語裡可以通用外，多數情況下不能通用。如「良藥」、「良弓」、「良馬」、「良才」、「良醫」、「良師」、「良辰」、「良夜」等都不能換成「善」；反過來，「性善」、「友善」、「慈善」等也都不能換成「良」。通過置換試驗發現：「良」多指事物的性狀、作用、功能、技術等方面的好，而「善」多指心地、態度、德行等方面的好。

5. 反義分析法

有些同義詞，它們具有與之相對的不同的反義詞。詞義的差別，不僅可以從正面去對比，往往也可以從它相對或相反的方面去對比，而且有時進行這樣的對比，可使詞義的特徵顯得更加鮮明。反義詞的作用之一，就是可從相反的角度來理解某些同義詞的細微差別，從而成爲尋找同義詞差別的一種鑒別器。例如：

「前」和「進」，都有「向前走」的意思，如《戰國策．燕策》有「樊于期乃前曰：『爲之奈何？』」的句子，又有「樊于期偏袒扼腕而進曰：『此臣日夜切齒拊心也……』」的句子，這裡「前」與「進」同義。但是「前」的反義詞是「後」，所以「前」在表示動詞意義時，它偏指位置向前移動，更靠近對方，如《戰國策．齊策》：「齊宣王見顏斶，曰：『斶前！』斶亦曰：『王前！』宣王不悅。左右曰：『王，人君也；斶，人臣也。王曰斶前，亦曰王前，可乎？』」這裡的「斶前」、「王前」用得很典型，是雙方都表示要求對方移動，更靠近自己的意思。而

「進」的反義詞是「退」，「進」著重指「向前走」這一行爲，而不太强調進到哪一位置上。又如：

「衆」和「羣」，都有「多」的意思，如《荀子·勸學》：「樹成蔭而衆鳥息焉」，《左傳·哀公五年》：「置羣公子於萊」。但是「衆」的反義詞是「寡」，「羣」的反義詞是「獨」。所以「衆」是「不少」，著重在數量；「羣」是「不孤」，著重在類聚。

以上介紹了五種探求同義詞之間詞義差別的方法。應該指出，上述的分類方法在個別之處是有交搭的，如現代語義學的義素分析法，把義素分析與詞語分布看成是有聯繫的，義素分析其中包括詞語搭配。本文把它們分爲兩處來談，是因爲義素分析這一新的方法目前研究得還很不夠，涉及的問題很複雜，不易清晰和科學地表述；把它們分爲兩處來談，對一般讀者來說，似更容易掌握。另外還應指出，探求同義詞之間詞義上的差別，並非孤立地使用上述某一種方法，這些方法往往是互爲參見、同時運用的。當然，最根本的方法，是從大量的語言材料中去歸納比較。這種歸納，雖然不可能根據語言中的全部用例，但應選擇足夠數量的用例。經過歸納得出一定結論之後，還應當回到語言實踐中去，檢驗歸納得是否正確。還要指出的是，漢語的詞彙異常豐富而且分工細微，有些詞粗看似同，實則各異。但文人用詞行文時，在「語言的社會性」的前提下是十分靈活自由的，加之詞義本身又在不斷發展變化，因此辨析詞義時往往會遇到此時相同（或異）、彼時又不同（或相同），此書相同（或異）、他書有異（或相同），以及散則同、對則異或合則同、分則異等複雜情況。這就要求我們在注意詞義時代性的同時，還必須把一般與個別加以區別。語言實踐中存在的「個別」固然應予承認，但不能視少爲多，視偶爲常，以「個別」否定一般規律。

五、同源詞

㈠什麼是同源詞

所謂同源詞，是指有淵源關係的一組詞，它們在意義上是相近相關的，在語音上是相同或相通的。

《說文》：「句（勾），曲也。」由「句」的曲義派生出一系列詞。金屬器具曲者叫「鉤」，木器曲者叫「枸」，軛下曲者叫「軥」，手曲叫「拘」，脊曲叫「痀」，羽毛曲叫「翑」，曲的竹捕魚器叫「笱」，曲的乾肉叫「朐」，曲刀叫「鉤」，等等。鉤、拘、軥、枸、痀、翑、笱、朐、鉤都是由「句」派生出來的，又都諧聲「句」，它們是有淵源關係的一組同源詞。

《說文》：「分，別也。」又「別，分解也。」又「判，分也。」又「半，物中分也。」分、別、判、半四詞可以轉相訓釋，意義是相關相通的。從聲母上看，「分」和「半」是幫母，「別」是並母，「判」是滂母，都是雙唇音，發音部位相同。從韻母上看，「半」與「判」在元部，「別」在月部，主要元音相同，只是韻尾不同，屬陽入對轉；「分」在文部，與元部和月部主要元音相近，屬旁轉或旁對轉。它們的讀音是相通的。它們顯然是由一個語源派生出來的，是同源詞。

㈡同源詞的類型

同源詞的類型可以從意義、語音及文字形式三方面加以分析。

從意義上說，同源詞是在不斷創造新詞的過程中產生的。新詞的產生一般是舊詞分化、孳衍的結果。新詞與它賴以產生的舊詞之間存在著淵源關係，形成同源詞。詞的分化、孳衍大致有以下幾種方式：

1. 比擬

某些事物在直觀上有著相像之處，人們便通過聯想，以代表舊事物的詞爲新事物命名，新詞與舊詞就具有了同源關係。

日蝕月蝕的「蝕」最初寫作「食」。《釋名・釋天》：「日月虧曰『食』，稍稍侵虧如食草木也。」後來在字形上加以區別，在「食」字上加「虫」旁寫成「蝕」，表示日蝕月蝕這個詞義。「蝕」是從「食」派生出來的，它們是同源詞。

「支」本指樹枝，後來用它表示派生出的支持、分支等義，原義另造「枝」字表示，「支」與「枝」是古今字。《說文》：「胑，體四胑也。肢，胑或從支。」《釋名・釋形體》：「胑，枝也，似木之枝格也。」「肢（胑）」古時也寫作「支」或「枝」。肢（胑）同支（枝）是由比擬造詞而形成的同源詞。

2. 滋生

有的同源詞是圍繞一個核心語義鋪衍、滋生出來的。這個核心語義是內在的，而不是外在的。

《莊子・養生主》：「庖丁爲文惠君解牛。」疏：「解，宰割之也。」《禮記・曲禮上》：「解屨不敢當階。」疏：「解，脫也。」原合在一起的，因自身或外力而分散開來，就稱「解」。精神渙散也爲「解」。《詩・大雅・烝民》：「夙夜匪解。」後來「解」的這一意義獨立成詞，以「懈」來表示。《孝經・卿大夫》：「夙夜匪懈。」「解」與「懈」是同源詞。

「厄」，又寫作「戹」。《說文》：「戹，隘也。」《一切經音義》：「厄，困也。」「厄」即困窮不順之義，由此義滋生出一系列詞。

《說文》：「隘，陋也。」「陋，阸陜也。」「阸，塞也。」「隘」與「阸」古同音，實表一詞，指地勢險阻難通。

《說文》：「軛，轅前也。」段玉裁注：「轅前者，謂衡也。自其橫言之，謂之衡；自其扼制馬言之，謂之軛。」軛是車轅前扼制馬的部件。

《說文》：「搤，捉也。」「搤」又寫作「扼」，是用手掐制之義。

《說文》：「縊，經也。」《釋名・釋喪制》：「懸繩曰縊。縊，阸也，阸其頸也。」以繩扼頸叫「縊」。

「阸（隘）」、「軛」、「搤（扼）」、「縊」分別諧聲「厄」或「益」，上古「益」與「厄」音同（影母錫部），所以這些字音同（或音近）。厄及由它派生出的一些詞是同源詞。

3. 關聯

由於甲事物跟乙事物在一定條件下發生關聯，便借表示甲事物的詞稱代乙事物。

《說文》：「奉，承也。」「奉」即古「捧」字。《禮記・檀弓下》：「黔敖左奉食，右執飲。」「奉食」就是「捧食」。進獻物品總是捧持的，所以捧持行爲便有了敬獻的意義。《史記・項羽本紀》：「謹使良奉白璧一雙，再拜獻大王足下；玉斗一雙，再拜奉大將軍足下。」前一個「奉」字是捧持義，後一個「奉」字則是敬獻義了。後來敬獻的意義占有了原字形，寫作「奉」，捧持的意義另造了個「捧」字來表示。俸祿是朝廷給的，受者表謙敬，將俸祿也稱「奉」。《戰國策・趙策三》：「位尊而無功，奉厚而無勞。」其中「奉」即指俸祿。後來這一意義寫作「俸」。奉、捧、俸成了同源詞。

「昏」，本指黃昏，是時間上的概念。古時男女成婚往往是在黃昏，所以結婚也叫「昏」。《詩經・邶風・谷風》：「宴爾新昏，不我屑以。」後來「昏」表示的這一新的意義寫作「婚」，以相區別。《白虎通・嫁娶》：「婚者，昏時行禮，故曰婚。」《說文》：「婚，婦家也。禮，娶婦以昏時。從女從昏，昏亦聲。」「昏」和「婚」是同源詞。

4. 裂變

裂變是對舊事物新認識的結果，分化出的新詞意義是舊詞意義的一部分。

《論語・子罕》：「求善賈而沽諸」，漢石經寫作「求善價而賈諸」。又晁錯《論貴粟疏》：「當其有者，半賈而賣……而商賈，大者積貯倍息，小者坐列販賣。」早期的「賈」這個詞所表示的意義是很籠統的，是指作生意的整個事情說的，包括著物物交易和估價行為等。隨著商業的興起，人們從籠統的認識中分析出買賣、估價和價值等新認識，由一個「賈」分析出商賈的「賈」、買賣行為的「沽」、估價的「估」和價值的「價」等詞。這些詞是同源的。

「受」和「授」，最初只用一個「受」概括它們，是指交接的整個行為說的。《說文》：「受，相付也。」段玉裁注：「受（授）者自此言，受者自彼言，其為相付一也。」最初並沒有分析為給予和接受的相對意義，後來在不斷的社會實踐中認識到雙方行為的不同，也認識到有將二者區別開的必要，便分析為

「受」和「授」兩個表示相對的單純概念的詞，並分別造出兩個相區別的字來表示它們。「授」和「受」是由一個詞裂變出的同源詞。

5. 語法變義

語法變義，是指由一個詞分化出的詞的詞彙意義仍相關聯，基本不變，而語法意義有了明顯變化。

(1)名詞→動詞

魚→漁　頸→剄

家→嫁　亦（腋）→掖

臭（氣味）→臭

朝（早上）→朝（朝見）

(2)動詞→名詞

坐→座　圍→幃

陳→陣　包→胞

奉→俸　引→靷

觀（觀看）→觀（寺觀）

(3)形容詞→動詞

義→議　非→誹

平→評　廣→擴

長（長短）→長（生長）

(4)形容詞→名詞

卑→婢　四→駟

甘→柑　疏→梳

(5)主動詞→使動詞

至→致　入→納

去（離開，讀去聲）→去（除去，讀上聲）

食→食（伺）

語法變義往往是同其它方式交叉進行的。如「奉」和「俸」成爲同源詞，既屬關聯方式又屬語法變義。

同源詞在形成過程中，各詞在語音形式上往往發生變異。語音形式的變異可以表現在聲母上，也可以表現在韻母上，也可以表現在聲調上，或兼而有之。語音形式的變異是爲了區別詞的，但分化了的詞必定是同源的，所以這種變異一般還是有軌可尋的。

A、聲母的變異

由朝夕的「朝」分化出朝廷的「朝」，二者語音形式的差別只在聲母的發音方法上，前者爲清音（端母），後者爲濁音（定母）。

「解」在分化爲「解」和「懈」之後，聲母的發音部位和發音方法都不一致了。「解」是見母（舌根音），淸音；「懈」是匣母（喉音），濁音。舌根音和喉音是可通的。

B、韻母的變異

「雁」和「鵝」是同源詞，語音形式的變異表現在韻母上。「雁」在元部，「鵝」在歌部。歌元兩部主要元音相同，只是韻尾不同，屬陰陽對轉。「匹」和「配」也是同源詞，「匹」在質部，「配」在物部，都是入聲，主要元音相同，屬旁轉。

C、聲調的變異

水中可居之地爲「州」，海中可居之地爲「島」，二詞同源。它們在上古是同音的，在中古聲調不同，「州」讀去聲，「島」讀上聲。「受」與「授」在中古的語音差異也是表現在聲調上，「受」讀上聲，「授」讀去聲。

同源詞的語音變異往往不是表現在一個方面。如「奉」、「捧」、「俸」這一組同源詞，它們韻母都在東部，聲母都是雙脣音，但聲母的發音方法及音節的聲調都發生了變異。「奉」聲母爲濁音（並母），讀上聲；「捧」聲母爲淸音（滂母），讀上聲；「俸」聲母爲濁音（並母），讀去聲。

「食」與「飼」同源。「食」是職部船母入聲字，「飼」是之部邪母去聲字。職部與之部主要元音相同，韻尾不同，屬於陰入對轉。船母與邪母發音部位相近。

有的同源詞分化後在讀音上沒有發生變化，如「坐」和「座」，「四」與「駟」，讀音至今還是相同的。

考察同源詞的讀音變化，一般是依據上古音，但同源詞的分化及在語音上的變異不限於上古，因而往往需要依時代的推移去追尋。

同源詞在書寫形式上的表現大致有以下幾種。

A、共用一個字形

如「朝（朝夕）——朝（朝見）」，「長（長短）——長（生長）」，「觀（觀看）——觀（寺觀）」，「去（離開）——去（除去）」等。

B、用區別字表示

有很多同源詞最初只用一個字表示，後來爲了求區別，在原字形基礎上添加符號造出一些區別字來分別表示它們。

多數的區別字是在原字形上添加形符，以原字形作聲符，造成形聲字，與原有的字形分別書寫同源的詞。前面提到的如「奉——捧、俸」，「解——懈」等。再如「卑——婢」，「取——娶」，「昏——婚」，「反——返」，等等。這些爲區別同源詞而產生的形聲字，它們的聲符是兼管意義的，在《說文》中多解作「从某从某，某亦聲」。如：「婢，女之卑者也。从女从卑，卑亦聲。」「娶，取婦也。从女从取，取亦聲。」「婚，婦家也。禮，取婦以昏時……故曰婚。从女从昏，昏亦聲。」

「返，還也。从辵从反，反亦聲。」

區別字還有一種，是在原字形上增添筆劃或改變部件而形成的。如「小——少」，「閒——間」，「陳——陣」，「柴——祡」等。這類區別字爲數很少。

C、聲符相同的形聲字

除了前面所說的區別字外，還有一些聲符相同的形聲字，往往意義上有些聯繫，考察起來，它們所表示的也是同源詞。像「濃」、「醲」、「膿」、「襛」、「穠」等，都從「農」得聲，都有濃厚、稠密之類的意思，它們表示的是同源詞。但作爲聲符的「農」字卻沒有這樣的意思，也不是它們的語源。

有時聲符形式上不同，但讀音相同的字，它們所表示的詞也可能是同源的。「戹」與「益」上古同音，以它們分別作聲符的「阨」、「扼」、「縊」是同源的。

D、表義符號相同的字

其中包括形聲字和會意字。形聲字如「跪——跽」，「鴈——鵝」。連同會意字來看，如「分」、「別」、「判」、「辨」這組同源詞，字形都從「刀」。

E、字形上沒有共通之處

如「匹——配」，「頂——戴」，「設——施」，「天——顛」，「零——落」。

㈢同源詞的判斷

同源詞之間是有淵源關係的，不僅意義上相近相關，而且讀音上也是相同或相通的。說「𠂢（派）」和「脈（脉）」同源，是因爲「𠂢」是水流的分叉，「脈」是血流的分叉。在語音上，「𠂢」是滂母錫部，「脈」是明母錫部，韻母相同，聲母都爲雙唇音，可通。說「零」和「落」同源，是因爲「零」是雨落，

「落」是葉落，都表示落。在讀音上，聲母是來母，韻母屬耕、鐸旁對轉。

詞與詞之間即使同義或有某種聯繫，如果不同源，也不是同源詞。「年」與「歲」在表示時間概念上是同義的，但從來源上看，「年」是由農作物收成一次而引申出時間意義的，「歲」是從歲星（木星）每年恰好運行一個星次而引申出時間意義的，二者不同源。

讀音相同或相近的某些詞，往往在意義上也有著某種聯繫。古人也意識到了這一點，所以常常以語音爲線索來探求詞源，解釋詞義，也就是所謂「聲訓」。因聲求義有它科學的一面，但如果忽視了分析詞間意義上的淵源關係，而且把這種方法擴大化，認爲凡是聲同聲近的詞便是同源詞，就混淆了同源詞和同音詞的界限，使詞義的解釋流於穿鑿附會。

從詞的書寫形式方面，可以利用形聲字的聲符探索詞源，古代叫作「右文說」（聲符一般在形聲字的右邊，故名）。右文說認爲聲符（右文）不僅標聲，也兼表意義。右文說是透過文字來因聲求義的，所以持右文說的人也容易忽視詞間意義上的內在聯繫而走向極端。

早期形聲字有兩個主要來源：同音分化字和同源分化字。同音分化字是由同音借用字加形符而形成的形聲字，如「辟」本義是法，卻借用寫「僻」、「避」、「闢」等詞，後來爲了求區別，在「辟」字上加了不同的形符，造出一些聲符相同的形聲字。它們所寫的意義沒有任何意義上的聯繫。同源分化字是爲區別同源詞而產生的形聲字，如從「解」的分解義中滋生出精神渙散義，滋生義獨立成詞，在書寫形式上便分化出一個「懈」字區別它。同源分化字所寫的詞才有意義上的聯繫，它的聲符是標音又表義的。右文說只適用於同源分化字，而不適用於同音分化字。

通假字寫的是同音詞，不是同源詞。有些字似乎是通假現象，如「懈」最初寫作「解」，後來也有時寫作「解」，實際上寫的是同源分化前的古字，不是通假。

異體字寫的也不是同源詞。如「隘」和「阨」，「雁」和「鴈」，它們寫的是一個詞，無所謂同源不同源。

㈣同源詞舉例

【叉　杈　釵　衩】

《說文》：「叉，手指相錯也。」段玉裁注：「謂手指與物相錯也。凡布指錯物間而取之曰叉，因之凡岐頭皆曰叉。是以首笄曰叉，今字作釵。」《釋名·釋兵》：「括旁曰叉，形似叉也。」

《說文》：「杈，枝也。」即丫杈。

《玉篇》：「釵，婦女歧笄也。」《釋名·釋首飾》：「釵，叉也，象叉之形，因名之也。」

《玉篇》：「衩，衣叉也。」

這組詞都是名詞，指物之歧出部分，聲韻皆相同，是同源詞。

【臼　齨】

《說文》：「臼，舂也。古者據地爲臼，其後穿木石，象形。」段玉裁注：「引申凡凹者曰臼。」《說文》：「齨，老人齒如臼也。」即今所謂臼齒。臼、齨音同。二詞同源。

【眉　楣　湄】

眉，即眼眉。

楣，是門上的橫樑。《釋名·釋宮室》：「楣，眉也，近前各兩，若面之有眉也。」

湄，是水草相交之處。《釋名・釋水》：「湄，眉也，臨水如眉也。」

眉、楣、湄三詞音同，同源。

【益 溢】

益，本指水漲。《呂氏春秋・察今》：「澭水暴益。」注：「長也。」由水漲義滋生出增加義和更加義，並且各自獨立成詞。為求區別，另造了「溢」字，表示水漲的意義。「益」，「溢」同音。增加義的「益」、更加義的「益」和漲溢義的「溢」是同源詞。

【并（併） 並 駢 姘】

《說文》：「并，相从也。」段玉裁注：「兼也，合也。」「并」又寫作「併」。

《說文》：「並，併也。」

《說文》：「駢，駕二馬也。」嵇康《琴賦》：「駢馳翼驅。」注：「駢，并也。」

《說文》：「姘，……漢律，齊人妻婢姦曰姘。」段玉裁注：「此姘取合并之義。」《廣韻》：「姘，男女會合。」

并（併）、並、駢、姘都有相連、相合之義，語音上都是雙唇音，都屬耕部，它們是同源詞。

【侖 倫 論 輪 淪】

《說文・亼部》：「侖，思也。」又《說文・龠部》：「侖，理也。」

《說文》：「倫……一曰道也。」《禮記・樂記》：「樂行而倫」，注：「倫，謂人道也。」《禮記・學記》：「教之大倫」，注：「倫，理也。」

《說文》：「論，議也，从言侖聲。」段玉裁注：「凡言語循其理，得其宜謂之論。……當云从言从侖，侖亦聲。」《釋名・釋典藝》：「論，倫也，有倫理也。」《呂氏春秋・應言》：「不可不熟論也」，注：「論，辯也。」辯，即分辯是否合乎道理。

《說文》：「輪，有輻曰輪。」段玉裁注：「云有輻者，對無輻而言也。輪之言侖也。从侖。侖，理也。三十輻，兩兩相當而不迤。」

《說文》：「淪，小波爲淪。」《釋名・釋水》：「水小波爲淪。淪，倫也，水文相次有倫理也。」

侖、倫、論、輪、淪，它們意義相通，又都以「侖」得聲，是同源詞。

【卑　婢　埤　陴　庳】

《說文》：「卑，賤也。」《玉篇》：「卑，下也。」

《說文》：「婢，女之卑者也。」《禮記・曲禮》：「自世婦以下自稱曰婢子。」注：「婢之言卑也。」

《荀子・宥坐》：「其流也埤下。」注：「埤，讀爲卑……其流必就卑下。」《國語・晋語八》：「松柏不生埤。」埤指低濕之地。

《說文》：「陴，城上女牆。」女牆即城上矮牆。《左傳・宣公十二年》：「守陴者皆哭。」注：「城上俾倪。」「俾倪」又寫作「埤垸」，「睥睨」，都指城上矮牆。

《說文》：「庳……一曰屋卑。」一般用來形容房屋低矮。《左傳・襄公三十一年》：「宮室卑庳。」

卑、婢、埤、陴、庳都有低下的意思，它們都是雙唇音（幫母並母），韻母同在支部，是由一個語源派生出來的，是同源詞。

【決　玦　缺　闕】

《說文》：「決，行流也。」即打開缺口，使水流暢通。《管子・君臣下》：「決之則行，塞之而止。」又指河堤潰決。《左傳・襄公三十一年》：「大決所犯，傷人必多。」

《說文》：「玦，玉佩也。」《廣韻》：「玦，佩如環而有缺。」《荀子・大略》：「絕人以玦，反絕以環。」

《說文》：「缺，器破也。」《莊子・秋水》：「入休乎缺甃之崖。」引申泛指虧損殘破。《漢書・藝文志》：「周室既微，載籍殘缺。」

《說文》：「闕，門觀也。」《釋名・釋宮室》：「闕，闕（缺）也，在門兩旁，中間闕然爲道也。」古代宮殿前面兩邊的建築，上有樓觀，中間有空缺，因名「闕」（缺）。古籍常以「闕」表示缺義。《水經注・江水》：「自三峽七百里中，兩岸連山，略無闕處。」今只用「缺」，不用「闕」。

這一組詞都圍繞一個「缺」義，聲母都是舌根音（見母溪母），韻母都在月部，音相近，它們是同源詞。

【冓（構）　遘　覯　溝　講　媾】

《說文》：「冓，交積木也。」這個意義後來寫作「構」。「構」又泛指連結之義。

《說文》：「遘，相遇也。」

《說文》：「覯，相見也。」

《說文》：「溝，水瀆也。」水瀆也即水溝，是匯通水流的。

《說文》：「講，和解也。」是雙方以言語溝通而和解。

《說文》：「媾，重婚也。」段玉裁注：「重婚者，重疊交互爲婚姻也。……按字从冓者，謂若交積材也。」

這組詞都有相交相通之義，讀音相同（見母侯部），是同源詞。

【子 字 牸 孳】

《廣韻》：「子，子息也。」

《說文》：「字，乳也。」段玉裁注：「人及鳥生子曰字。」《山海經・中山經》：「苦山有木，服之不字。」注：「字，生也。」

《廣雅・釋獸》：「牸，雌也。」《說苑・政理》：「臣故畜牸牛，生子而大，賣之而買駒。」

《說文》：「孳，汲汲生也。」《說文・序》：「字者，言孳乳而寖多也。」

這組詞的意義也是相通的，聲母發音部位相同（精母從母），韻母同在之部，音相近，它們是同源詞。

【扶 輔 賻 傅】

《說文》：「扶，左也。左，手相佐助也。」

《廣雅・釋詁二》：「輔，助也。」

《玉篇》：「賻，以財助喪也。」《禮記・曲禮上》：「弔喪弗能賻。」

《說文》：「傅，相也。」又「相，助也。」《漢書・賈誼傳》：「傅，傅之德義。」師古曰：「傅，輔也。」

這組詞的核心意義是「助」，聲母都爲雙唇音（幫母並母），韻母都在魚部，音相近，它們是同源詞。

【免　挽（娩）】

《廣雅・釋詁四》：「免，脫也。」《國語・周語中》：「左右免冑而下。」引申出生子義。《國語・越語上》：「將免者以告。」注：「免，乳也。」這一意義後寫作「挽」或「娩」。

《說文》：「挽，生子免身也。」

「免」與「挽（娩）」聲母都爲雙唇音（明母滂母），韻母都在元部，音近，它們是同源詞。

【旁（傍）　房】

《說文》：「旁，近也。」也寫作「傍」。《廣韻》：「傍，側也。」

《說文》：「房，室在旁也。」段玉裁注：「凡堂之內，中爲正室，左右爲房，所謂東房西房也。」

「旁」、「房」古音同，它們是同源詞。

【知　智】

《荀子・正名》：「知有所合謂之智。」「知」是動詞，「智」是形容詞（或作名詞）。「知」和「智」最初都寫作「知」。《論語・爲政》：「知之爲知之，不知爲不知，是知也。」前四個「知」是知道之義，後一個「知」是聰明智慧之義。後來產生區別字「智」表示智慧之義，兩詞獨立了。

「知」和「智」意義相通，音相同，是同源詞。

【朝　朝　潮】

《爾雅・釋詁》：「朝，早也。」在端母宵部，今讀ㄓㄠ。《白虎通・朝聘》：「朝，見也。……因用朝時見，故謂之朝。」在定母宵部，今讀ㄔㄠˊ。朝見的「朝」又引申指朝廷、朝代義。

《字彙》：「早曰潮，晚曰汐。」「潮」在定母宵部，今讀ㄔㄠˊ。

朝見的「朝」與潮汐的「潮」都與朝夕的「朝」意義相關，它們讀音相近，是同源詞。

【弟　悌】

弟，是與「兄」相對而言的。《詩・邶風・柏舟》：「亦有兄弟，不可以據。」

弟弟尊順兄長，行爲弟之道，也叫「弟」。《論語・學而》：「其爲人也孝弟。」這一意義後來寫作「悌」。《孟子・滕文公下》：「入則孝，出則悌。」

「弟」與「悌」古音同，是同源詞。

【見　現】

《說文》：「見，視也。」從人主觀感到物的存在是看見，而從客觀事物角度是出現，上古的「見」可在不同語言環境下分別表達這兩層意思。《荀子・勸學》：「吾嘗跂而望矣，不如登高之博見也。」這裡的「見」是看見。《戰國策・燕策三》：「圖窮匕首見。」這裡的「見」是顯露出來。後一意義在中古以後寫作「現」。

看見的「見」在見母元部，出現的「見」在匣母元部，見母與匣母是可以相通的。這兩個詞是同源詞。

【雨　雩】

《說文》：「雨，水從雲下也。」古漢語中「雨」常作動詞，指降雨，如《詩經・鄘風・蝃蝀》：「朝隮於西，崇朝其雨。」作名詞用指雨水，如《詩經・小雅・大田》：「以祈甘雨。」

《說文》：「雩，夏祭樂於赤帝，以祈甘雨也。」「雩」是求雨的祭祀活動。《荀子・天論》：「雩而雨，何也？曰：無何也，猶不雩而雨也。」

「雨」、「雩」聲韻皆同，是同出於一個語源的，是同源詞。

【道　導】

《說文》：「道，所行道也。」

《說文》：「導，導引也。」《史記・晉世家》：「故亦令人如之以導客。」導就是引路，最初只寫作「道」。《論語・爲政》：「道之以政。」「道」應讀爲「導」。

二詞意義相關聯，同在定母幽部，是同源詞。

【非　誹】

《說文》：「非，違也。」與「是」反義，作否定副詞或形容詞。《荀子・王制》：「是非不亂，則國家治。」作爲動詞，則是認爲不對，指責。《荀子・解蔽》：「百姓怨非而不用。」動詞義後來寫作「誹」。《荀子・非十二子》：「不誘於譽，不恐於誹。」

「非」與「誹」聲母都是雙唇音（幫母滂母），韻母都在微部，音相近。二詞是同源詞。

六、成語與典故

成語和典故，是語言的重要材料。差不多每一種語言都有它的成語和典故。漢語的歷史非常悠久，所以它的成語和典故也比較多。

成語和典故不是一開始就有的，而是在長期頻繁的語言交際過程中逐漸形成，逐漸固定下來的。「一鼓作氣」在《左傳・莊公十年》剛出現時，只是文中的一句話，還不能說就是當時的成語；「守株待兔」的故事始見於《韓非子・五蠹》，對於韓非子來說，也不能說他是用典。運用成語和典故是到後來才逐漸多起來的，這一方面是前人爲後代積累了語言材料，另一方面是恰當地運用人們所熟知的成語和典故（生僻的除外），可以使語言更精煉，更形象化，更富於表現力。

我們現代人閱讀古書，會遇到許多成語和典故，例如明代人馬中錫的《中山狼傳》一文，就用了「不可勝數」、「毛寶放龜」、「隋侯救蛇」、「苟延殘喘」、「脫穎而出」、「生死骨肉」、「歧路亡羊」、「守株（待兔）」、「緣木（求魚）」、「摩頂放踵」、「天喪斯文」、「羿亦有罪」等十多個成語和典故，其中有些是現代一般人所熟悉的，有些對一般人來說就比較陌生。即使較熟悉的，也感到在形式上有變化（如「守株」、「緣木」），或是在內容上表達的意思有改變。因此，學習和掌握成語和典故，對閱讀古書來說是十分必要的。

㈠成語與典故的區別及其聯繫

成語是人們多少年來習用的定型化了的詞組或短句，也就是現成話的意思，在結構上一般是固定不變的，通常是四字格（但也不是絕對的）。它的來源主要有兩個：

一是從前代作家或當代作家作品中來的，即從書本上摘取來的。有的是摘取古書中的原句，如「好爲人師」摘自《孟子・離婁上》：「人之患在好爲人師」；「功虧一簣」摘自《尚書・旅獒》：「爲山九仞，功虧一簣」。有的是對原來的詞句，經過部分改變，加工而成的。如「車水馬龍」語出《後漢書・馬后紀》：

「車如流水，馬如游龍」；「駕輕就熟」語出《韓愈・送石處士序》：「若驅馬駕輕車，就熟路」。

成語的另一來源是從人民的口裡傳下來的，這是人民大衆創造的。其中有的來源很早，從古一直流傳到今。如《左傳・僖公五年》：「虢，虞之表也；虢亡，虞必從之。諺所謂輔車相依，唇亡齒寒者，其虞、虢之謂也。」其中的「輔車相依」、「脣亡齒寒」就是當時人民口語中的成語，現在還依然沿用。又如北齊顏之推的《顏氏家訓・勉學篇》說：「江南閭里間士大夫或不學問，羞爲鄙樸，道聽塗說，强事飾辭。」其中的「道聽塗說」也是當時口語裡的成語，現在還活在人民的口語裡。再如《元曲選》裡的《無名氏・氣英布四》：「逐著那狐羣狗黨」，「狐羣狗黨」也是口語中的成語，現在仍然使用。

典故是把古代傳說或歷史故事壓縮成一個句子或詞組，甚至是一個詞。例如「南轅北轍」出於《戰國策・魏策》，記載了一段本來要往南而車子卻往北開的故事；「狐假虎威」出於《戰國策・楚策》，記載了一段狐狸借著老虎的威風而嚇走山中百獸的故事；「負荊請罪」是戰國時趙國廉頗的故事，見於《史記・廉頗藺相如列傳》；「草木皆兵」是晉朝人苻堅的故事，見於《晋書・苻堅載記》；「南柯一夢」見於唐代李公佐的《南柯記》，是說有個叫淳于棼的，夢中到了大槐安國，娶了公主，做了南柯太守。醒來發現大槐安國就是他家大槐樹下的一個螞蟻洞，槐樹的最南一枝就是南柯郡。後人就把這個故事壓縮成「南柯一夢」，用來比喻幻想。上面所舉的典故都是一個完整的短句，這還不是我們常見的典故。更常見的典故是沒頭沒腦的一個詞組甚至只是一個詞。例如「愚公移山」可以只說「移山」，「夸父追日」只說「追日」，「嫦娥奔月」只說「奔月」，「女媧補天」只說「補天」，這已經可以足夠顯示整個典故了。甚至只說「愚公」、「夸父」、「嫦娥」、「女媧」，簡單地提一個人名也說明了問題，因爲它們在神話裡也各只有那麼一個故事。

有的典故也不一定是古代傳說或歷史故事的壓縮，而可能只是一個詞；但是這個詞也是有出處的，它可以讓人聯想到古書當中的某句話，並借此了解這個詞所代表的意思是什麼。例如杜牧詩：「文園終病渴，休詠白頭吟」，這句中「文園」的典故出自《史記・司馬相如傳》：「相如拜爲孝文園令」，後人就用「文園」來暗指司馬相如。

成語和典故既有區別，也有聯繫，有時二者的界限也不是很清楚的。例如有些固定詞組既可使人聯想起某一故事，又是這個故事中的現成話，譬如「陽春白雪」、「下里巴人」都出自《文選・宋玉對楚王問》：「客有歌於郢中者，其始曰『下里巴人』，國中屬而和者數千人；其爲『陽阿薤露』，國中屬而和者數百人；其爲『陽春白雪』，國中屬而和者不過數十人；引商刻羽，雜以流徵，國中屬而和者不過數人而已。是其曲彌高，其和彌寡。」這裡的「下里巴人」和「陽春白雪」，既可以說是典故性的成語，也可以說是成語性的典故，它們後來分別指多數人懂得的東西和少數人懂得的東西。另外，有些典故雖然從古代傳說或故事來的，由於已經把它們概括成現成話，後來經常使用，也變爲成語了。如前文談的「草木皆兵」、「愚公移山」等就是這樣。

㈡成語與典故的選材及提煉

從出處來看，成語和典故的選材和提煉，大體有兩種情況：一是截取下來直接使用的；二是截取後予以加工的。

下面分別加以說明：

1. 截取後直接使用的

例如：

- 不齒

《書．蔡仲之命》：「降霍叔於庶人，三年不齒。」

- 莫逆

《莊子》：「相視而笑，莫逆於心。」

- 惡作劇

《劍俠傳》：「唐建中初，士人韋生移家汝州。路逢一僧，謂曰：『此數里是貧道蘭若。郎君能顧乎？』士人許之。行十餘里不至。疑之。乃密於靴中取弓彈之，正中其腦。僧若不覺。凡五發。僧始捫中處，除曰：『郎君莫惡作劇』。」

- 東道主

《左傳．僖公三十年》：「若舍鄭以爲東道主，行李之往來，供其乏困，君亦無所害。」

- 刎頸之交

《史記．廉頗藺相如列傳》：「卒相與歡，爲刎頸之交。」

- 窮兵黷武

《三國志．吳志．陸抗傳》：「窮兵黷武，流毒諸夏。」

- 一衣帶水

《南史．陳後主紀》：「豈不限一衣帶水不拯之乎？」

- 迎双而解

《晉書．杜預傳》：「今兵威已振，譬如破竹，數節之後，皆迎双而解，無復著手處也。」

- 賠了夫人又折兵

《三國演義》裡說，周瑜把孫權的妹妹許給劉備，讓劉備到東吳來招親，打算乘機扣留，奪還荊州。結果劉備到東吳成親後，設計帶著夫人逃出吳國。所以蜀國士兵譏笑說：「周郎妙計安天下，賠了夫人又折兵。」後即用此比喻想占便宜，反而遭到雙重損失。

- 英雄無用武之地

《資治通鑑・漢紀》:「今操芟夷大難，略已平矣，遂破荊州，威震四海。英雄無用武之地，故豫州遁逃至此。」

2. 截取後加工的

有減、增、改三種:

(1)減

略去一個詞的

- 狡兔三窟

《戰國策・齊策》:「馮諼謂孟嘗君曰:『狡兔有三窟，僅得免於死耳。』」

- 投鼠忌器

《漢書・賈誼傳》:「里諺曰:『欲投鼠而忌器。』此善喻也。鼠近於器尚憚不投，況於貴臣之近主乎?」

- 輕諾寡信

《老子》:「輕諾必寡信，多易必多難。」

- 兩小無猜

《李白・長干行》:「同居長干里，兩小無嫌猜。」

略去兩個或幾個詞的

- 汗牛充棟

《柳宗元・陸文通墓表》:「其爲書，出則汗馬牛，處則充棟宇。」

- 雙管齊下

郭若虛《圖畫見聞志》卷五記載，唐代的張璪善於畫松，「能手握雙管，一時齊下，一爲生枝，一爲枯幹」。

- 水深火熱

《孟子・梁惠王下》：「如水益深，如火益熱。」

• 葉公好龍

《申子》：「葉公子高之好龍也，雕文畫之。天龍聞而示之，窺頭於牖，施尾於堂。葉公見之，失其魂魄。是葉公非好龍也，好夫似龍而非龍者也。」

(2)**增**

增詞而成的成語和典故，往往是在減字的基礎上進行的。增詞一般是語法上的要求。若不增詞，則失掉所要的意義。如：

• 望洋興嘆

《莊子・秋水》：「於是焉河伯欣然自喜，以天下之美爲盡在已。順流而東行，至於北海；東面而視，不見水端。於是焉河伯始旋其面目，望洋向若而嘆曰：野語有之曰：『聞道百，以爲莫已若』者，我之謂也……。」

• 以屈求伸

《周易・繫辭下》：「尺蠖之屈，以求伸也。」

(3)**改**

A、換詞

• 仰人鼻息

《後漢書・袁紹傳》：「袁紹孤客窮軍，仰我鼻息，譬如嬰兒在股掌之上，絕其哺乳，立可餓殺。」

• 言者諄諄，聽者藐藐

《詩經・大雅・抑》：「誨爾諄諄；聽我藐藐。」

B、倒用

• 天衣無縫

《靈怪錄》：「郭翰暑月臥庭中，仰視空中，有人冉冉而下，曰：『吾織女也。』徐視其衣，並無縫。翰問之，謂曰：『天衣本非針線爲也。』」

• 羊狠狼貪

《史記・項羽本紀》：「宋義下令軍中曰：『猛如虎，狠如羊，貪如狼，強不可使者皆斬之。』」

C、歇後式

有些成語或典故，在提取時，省略了一個必要的成份，往往以條件代替了它所說明的主要部分。這種形式有歇後語的性質。如：

• 不毛

諸葛亮《出師表》：「故五月渡瀘，深入不毛。」

「不毛」是「不毛之地」的簡縮。《公羊傳・宣公十二年》：「錫之不毛之地」，當是最早的出處。

• 向隅

《聊齋誌異・促織》：「夫妻向隅，茅舍無煙，相對默然，不復聊賴。」「向隅」是「向隅而泣」的簡縮。《說苑・貴德》：「今有滿堂飲酒者，有一人獨索然向隅而泣，則一堂之人皆不樂矣。」當是最早的出處。上面《促織》中那句話只用「向隅」，但可收到帶有歇後語性質的「而泣」的效果。像「守株（待兔）」、「緣木（求魚）」都屬於這種情況。

㈢成語與典故在意義上的活用

1. 直接使用原義的

有些成語和典故，從古書上截取或節縮下來以後，意思跟原來的相同，沒有什麼改變。例如：

• 大巧若拙

《老子》：「大直若屈，大巧若拙，大辯若訥。」

• 扶老攜幼

《戰國策・齊策》：「未至百里，民扶老攜幼，迎君道中。」

• 誨人不倦

《論語・述而》：「子曰：『默而識之，學而不厭，誨人不倦，何有於我哉？』」

• 今是昨非

《陶淵明集・歸去來辭》：「實迷途其未遠，覺今是而昨非。」

• 借花獻佛

《元曲選・無名氏〈殺狗勸夫・楔子〉》：「既然哥哥有酒，我們借花獻佛，與哥哥上壽咱。」

• 膠柱鼓瑟

瑟，一種古樂器；柱，瑟上調節聲音的短木。用膠把柱粘住，柱不能動，瑟的音調就無法調整。比喻拘泥固執，不知變通。《史記・廉頗藺相如列傳》裡說，趙國與秦國作戰時，趙孝王聽了秦國奸細的話任命趙奢的兒子趙括為將軍，代替廉頗。藺相如不同意，對趙王說：「王以名使括，若膠柱而鼓瑟耳。括徒能讀其文書傳，不知合變也。」

以上都是直接使用原意義，其中前四例不僅直接使用原義，而且從字面上就可直接了解它們的原義；後二例古書一開始用它們時，就使用它的比喻義，後人也都是使用它們的比喻義。

2. 意義有變化的

有些成語和典故，從古書上截取或節縮下來以後，所表達的意義往往同原義相比有改變，而成為與之相關的事物、現象或事件典型材料的概括。例如：

• 水落石出

蘇軾《赤壁賦》:「山高月小,水落石出。」原文只是寫景,後來用以比喻事情的眞相終究會暴露。

• 五體投地

《楞嚴經》:「阿難聞已,重複悲淚,五體投地。長跪合掌而向佛言。」原義只是佛教徒禮拜的一種形式:用兩手、兩膝和頭投地作禮,是最上的敬禮,後來用此表示心服口服、完全拜服的崇敬之意。

• 望梅止渴

《世說新語》:「魏武行役,失汲道。軍皆渴。乃令曰:『前有大梅林,饒子甘酸,可以解渴。』士卒聞之,口皆出水。乘此得及前源。」從這段記載節縮爲「望梅止渴」,原義只是想望梅林,引出口水,借以止渴。後來成爲某種願望不能得以實現的比喻。

• 守株待兔

《韓非子・五蠹》:「宋人有耕者,田中有株,兔走觸株,折頸而死,因釋其來而守株,冀復得兔。兔不可得,而身爲宋國笑。」韓非子的寓言,原是從態度上諷刺「守株」的拘泥不變的,後人則有從態度上用此諷刺意外有獲的,也有從結果上著眼諷刺事情不可實現的。馬中錫《中山狼傳》:「乃區區循大道以求之,不幾於守株緣木乎」,即屬後一種用法。

• 瓜田李下,瓜李之嫌

《樂府・君子行》:「君子防未然,不處嫌疑間。瓜田不納履,李下不整冠。」「瓜田李下」和「瓜李之嫌」都是從這首樂府詩中選材提煉出來的。原是用具體的事例,說明誤會嫌疑之事。後來泛指一般可能引起嫌疑的地位說的,如《唐書・柳公權傳》:「瓜李之嫌,何以戶曉」等。

㈣成語與典故的結構特點

成語和典故的結構一般是固定的，一般以不變更一字為常例，這是由成語和典故在長期的運用過程中逐漸形成固定的，以典型材料為基礎而表示的概括意義所決定的。現代漢語和古代漢語都是如此。但是在古代漢語中，有些成語和典故並不完全是固定的，有時是可以改變的。例如：

1. 由於語言的影響而改變的

信口開合　信口開河

《元曲・爭報恩》：「那妮子一尺水翻騰做一丈波，怎當他只留支刺，信口開合。」由於受到另一成語「口若懸河」的影響，「合」「河」同音，遂把「開合」變成了「開河」。

這種改變，不僅是字誤，意義也有改變。這種情況現在也還是不斷增長著。例如：

莫名其妙　莫明其妙

既往不咎　既往不究

根深柢固　根深蒂固

走投無路　走頭無路

按部就班　按步就班

邪魔外道　邪門外道

元元本本　原原本本

每下愈況　每況愈下

在堅持出處，固定不變的「正字法」的觀點下，這些改變的成語是有錯誤的。但是，從語言的發展觀點看，這些羣眾性的約定俗成的改變，就一定的條件和程度來說，有些是可以承認並肯定下來的。

2. 由於修辭上的需要而改變的

(1)**同義詞和近義詞的換用。**

例如：

義憤填膺	義憤填胸
唯命是聽	唯命是從
朝令暮改	朝令夕改
博聞强志	博聞强記
絕長補短	截長補短
靈丹聖藥	靈丹妙藥
寸步難行	寸步難移
虛席以待	虛位以待
攻其不備	攻其無備
刮目相待	刮目相看

(2)**非同義詞的換用。**

例如：

無的放矢	有的放矢
百廢待舉	百端待舉
言傳身教	言傳身帶
捷足先登	捷足先得
鬼哭神嚎	鬼哭狼嚎
除舊布新	除舊更新

(3)**結構上顛倒的。**

例如：

千鈞一髮	一髮千鈞
匹馬單槍	單槍匹馬
鼎鼎大名	大名鼎鼎
金迷紙醉	紙醉金迷

龍盤虎踞　虎踞龍盤

老馬識途　識途老馬

貌合神離　貌離神合

脫穎而出　穎脫而出

(4)**可以伸縮分合的。**

例如：

見笑於大方之家　見笑大方

畫蛇添足　蛇足

完璧歸趙　完璧　璧還

鶉衣百結　鶉衣　百結

洞房花燭　洞房　花燭

成語一般是四個字居多，典故則不一定限於四個字。就成語來說，四字格的語法結構形式有種種不同。例如：門庭若市、名副其實、所向無敵、胸有成竹、夜郎自大、一刻千金，都是主謂結構，具備主語和謂語；錦上添花、為民請命、臨渴掘井、適得其反、肅然起敬，都是動賓結構，本身沒有主語。有些是兩個主謂結構聯合在一起的，如山窮水盡、天翻地覆、民富國強、心領神會、心猿意馬。有些是兩個動賓結構聯合在一起的，如提綱挈領、推本溯源、齊心協力、添枝加葉、頌古非今、循規蹈矩。另外還有其它樣式的聯合結構，如苦口婆心、粗心大意、水深火熱、土崩瓦解、管窺蠡測……諸如此類，形式多種多樣。有些則是節縮而成的，如「一葉知秋」是由《淮南子・說山》：「以小明大，見一葉落而知歲之將暮」和《宋・唐庚・文錄》：「唐人有詩云：山僧不解數甲子，一葉落知天下秋」來的。像這種情況，就不能用「一葉知秋」這四字格來分析，而應該參照「一葉落知天下秋」這句話來分析其結構。

（劉乾先　侯占虎）

3 音韻

一、古聲韻研究簡史

中華民族對漢語音節結構進行分析研究的工作開展得比較早。從已經知道的材料看，我們的祖先最晚在漢代末年就已經創造了「反切」注音的方法。「反切」注音的基本原則是採用反切上字與被切字雙聲，反切下字與被切字疊韻的道理。「反切」的出現，標誌著人們對漢語音節結構的認識，已經達到了相當精密的程度，而對漢語音節結構的分析，恰是漢語音韻研究的開始。

隨著人們對漢語音節結構的認識不斷精密，六朝文人學士開始有意識地運用漢語音節中聲調的不同，構成詩文的音律美。爲了適應文人寫詩作文的需要，沈約（450～510）寫了《四聲譜》，這是我國第一部研究漢語聲調的著作，也是研究漢語音韻的第一部著作。

對漢語音節結構的分析和文學創作的需要，爲韻書的出現奠定了基礎。魏晋以後，韻書大量出現，對後代影響較大的有魏李登的《聲類》、晋呂靜的《韻集》、六朝李概的《音譜》、陽休之的《韻略》、夏侯詠的《四聲韻略》、杜臺卿的《韻略》等。到了隋代，陸法言在總結各家韻書短長的基礎上，從審音的目的出發，編成《切韻》。

《切韻》是一部編製嚴密、記音準確、卓有成就的韻書。它的出現，標誌著漢語語音研究已經達到了新的高度。正是由於《切韻》編製的科學，語音體系嚴密，使它在歷史上一個相當長的時期內，在與其他同一系統的韻書中，取得獨尊的地位。《切韻》之後，以它所代表的音系爲對象的語音研究，蓬勃地發展起來，出現了數量可觀的韻書和韻圖。這一方面反映了漢語音韻研究的成果，另一方面，對漢語語音研究也是個推動。

語音是隨著歷史的發展不斷變化的。但是人們認識到語音在隨著時代的發展而變化，是經歷了漫長、曲折的過程。漢代以後，人們在讀先秦時期的韻文時，常常感到不和諧，不押韻，對這種現象，人們常常不認爲是語音變化造成的，從魏晉時的沈重到宋代的朱熹，都是用臨時改讀的方法，去調和時代口語語音與《詩經》等先秦韻文用韻的矛盾。他們錯誤地認爲《詩經》時代的語音和當時口語並無多大差別；《詩經》用韻和諧，是作者在寫詩時臨時改讀的結果。後人只要在讀詩時也按照和諧的聲音來讀，就和作者當時的讀法一致，詩也就和諧押韻了。這就是對後世有重大影響的「叶音」說。「叶音」說的錯誤在於它抹殺了語音發展變化的事實，用人爲的主觀附會去代替生活中的語言現實。用這種觀點去研究古音，當然不會取得科學的結論。直到明代的陳第（1541～1617）才明確認識到「時有古今，地有南北，字有更革，音有轉移」（《毛詩古音考序》），有了這種認識，才可能科學地進行古音探索工作，從而理出古音變化的規律。陳第批評風靡一時的「叶音」說是「以今之音讀古之作，不免乖剌不入」，同時還認爲「叶音」說是爲了抹殺古今語音差別而設的。陳第對「叶音」的批評是中肯的。

清代是漢語語音研究取得成果衆多、成績卓著的時期。其中，**顧炎武**（1613～1682）的研究工作爲周秦古音的研究奠定了基礎，提供了可資借鑒的方法。他在對此研究中古音系和《詩經》

用韻時，認眞審查每一個字的具體讀音，爲後代的研究工作開闢了門徑。顧氏考定古韻爲十部，並認爲古入聲一般應與陰聲韻部相配。這些觀點對後代的古音研究影響很大。後來的研究證明，顧氏的結論有相當部分是可信的。

顧氏的弟子**江永**（1681～1762）參考等韻學的成果，分析古韻及顧炎武的研究成果，認爲顧氏的研究工作「考古之功多，審音之功淺」，他分古韻十三部，並提出數韻共入的配合關係，以說明上古韻部的系統性。

段玉裁（1735～1785）則將古韻中的支、脂、之三部和眞、文二部分立，計分古韻爲十七部。段氏的研究，爲古韻分部奠定了規模。而且他還提出了古無去聲的看法，對後代也頗有影響。

孔廣森（1752～1786）發展了段玉裁的老師戴震的成績，主張冬部獨立，共分古韻爲十八部，建立了陰陽對轉的理論。他還提出了古無入聲的主張。

在顧炎武之後，古音學經過江永、戴震、段玉裁、孔廣森、王念孫、江有誥、章太炎、黃侃等學者的研究，從分部方面看，趨勢是越來越細密。分部細密，反映了研究工作的不斷深入、不斷接近客觀實際。古音學在淸代學者的辛勤工作之下，已經初具規模，並達到了實用的地步。淸代學者在經學研究中有許多可贊許的發明，大多受益於古音學的研究成果。

關於淸代，乃至淸代以後古音學家的研究，如果從方法上考查，可以分爲兩派：考古派和審音派。顧炎武、段玉裁、孔廣森、王念孫、江有誥、章炳麟等屬考古派；江永、戴震、黃侃等屬審音派。考古派注重對上古史料的歸納、分析，從中引出結論；審音派則注重運用等韻學和中古韻書的音類證明古音。二者是各有所長的。

這一時期對古聲母和古聲調的研究工作，也都有一定的成果。清人**錢大昕**（1728～1804）首先提出「古無輕唇者」、「舌音類隔不可信」的意見。章炳麟提出「舌音娘日二紐歸泥說」，這些意見指出了上古聲母的分合趨勢，對了解上古的雙聲區域大有補益。

自英人伊特金斯提出古有複輔音說後，近人林語堂寫了《古有複輔音說》一文，以後又有一些學者論證了上古有複輔音的存在。這一問題的提出，雖然對解釋語言中的某些現象有利，但目前還缺乏直接有力的證據。

古聲母的研究工作，由於資料的缺乏，和古韻部的研究相比，顯得比較薄弱。

清代的古音學研究，重點是在上古語音的探求上。從研究上古語音的需要出發，淸代學者對中古語音的研究也作了一些工作。

唐宋以後興起了一門用圖表的形式表現韻書語音系統的專門學問——等韻學。等韻學從聲、韻、調三者的配合關係方面，詳細地分析了各類韻書所反映的語音系統，這對後人認識隋唐以後的語音系統，以及時代語音中聲、韻、調的配合關係有積極意義。清代的**陳澧**（1810～1882）系統地分析、研究了中古韻書的代表——《廣韻》，他用「系聯法」考求《廣韻》的聲母系統和韻母系統。他的研究，特別是反切系聯法對後代的研究影響很大。

「五四」新文化運動爲漢語音韻學的發展掃淸了道路。這個新發展是以科學語言理論和歷史比較方法的引進並應用於漢語語音研究爲發端的。瑞典的語言學家**高本漢**（1889～1978）運用比較語言學理論研究漢語音韻學，首先作出了成績。他依據漢語方言、外語借音、等韻圖、韻書等多方面資料，對《切韻》音系進行構擬，根據中古音和《詩經》用韻、諧聲字等資料，擬測了上古音，寫成《中國音韻學研究》、《漢語中古音與上古音概要》等著作。1931 年起，趙元任、羅常培、李方桂等中國語言學家合譯、校訂了《中國音韻學研究》一書。這期間國內學者也對《切韻》音系開展研究，白滌洲、曾運乾、羅常培、陸志韋、周祖謨等都發表了很有影響的論文。

隨著語言研究和國語運動的開展，趙元任等組織了漢語方言的調查工作。這項工作，積極推動了漢語音韻學的研究。

隨著漢語音韻學研究的深入和音韻學教學、普及工作的開展，出現了一批音韻學概論性著作。馬宗霍的《音韻學通論》、姜亮夫的《中國聲韻學》是比較早的著作。王力的《漢語音韻學》運用科學語言理論，分析、認識漢語語音現象，使音韻學著作出現了全新的面貌。張世祿的《中國音韻學史》對音韻學的沿革作了全面的敍述，羅常培的《漢語音韻學導論》、趙蔭棠的《等韻源流》、魏建功的《古音系研究》都是影響較大的音韻學著作。

解放以後，音韻學研究工作正以從未有過的形勢蓬勃地展開，出版了許多有質量的專著和論文。音韻學研究的現代化問題也提到日程上。音韻學的普及工作也逐步開展起來。

二、著名聲韻學者及其著作

陸法言

生卒年不詳，隋代音韻學家，名詞（或慈），臨漳人，官承奉郎。早年曾與顏之推等討論古今音韻及所見韻書的優劣，後由法言撰成《切韻》。這是我國語言史上第一部完整的有嚴密語音系統的韻書，也是一部漢語語音史上承上啓下的重要音韻學著作。此書一出，在當時便取得獨尊的地位。一直到宋大中祥符元年（1008）陳彭年等奉敕對《切韻》進行增訂，才寫成《廣韻》。《廣韻》是在《切韻》的基礎上增訂的，所以它們基本上是同一個語音系統。《切韻》一書今只存殘卷，唐人增訂本只存王仁煦《刊謬補缺切韻》，《廣韻》則有較多版本。

陳第（1541～1617）

福建連江人，明代萬曆秀才，字季立，號一齋，著名音韻學家。著有《毛詩古音考》、《讀詩拙言》、《屈宋古音義》等。他的《毛詩古音考》4 卷，列《詩經》入韻字四百餘個，以《詩經》為本證，其他古韻語為旁證，對上古音進行研究。他首先提出「時有古今，地有南北，字有更革，音有轉移」的科學語言觀。

顧炎武（1613～1617）

明清之交的思想家和歷史上有影響的學者，名絳，字寧人，江蘇崑山人。他的音韻學著作有《音學五書》，包括《音論》（討論古音及古音學中的問題）、《詩本音》（以《詩經》為依據，研究其古韻）、《易音》（討論《易經》的用韻）、《唐韻正》（解釋《詩本音》）、《古音表》（據《詩經》等韻文考定的古韻部表）。他能離析《廣韻》而分別歸入上古不同的韻部，並把入聲字分別歸在陰聲字當中。使用中古材料，又不為中古材料束縛，在這一點上，顧炎武算是個開拓者。顧氏定古韻為十部，現在看來雖有失精當，但始創之功是不該磨滅的。他希圖「舉今日之音而還之淳古者」，則是與歷史發展相背的觀點。顧炎武的古音學為漢語古音學的發展奠定了基礎。

江水（1681～1762）

清代學者，字慎修，安徽婺源人。他的音韻學著作有《音學辨微》、《四聲切韻表》、《古韻標準》。前兩書分析了《廣韻》的聲韻系統，後一書考證了古韻分部。《古韻標準》以《詩經》爲主要依據，參考其他先秦韻文，研究古韻分部。他認爲，只有這樣才能研究古韻，所以稱其爲《古韻標準》。江永研究古音，是以「立標」的態度進行的，既有前人的成果，又有自己的成績，所以《古韻標準》是一部有影響的著作。

戴震（1723～1777）

清代的思想家和學者，字東原，安徽休寧人。戴震從分析《廣韻》音系入手研究上古韻部。他首創的陰、陽、入對轉的理論，對後代古音研究影響較大。他著有《聲韻考》、《聲類表》等。

段玉裁（1735～1785）

清代經學家，文字訓詁學家，字若膺，號茂堂，江蘇金壇人。著有《說文解字注》、《六書音韻表》等三十餘種。《說文解字注》是研究《說文》學的權威性著作，《六書音韻表》則是古音學的重要著作。段氏在《六書音韻表》中分古韻爲十七部，明確古韻支、之、脂三分，被他的老師戴震譽爲「發自唐以來講韻者所未發」。段氏的古音研究爲上古韻分部奠定了規模。他還依據《詩經》的押韻和漢字的諧聲關係提出古無去聲的主張，對後代的影響較大。段玉裁對古音學的貢獻還表現在古音研究的方法論上。他以前的學者總是依據《詩經》等韻文的用韻歸納來研究古韻，段玉裁則同時採用漢字諧聲系統去研究古韻，這就把古音研究推到一個新的階段。

孔廣森（1752～1786）

字撝約，號顨軒，山東曲阜人。孔氏長於《春秋》公羊學、禮學，有《顨軒孔氏所著書》傳世，其中的《詩聲類》是較有影響的音韻學著作。此書就《詩經》入韻之字按部類聚，分古韻爲十八部。陰聲韻部和陽聲韻部兩兩相配，而陰陽可以對轉。他分東、冬爲兩部，深得當時和後來學者的贊許。孔廣森根據戴震、段玉裁的發現，精心研究，創陰陽各類互轉的規律，這對研究古韻的讀音、古書通假和訓釋都十分重要。

錢大昕（1728～1804）

字曉徵，號竹汀，江蘇嘉定人。錢氏對古音學的貢獻主要表現在對古聲紐的研究，寫了《古無輕唇音》、《舌音類隔之說不可信》等文章，對後代的古聲母研究影響極大。它的科學價值不僅體現在對古聲紐分合的結論上，也爲後人從事古聲紐研究，提供了一條可行的途徑。錢氏的這些文章都收在他的《潛研堂文集》和《十駕齋養新錄》中。

江有誥（？～1851）

字晉三，安徽歙縣人，淸代音韻學家，著有《音學十書》，其中包括《詩經韻讀》（研究《詩經》的用韻）、《羣經韻讀》（研究除《詩經》以外的先秦經典中韻語的用韻）、《楚辭韻讀》（研究《楚辭》的用韻）、《先秦韻讀》（研究先秦文獻中的韻語）、《漢魏韻讀》（未刊）、《二十一部韻語》（未刊）、《諧聲表》、《入聲表》、《唐韻四聲正》等。江有誥分古韻爲21部，使古韻分部大體定型。江氏斷定「古實有四聲，特古人所讀之聲與後人不同」，這種看法是很有見地的。

陳澧（1810～1882）

號東塾，廣東番禺人，淸代音韻學家。他的著作有《切韻考》、《聲律通考》等。他以《廣韻》的切語爲對象，對《廣韻》音系進行研究，達到了前人所未達到的高度，直到現在，《切韻考》仍是《廣韻》研究工作中的不可缺少的資料。陳澧的貢獻還表現在分析韻書切語的方法上。他根據反切上字與被切字雙聲，反切下字與被切字疊韻的原則，提出了通過反切上、下字的系聯，研究韻書語音系統的可行辦法，這種研究方法是科學、可靠的。

章炳麟（1869～1936）

名絳，號太炎；浙江餘杭人。他的音韻學理論多見於《國故論衡》、《文始》等論著中。他提出古韻二十三部、古娘日二紐歸入泥紐說，而且多從語音轉變的角度推論語源，《文始》可稱是漢語語源學的開創性著作。章炳麟除考定古韻分部以外，還為所分古韻部擬定了音值，這又是一開創性工作，其具體擬定的結果，載所著《國故論衡》上卷。

「五四」運動以後，音韻學研究卓有成就，優異者不乏其人，主要者已在前面論及。因其著述比較易見，故不再一一介紹。

三、古聲韻名詞

(一)聲母

聲母是分析漢語音節結構的特有術語，它是指一個音節的開頭部分。古代漢語是以單音詞為主體的語言，一個音節在多數情況下表示一個詞。書面語言中，一個音節多數是由一個字來寫的。音韻學者分析漢語音節（字音）的結論是：每一個音節都可以分析為兩部分，人們把音節的前一部分叫做「聲」。如「時」所代表的音節是 shí〔sl²〕，「間」所代表的音節是 jiān〔tɕian¹〕，其中的 sh〔ʂ〕、j〔tɕ〕就是「聲」。一般地說，「聲」就是「聲母」。

漢語的聲母一般是由輔音充當的，上面我們所學的 sh〔ʂ〕、j〔tɕ〕等聲母都是輔音，因爲發這些聲音的時候，氣流由肺發出經由聲門、口腔（或鼻腔）時，都要受到某個部位的阻礙，構成一種噪音，所以這些音節的聲母實際上就是輔音。但是在漢語音節中，有一些音節的開頭部分並不是輔音，如「延」ián〔ian^2〕、「安」ān〔an^1〕、「魚」ǘ〔y^2〕等的音節開頭部分並沒有輔音出現。音韻學上把這種開頭沒有輔音聲母的音節叫做「零聲母」音節，這個音節的聲母就是「零聲母」。

「聲母」，音韻學上又叫做「紐」，意思是說「紐」（聲母）是一個音節的樞紐。「紐」也叫「聲紐」，所以，「聲紐」、「聲母」、「紐」大致是同一概念。

我國古代，沒有爲漢語制定標記音素的符號，古代是用漢字來標記聲母的，代表聲母的漢字，實際上是只用了它所代表音節的聲母部分，而不包括它的韻和調。這個用來代表聲母的漢字，人們又叫它「字母」。所以，「字母」就是聲母的代表字。

我國最早用漢字來記錄漢語聲母的是唐末的一位叫守溫的和尚，他最初選用了 30 個漢字代表當時的漢語聲母系統。後來，人們又在這 30 個漢字的基礎上增補了 6 個，共計 36 個漢字。這就是漢語史上有名的三十六字母。即：幫、滂、並、明、非、敷、奉、微、端、透、定、泥、知、徹、澄、娘、精、清、從、心、邪、照、穿、牀、審、禪、見、溪、羣、疑、影、曉、匣、喻、來、日。這些字母大致代表了唐末宋初時期的聲母系統。

我國古代的音韻學者對這 36 個漢字所代表的聲母分別從發音部位和發音方法兩方面進行了分析。從發音部位方面分析的結果是：

唇音 重唇音：幫滂並明
輕唇音：非敷奉微

舌音 舌頭音：端透定泥來
舌上音：知徹澄娘

齒音 齒頭音：精清從心邪
正齒音：照穿牀審禪日

牙音：見溪羣疑

喉音：影曉匣喻

從發音部位角度分古聲紐爲唇音、舌音、齒音、牙音、喉音五類，這五類就是音韻學上所謂的「五音」。宋元等韻學者在「五音」的基礎上，進一步把「來」母從舌音中分出來，叫作「半舌音」，把「日」母從齒音中分出來，叫作「半齒音」。這樣，連同以前的「五音」，就分爲「七類」了，這七類就是音韻學上所謂的「七音」。

古人對聲母從發音部位方面所作的分析，從名稱上看，有的並不一定科學，但對聲母的劃分卻十分精當。這些名稱是漢語音韻學中的常用術語，我們的祖先都是用這些術語說明漢語聲母的有關問題的，所以我們有必要了解它們。

爲了說明「七音」的科學涵義，現將現代語音學關於發音部位的名稱和舊名稱作一對照：

唇音 重唇音——雙唇音
輕唇音——唇齒者

舌音 舌頭音——舌尖中音
舌上音——舌面音

齒音 齒頭音——舌尖前音
正齒音——舌葉音和舌面音

牙音——舌根音

喉音——喉音和零聲母

半舌音——舌尖的邊音

半齒音——舌面的鼻音加摩擦

從發音方法面對三十六字母進行分析，可分爲：

全清聲母——幫非端知精心照審見曉影

次清聲母——滂敷透徹清穿溪

全濁聲母——並奉定澄從邪牀禪匣羣

次濁聲母——明微泥娘疑喻來日

所謂「清音」、「濁音」，就是指語音學上的「帶音」、「不帶音」。輔音氣流從肺部發出通過聲門時，由於聲帶靠攏，氣流使聲帶顫動，這樣發出的聲音就是「帶音」，音韻學把這種帶音的聲母叫作「濁音」；聲帶鬆弛，聲門敞開時，聲帶不顫動，氣流是純粹的噪音，這樣的聲母就是「不帶音」，音韻學把這種不帶音的聲母叫做「清音」。

我國古代音韻學家分析聲紐的清濁時，又根據發音時氣流的受阻情況和聲帶的顫動與否，進一步對聲母進行了分類：把「清音」又分爲「全清」和「次清」，把「濁音」又分爲「全濁」和「次濁」（或叫「不清不濁」）。根據現代語音理論，這四種發音方法是：

全清：即不送氣、不帶音的塞音、擦音、塞擦音

次清：即送氣、不帶音的塞音、擦音、塞擦音

全濁：即帶音的塞音、擦音和塞擦音

次濁：即帶音的鼻音、邊音、半元音、鼻音加摩擦音

爲便於了解古代和現代對三十六字母所作的分析，特把它編列成表，表中除從發音部位和發音方法兩方面作新舊對比分類外，還將每個字母的擬音標注在字母旁。

發音部位 新名	舊名		全清	次清	全濁	次濁
雙唇	唇音	重唇	幫〔p〕	滂〔p‘〕	並〔b〕	明〔m〕
唇齒		輕唇	非〔f〕	敷〔f‘〕	奉〔v〕	微〔ɱ〕
舌尖	舌音	舌頭	端〔t〕	透〔t‘〕	定〔d〕	泥〔n〕
舌面		舌上	知〔ȶ〕	徹〔ȶ‘〕	澄〔ȡ〕	娘〔ȵ〕
舌尖前	齒音	齒頭	精〔ts〕 心〔s〕	清〔ts‘〕	從〔dz〕 邪〔z〕	
舌面		正齒	照〔tɕ〕 審〔ɕ〕	穿〔tɕ‘〕	牀〔dʑ〕 禪〔ʑ〕	
舌根	牙音		見〔k〕	溪〔k‘〕	羣〔g〕	疑〔ŋ〕
喉	喉音		影○			
舌根			曉〔x〕		匣〔r〕	
半元音						喻〔j〕
舌尖	半舌音					來〔l〕
舌面	半齒音					日〔nʑ〕

和聲母有關的重要名稱還有「雙聲」。所謂「雙聲」就是指兩個或幾個聲母相同的音節（字），如「參差」cēncei〔ts‘ənts^{1}l〕、「蜘蛛」zhi zhū〔tʂɿ tʂu〕、踟躕 chí chú〔tʂ’ɿ tʂ’u〕等等。在實際語言中，聲母完全相同固然可以構成「雙聲」關係，聲母不完全相同，而是相近似，也可以構成「雙聲」關係。關於聲母相近的條件，留待後面再談。

㈡韻母

韻母也是分析漢語音節的特有術語。凡一個音節去掉聲母以後的全部，即爲韻母。如「他」ta〔t'a〕中的 a〔a〕，「梯」ti〔t'i〕中的 i〔i〕，「攤」tan〔t'an〕中的 an〔an〕，「天」tian〔t'ian〕中的 ian〔ian〕都分別是各自音節的韻母。漢語音節的構造比較複雜多樣，主要表現在韻母的差別上。如果我們分析一下韻母的構造，就會發現差別是很明顯的，如：

他	ta	a	〔a〕
梯	ti	i	〔i〕
攤	tan	an	〔an〕
天	tian	ian	〔ian〕

有的韻母可能由一個音素構成，有的則可能由幾個音素構成。但是不論由幾個音素構成，其中的主要元音是不可缺少的。爲了便於分析漢語音節中的「韻母」，音韻學家把主要元音叫做「韻腹」，把「韻腹」前面的介音叫做「韻頭」，把「韻腹」後面的音素叫「韻尾」。就一個具體的音節來說，它可能是「韻頭」、「韻腹」、「韻尾」三部分俱全的，如 tian〔t'ian〕中的 ian〔ian〕；有的則可能只有其中的某一部分或某兩部分，如 ta〔t'a〕中只具有韻腹，而沒有韻頭和韻尾，tan〔t'an〕中缺少韻頭，只有韻腹和韻尾，tie〔t'iə〕中缺少韻尾，而只有韻頭和韻腹。在分析韻母的結構之後，發現韻母可能是由一個或幾個元音構成的，也可能是由元音和輔音結合成的，所以韻母並不等於元音。

漢語音節的韻母結構如果從有無韻頭和韻頭的不同的角度可以分爲：

韻母
- 沒有韻頭：如 ɑ〔a〕、o〔o〕、e〔ə〕
- 有韻頭
  - i〔i〕韻頭：如 iɑ〔ia〕、iu〔iu〕、ie〔iə〕
  - u〔u〕韻頭：如 uɑ〔ua〕、uo〔uo〕、uɑi〔uai〕
  - ü〔y〕韻頭：如 üɑn〔yan〕、üe〔yə〕

根據這種分類，語音學把沒有韻頭，主要元音又不是 u、ü 的韻母叫做「開口呼」的韻母；有 i 韻頭的韻母叫做「齊齒呼」韻母；有 u〔u〕韻頭或主要元音是 u〔u〕的叫做「合口呼」韻母；有 ü〔y〕韻頭或主要元音是 ü〔y〕的叫做「撮口呼」韻母。這就是所謂的「四呼」。

我國古代從韻頭角度分析韻母還有所謂「洪音」、「細音」的區別。把它和韻母的「四呼」比較，大致可以說「開口呼」和「合口呼」屬於「洪音」，「齊齒呼」和「撮口呼」屬於「細音」。所以「洪音」基本上是沒有高前位元音作韻頭或主要元音不是高前位元音，發音時口腔共鳴較大的洪亮韻母；「細音」是由高前位元音作韻頭或主要元音是高前位元音，發音時聲音共鳴較小的韻母。

分析古漢語音節的韻尾，可以分為下面幾類：

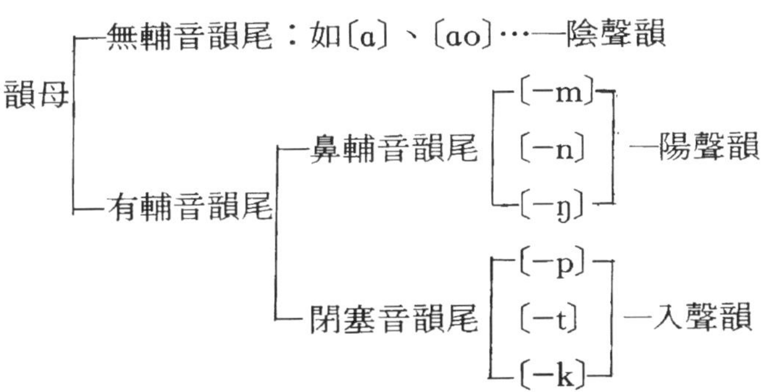

凡不具備輔音韻尾的韻母，無論其主要元音是什麼，都稱作「陰聲韻」；由鼻輔音〔−m〕、〔−n〕、〔−ŋ〕收尾的韻母，稱作「陽聲韻」；由閉塞音〔−p〕、〔−t〕、〔−k〕收尾的韻母，稱作

「入聲韻」。現代普通話的韻母中，只有陰聲韻、陽聲韻。古代的入聲韻在現代普通話中已經完全消失，閉塞輔音的韻尾全部失落而併入到陰聲韻中。而陽聲韻中的〔-m〕韻尾也已經全部併入〔-n〕韻尾當中，如侵、添、鹽等在古代是〔-m〕韻尾，在現代普通話中已經完全變爲〔-n〕韻尾。

應該說明的是，在音韻學中「韻母」和「韻」是兩個既有聯繫，又有區別的概念。韻母是一個音節去掉聲母以後的全部，而韻則只指音節中的韻腹和韻尾（如果有韻尾的話），並不包括韻頭（如果有韻頭的話）在內。這一關係從詩歌用韻上看得最清楚：

一條大河波浪寬〔uan〕
風吹稻花香兩岸〔an〕
我家就在岸上住〔u〕
聽慣了艄公的號子，看慣了船上的白帆〔an〕

這四句詩一、二、四句入韻，押〔an〕韻，如果從韻母角度看，「寬」、「岸」、「帆」是不同的，但從「韻」的角度看，它們是同韻的。所以「韻」比「韻母」所指的範圍要寬。無論是古代還是現代，講到詩押韻，都是指「韻」相諧，而不是指「韻母」。

如果兩個或幾個音節的韻相同，就叫作「疊韻」。如「窈窕」iǎo tiǎo〔iao t‘iao〕、「泛濫」fàn làn〔fan lan〕、「輾轉」zhǎn zhuǎn〔tʂan tʂuan〕等等。在實際語言中，有時兩個或幾個韻相似，也可以視作「疊韻」。至於什麼才是韻相近似，待後面再談。

人們在編寫韻書的時候本來是可以按韻母編制，也可以按韻編制的。但是如果按韻母編制，就會使韻書的部類過繁而每一部類中所收的字過少，使用起來不甚方便。再加上寫詩用韻是以「韻」的和諧相押爲準的，爲了便於寫詩用韻，韻書就都是按韻編制的。韻書的作者把同韻的字歸在一起，組成一個同韻的字羣，從中選一個字作該字羣的代表，這個字，就叫做「韻目」。如《廣韻》把東、紅、同、弓、龍……等169個同韻字歸集到一塊兒，選用「東」作爲代表，「東」便成了「韻目」，而和「東」同居一個部類的字便都是「東」韻字。

(三)聲調

聲調就是音節內部的高低變化。如ma〔ma〕這個音節由於高低變化的不同，出現了媽、痲、馬、罵等聲音，代表了不同的詞，這種聲音區分，就是聲調造成的。

聲調是漢語語音的一個重要特點，是每個音節不可缺少的組成部分。所以分析漢語音節，除了要注意分析聲母、韻母以外，一定還要注意分析聲調。

聲調有調值和調類的區別。所謂「調值」，就是聲調在具體語言或方言中實際讀音的高低升降型式。比如「媽」所代表的音節，其聲調在普通話裡讀高平調，天津話讀低降調。就這個音節的聲調來說，普通話和天津話的調值就很不相同。所謂「調類」，是根據各個方言中聲調分類的實際情況定出的類別。同一方言中，屬於同一調值的音節就屬於同一個調類。現代普通話中的所有音節只能讀出「高平調」、「高升調」、「低升調」和「全降調」四類，這就是說，現代普通話裡共有四個調類。

調類各有自己的名稱，現代普通話中的四個調類分別叫做：

高平調——陰平

高升調——陽平

低升調——上聲

全降調——去聲

四個調類也可簡單地叫做「四聲」。

「四聲」就是指四個調類，這是一個模糊的概念，它不能區分四個調類的具體類別。所以現代普通話的「四聲」和古代漢語中的「四聲」各指不同的具體內容：

古代漢語：平　上　去　入

普 通 話：陰平　陽平　上　去

所以，音韻學上的「四聲」與現代普通話的「四聲」是指不同的調類說的。

四、上古音系

所謂「上古音系」，主要是指《詩經》用韻和漢字諧聲系統所反映的語音系統，從時代上看，主要是指先秦時期的語音系統。

㈠上古聲母系統

人們對上古聲母的研究，著手比較晚，主要原因是：人們在讀詩時所感到的和諧與否是直觀的，而聲母問題在讀詩時幾乎不能直接感受到；而研究工作所投入的力量也比較少，因爲古聲母研究所能依據的資料比較缺乏，現有的一些資料雖然能說明若干問題，但顯得零散而不直接，所以古聲母的研究目前還沒有一個趨於一致的結論。

研究聲母所能依據的資料主要有漢字的諧聲系統、古書異文、四鄰語對漢語的借音等。利用這些資料和三十六字母或《切韻》音系聲母作比較研究，可以大致了解上古的聲母系統。

研究上古聲母時間最早、影響又比較大的是清代錢大昕，他以古書異文、通假、故訓等材料證明上古輕重唇不分，之後又有章太炎、黃侃、曾運乾等也提出了自己的結論。如果用漢字的諧聲系統去觀察上古聲母，前人研究的許多觀點是很有參考價值的。如：

甫〔f〕→浦〔p'〕、蒲〔p'〕……
└──→輔〔f〕、脯〔f〕……

這種諧聲關係可能顯示著在造字時代重唇音和輕唇音是沒有區別的。

《詩・小雅・白華》：「滮池北流」。《說文》引作「滮沱」。是池、沱同音。這種異文關係可能顯示著在《詩經》時代舌上音與舌頭音不分。

《詩經・小雅・節南山》：「夏心如惔」，《韓詩》作「炎」。這種異文關係可能顯示著在《詩經》時代，喻母中的一部分和定母十分接近。

或——域

云——魂

這種諧聲關係可能顯示著在造字時代，喻母中的一部分和匣母是不分的。

《說文》引《春秋左氏傳》「不義不䵒」。《考工記・弓人》杜子春注引《左傳》作「不義不昵」。「䵒」从日聲，「昵」从泥聲，是泥、日同音。

經過這些工作，再參考其他材料，我們今天可以比較出上古聲母有下列幾個特點：

(1)上古聲母中的唇音不分輕唇、重唇，只有重唇音一類。

(2)上古聲母中的舌音不分舌上、舌頭音，只有舌頭音一類。

(3)上古的匣母不但具有一、二、四等字，而且具有三等字，這些三等字到了三十六字母時代已從匣母中分出，且歸併到喻母中。而上古喻母和定母接近。

(4)三十六字母中的正齒音在上古分為莊〔照二〕、初〔穿二〕、崇〔牀二〕、生〔審二〕，和章〔照三〕、昌〔穿三〕、船〔牀三〕、書〔審三〕、禪，其中的莊、初、崇、生等分別和齒頭音的精、清、從、心接近，章、昌、船、書、禪等分別和舌音的端、透、定、泥接近。

(5)上古日母和泥母可能十分接近。

綜合上面的特點，考慮古今語音發展變化關係，王力先生定出上古聲母為32個，它們是：

(A)唇音

幫、滂、並、明

(B)舌音

端、透、定、喻四、泥、來、章、昌、船、書、禪、日

(C)齒音

精、清、從、心、邪、莊、初、崇、生

(D)喉牙音

見、溪、羣、疑、曉、匣（喻三）、影

按照上述三十二聲母的區別去看待、處理上古漢語中和「雙聲」有關的問題，首先要弄清語言材料中的具體音節所屬的聲母，這可以通過本文之後的第4《上古常用字聲韻表》去查找；其次要考察聲母的具體歸類（見上述三十二聲母表）。聲母相同的音節是「雙聲」，聲母相近（按照上表分類同部位的聲母）的音節也是「雙聲」。如「奮發」同為幫母字，是「雙聲」，「疆界」同為見母字，是「雙聲」。「儌倖」分別為見母和匣母，同屬喉牙音，也是「雙聲」。「鷫鸘」分別是心母和生母，同屬齒

音，也是「雙聲」。「螳蜋（螂）」分別是定母和來母，同屬舌音，也是「雙聲」。

在整理、歸納漢字的諧聲系統時，還會發現一些很有趣的語音現象：

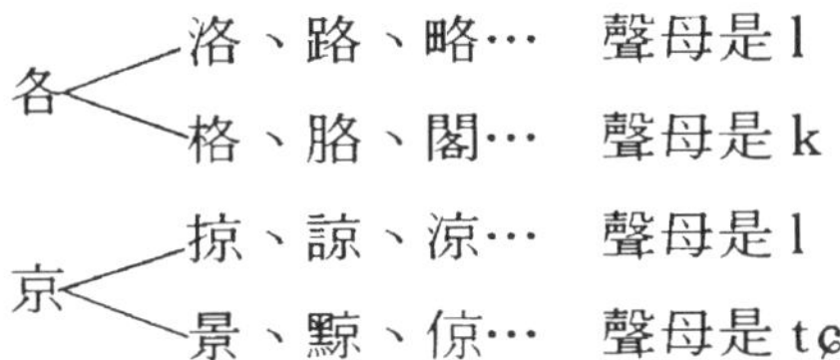

爲什麼同一聲符字所構成的諧聲系統會出現這樣整齊的兩組聲母？對此，音韻學家做出了各種解釋，到目前還沒有一致的結論。

朝鮮語把「風」叫做「孛纜」，我國古代神話傳說中，把風神叫作「飛廉」，《爾雅・釋天》：「暴風從上而下曰『焚輪』」。由此我們可以推知：孛纜、飛廉、焚輪就是指「風」，再聯繫從「風」的字有「嵐」、「埊」等，我們可以肯定 p、l 聲母是有著特殊聯繫的。

對上述語音現象，有人提出在上古可能存在著不同於現代音節結構的輔音結合體在音節中出現。按著這種看法，「各」的聲母在上古時代可能就是 kl，在語音的發展過程中，一些字失落了聲母 k，只剩下 l 聲母，一些字失落了聲母 l，只剩下聲母 k。「風」的聲母在上古時代可能就是 pl，在語言發展過程中，一些字失落了聲母 p，只剩下聲母 l，另一些字失落了聲母 l，只剩下聲母 p。這就出現了同一諧聲系統中有兩種不同的聲母的現象。根據這種認識，有人認爲上古可能存在著 kl、pl、mx、pt、kt、sp、sm、zk、ŋl……等二合複輔音，和 pkt、mpt……等三合複輔音和少數四合複輔音。

了解上古聲母中的上述情況，可以幫助我們考慮上古聲母中的一些問題，比如在古「聲訓」中常有「溟，海也」、「領，頸也」之類的解釋，去掉韻的內容暫時不考慮，溟，明母字，海，曉母字；領，來母字，頸，目母字。明——曉之間可能就是 mx 這種複輔音造成的；見——來之間可能就是 kl 這種複輔音造成的。否則，我們不好解釋這些聲母間的「雙聲」關係是怎樣形成的。

㈡上古韻母系統

詩要押韻，這是詩的特點。我們可以利用詩的這一特點，從歸納、統計《詩經》入韻字入手，推導出《詩經》所反映的韻母系統來。如《詩經・周南・關雎》：

參差荇菜，左右采之。
窈窕淑女，琴瑟友之。

從這一章詩的用韻中，我們可以推知《詩經》中的「采」和「友」可能是同韻字，而《詩經・周南・芣苢》中有：

采采芣苢，薄言采之。
采采芣苢，薄言有之。
采采芣苢，薄言掇之。
采采芣苢，薄言捋之。

這一章詩中的「采」、「有」、「掇」、「捋」等字可能同韻，聯繫上一章詩中「采」與「友」可能同韻，那麼采、有、掇、捋、友等就可能是同韻字。《詩經・邶風・匏有苦葉》有：

招招舟子，
人涉卬否，
人涉卬否，
卬須我友。

通過「友」字，又可以把「子」、「否」諸字聯繫起來。就是用這個辦法，我們可以推求出《詩經》的用韻系統來。

當然，《詩經》屬於比較自由的詩體，它的用韻和格式比較隨便，我們利用《詩經》的入韻字推求其用韻系統時，會遇到一些麻煩問題，所以還需要同時參照中古的韻母情況（這一部分有古代韻書可以參考）和其他別的材料，才可以把問題解決得比較穩妥。

漢字中的「形聲字」分爲記音部分和表形（意）部分，同一個記音符號的字，聲音應該是相同或十分相近的。如：

工、紅、缸、江、虹、項、空、貢、攻、鞏、扛、控、邛、訌……

重——踵、徸、種、鍾、湩、憧、腫、緟……

它們應該分別同音或聲音相近。古音學家由此得出「同諧聲者必同部」的結論。這個結論應該說是正確的。這一點可以從《詩經》的用韻中得到證明，如《詩經・豳風・東山》：

鸛鳴于垤，
婦嘆於室。
洒掃穹窒，
我征聿至。

這四句詩的入韻字都從「至」聲，它們是同韻的。又如《詩經・

小雅・綿蠻》：

綿蠻黃鳥，止于丘阿；
道之云遠，我勞如何？

入韻字都從「可」聲，它們是同韻的。這些都反映了漢字諧聲系統和《詩經》用韻的一致性。

由於造字時代與《詩經》時代的時間差異，有時也會出現漢字諧聲與《詩經》用韻不很一致的地方，對這種情況，只要我們參考其他材料並不難解決。

經過歷代音韻學者的努力，一個反映《詩經》用韻的韻部系統逐漸趨於明晰。王力先生在《詩經韻讀》中說：「《詩經》的韻部應分為二十九部，但戰國時代古韻應分為三十部。」所以用三十韻部可以大體概括先秦時期的韻部系統。

下面是古韻三十部及王力先生對各部的擬音：

1 類	之〔ə〕	職〔ək〕	蒸〔əŋ〕
2 類	支〔e〕	錫〔ek〕	耕〔eŋ〕
3 類	魚〔a〕	鐸〔ak〕	陽〔aŋ〕
4 類	侯〔ɔ〕	屋〔ɔk〕	東〔ɔŋ〕
5 類	宵〔ō〕	藥〔ōk〕	
6 類	幽〔u〕	覺〔uk〕	冬〔uŋ〕
7 類	微〔əi〕	物〔ət〕	文〔əŋ〕
8 類	脂〔ei〕	質〔et〕	眞〔en〕
9 類	歌〔ai〕	月〔at〕	元〔an〕
10 類		緝〔əp〕	侵〔əm〕
11 類		葉〔ap〕	談〔am〕

這三十韻部可以分 3 組 11 類。「組」是按韻尾劃分的：第一組

是元音韻尾或沒有韻尾，叫陰聲韻；第二組是由閉塞輔音結尾的，叫入聲韻；第三組是由鼻輔音結尾的，叫陽聲韻。「類」是按主要元音排列的：同一類的韻部主要元音相同，但韻尾不同。

應該說明的是這三十韻部是先秦時期韻的部類，它並不就是那個時代的韻母系統。每一個韻部有的可能包括幾個韻母，原則上也應該有四等的區別；每一個韻部並沒有聲調的差別。

先秦時期的文獻並不是一時一地之作，我們今天讀它，在利用語音規律認識、分析問題時，就可能遇到由於時間、地域的差異而造成的語音變化問題。這種變化從上述韻部表上看，大致可以概括爲：

(1)主要元音相同、韻尾不同的語言轉化：同一類中陰聲韻部、陽聲韻部和入聲韻部間的轉化。這種轉化叫做「對轉」。如之——職、職——蒸、之——蒸之間的轉化。另一種是非同類中的主要元音相同韻部間的轉化。這種轉化叫做「通轉」。如之——微、之——緝等之間的轉化。

(2)主要元音相近、韻尾相同的語音轉化，這種轉化叫做「旁轉」。如之——支、之——幽之間的轉化。

下面的詩就是由於語音轉化而構成合韻的例子：

我出我車，于彼牧矣。〔職〕
自天子所，謂我來矣。〔之〕
召彼僕夫，謂之載矣。〔之〕
王事多難，維其棘矣。〔職〕

（《詩經·小雅·出車》）

這是陰——入對轉合韻的詩章。

穀旦于差，〔歌〕
南方之原。〔元〕
不績其麻，〔歌〕
市也婆娑。〔歌〕

（《詩經・陳風・東門之枌》）

這是歌、元之間的陰——陽對轉。

皋皋訿訿，曾不知其玷。〔談〕
兢兢業業，〔葉〕
孔填不寧，我位孔貶。〔談〕

（《詩經・大雅・召旻》）

這是談、葉之間的陽——入對轉。

虎韔鏤膺，〔蒸〕
交韔二弓，〔蒸〕
竹閉緄縢。〔蒸〕
言念君子，載寢載興。〔蒸〕
厭厭良人，秩秩德音。〔侵〕

（《詩經・秦風・小戎》）

這是主要元音相同又不屬於「對轉」的蒸、侵合韻的「通轉」。

四牡騤騤，載是常服。〔職〕
玁狁孔熾，〔職〕
我是用急。〔緝〕

王于出征，以匡王國。〔職〕

（《詩經・小雅・六月》）

職、緝二部主要元音相同，但不屬同一類，所以是「通轉」。

誕我祀如何？或舂或揄，〔侯〕
或簸或蹂，〔幽〕
釋之叟叟，〔幽〕
烝之浮浮。〔幽〕

（《詩經・大雅・生民》）

侯、幽二部主要元音相近，同是陰聲韻，它們合韻是「旁轉」。

洽比其鄰，〔眞〕
昏姻孔云。〔文〕
念我獨兮，
憂心慇慇。〔文〕

（《詩經・小雅・正月》）

眞文二部主要元音相近，韻尾相同，這裡是「旁轉」合韻。

從漢字諧聲中也可以看到上古韻部間的上述轉化現象，如：

寺———特———等
（之部）（職部）（蒸部）

「特」、「等」都從「寺」聲，但卻分屬「之」、「職」、「蒸」等部，這是「對轉」。

求——裘
（幽部） （之部）

「裘」由「求」記聲，而「求」是幽部，「裘」是之部，這是「旁轉」。

我們在讀古書過程中遇到「韻」的問題，就可以通過上面所講的 30 個韻部表來處理：凡是韻部相同的音節，就算是「疊韻」，凡是韻部之間具有「旁轉」、「對轉」、「通轉」等轉化關係的，就算是韻部相近，也具備「疊韻」的條件。至於具體的字在上古歸入什麼部，可以通過後面《上古常用字聲韻表》去查找。

了解了上古的聲母系統和韻母系統，以及「雙聲」、「疊韻」的範圍之後，利用《上古常用字聲韻表》就可以處理古書中的有關聲音問題。如《論語・陽貨》：

陽貨欲見孔子，孔子不見，歸孔子豚。

「歸」，《說文》釋作「女嫁也」。女子出嫁和「豚」沒有任何關係，在這裡講不通。唐陸德明《經典釋文》：「歸孔子豚，鄭本作饋，魯讀為歸。」原來「歸孔子豚」是「饋孔子豚」之誤，造成將「饋」寫成「歸」的原因，陸德明說是魯地二字同音。我們查常用字聲韻表知道，「歸」是見母微部字，「饋」是羣母物部字。見、羣同屬牙音，聲母近似，是「雙聲」關係，微、物二部屬陰入「對轉」，是「疊韻」關係。綜合聲母和韻部關係，這兩個字的聲音十分接近，所以出現了用「歸」代替「饋」的替代現象。從聲音上看，陸德明所引的鄭本《論語》是正確的。又如《史記・刺客列傳》：

夫賢者以感忿睚眦之意而親信窮僻之人，而〔蠹〕政安得嘿然而已乎！

「嘿」，不是我們所熟悉的象聲詞，而是「默」，「嘿然」即「默然」。嘿，古音是曉母職部，默古音是明母職部，這兩個字從聲母關係看，它們可能屬於mx這一類的複輔音，韻部相同，從聲音上看它們在上古是同音的。又如《史記・高祖本紀》：

（沛公）又與秦軍戰於藍田，南，益張疑兵旗幟，諸所過毋得掠鹵。

按照通常的字詞關係去理解這句話。簡直不可理解，如果從古音角度去認識，就能爲解釋這句話指出方向。「鹵」是「虜」的通假字，二字古音都屬來母魚部，是同音字，具備通假的語音條件。

利用古音知識還可以認識古書上的所謂「聲訓」，如《國語・齊語》：「負、任、檐、何、服牛、軺馬，以周四方。」韋注：「背曰負」。

韋昭以「聲訓」方法訓解「背曰負」，就是因爲「背」是古並母之部字，「負」是古幫母職部字，聲母發音部位相同，韻部是陰入對轉，二字聲音相近。又如《詩經・齊風・東方未明》：「折柳樊圃，狂夫瞿瞿。不能辰夜，不夙則莫。」毛傳：「莫，晚也。」毛亨以「晚」釋「莫」，是因爲「莫」是明母鐸部，「晚」是明母元部。二字同聲母，鐸、元是屬主要元音相同又不同類間的「通轉」，聲音相近。我國古代一些辭書和古書中的訓解，常用這種方法訓釋詞義，如政者，正也；鏡，景也；儋，任也；屬，續也；寤，晤也……這類詞往往有親緣關係，了解「聲訓」，可以幫助掌握這些詞的詞源關係。

古籍整理工作可能遇到的問題是多方面的，解決這些問題的辦法也是多種多樣的。利用古音學的結論，還可以幫助解決校勘中的若干問題。如《荀子・勸學》：「積善成德，而神明自得，聖心備焉」，有的本子作「聖心循焉」，從意義上不好判斷誰是誰非，如果考慮到《荀子》的這段行文採用的是韻文形式，「德」、「得」、「備」都入古韻職部，而「循」入古「文」部時，我們便可以比較有把握地下結論：「循」是因字形與「備」相近而造成的誤字。再如《韓非子・主道》：「故有智而不以慮，使萬物知其處；有行而不以賢，觀臣下之所因。」王先愼認爲「有行而不以賢」當作「有賢而不以行」，後人多有從之者，但是，如果從語音角度考慮，「慮」、「處」均入古魚部，「賢」、「因」均入古眞部，而「行」爲古陽部。若眞如王先愼所說，這段文字前兩句押韻，後兩句就不再押韻了，而原行文則是兩兩押韻的。我們已經說過，古代典籍記錄的是古代語言，而語言總是有聲的，我們整理古籍時，一定要從有聲語言的角度去對待它。

當然，我們從語音角度去閱讀、整理古書，不能僅僅依據語音上的若干條件就草率判斷古書中的一些問題，最好要有其他別的材料作爲旁證，這樣可以防止少犯或不犯主觀穿鑿的錯誤。這一點是十分重要的。

㈢上古聲調

我們現在讀《詩經》會發現其中大量的是同聲調字相押，如：

關關雎鳩，在河之洲。窈窕淑女，君子好逑。（《詩經・周南・關雎》）

其中「鳩」、「洲」、「逑」等字都是平聲調。但《詩經》中也有下面這樣的詩章：

一之日觱發，二之日栗烈。無衣無褐，何以卒歲？（《詩經・豳風・七月》）
（入）（入）（入）（去）

這是去聲和入聲混押。

淇水湯湯，漸車帷裳，女也不爽，士貳其行。（《詩經・衞風・氓》）
（平）（平）（上）（平）

這是平聲和上聲混押。對這些現象音韻學家的認識並不一致，由此，人們對上古聲調的認識，也就出現了分歧。從明代末年的顧炎武起，到現代的音韻學者，都做了各自的努力，提出了各種看法。現在看，這些意見都有參考價值，也都有進一步研究的地方。現將主要的意見簡略介紹於下。

顧炎武在《音論》中說：「四聲之論雖起於江左，然古人之詩，已自有遲疾輕重之分，故平多韻平，仄多韻仄。」看來顧炎武是主張古有四聲的。但是他又發現詩中「亦有不盡然者而上或轉爲平、去，或轉爲平、上，入或轉爲平、上、去，則在歌者之抑揚高下而已，故四聲可以並用。」可見顧氏又否認了四聲在區別詞義上的作用。這是他過分依賴詩韻定四聲和誤將非韻爲韻造成的必然結果。

段玉裁在《六書音韻表》中說：「古四聲不同今韻，猶古本音不同今韻也。考周秦漢初之文，有平上入而無去，洎乎魏晉，上入聲多轉而爲去聲，平聲多轉爲仄聲，於是乎四聲大備而與古不侔。」他批評「今學者讀三百篇諸書，以今韻四聲律古人，陸德明、吳棫皆指爲協句，顧炎武之書亦云平、仄通押，去、入通押，而不知古四聲不同今，猶古本音部分異今也」。他認爲「古平上爲一類，去入爲一類。上與平，一也；去與入，一也」。這樣，段氏認爲上古只有平、入兩聲調。但是他又說：「上聲備於三百篇，去聲備于魏晋」，那就是說，在《詩經》時代，在平、入兩調的基礎上，實際上還存在上聲這一調類。

孔廣森《詩聲類》中說：「周京之初，陳風制雅，吳越方言，未入於中國，其人皆江北人脣吻，略與《中原音韻》相似，故詩有三聲，而無入聲，今之入聲於古皆去聲也。」孔廣森以近音爲據去論古音，未免顛倒了本末。

黃侃在《詩音上作平證》文中，以詩韻上聲、平聲相押的例子爲據，提出古代只有平、入兩個調類。王念孫、江有誥、夏燮都認爲古有四聲，夏氏在《述韻》中說：「三百篇羣經有韻之文，四聲具備，分用畫然，如部分之有條而不紊。第古無韻書，遂以此爲周顒、沈約獨得之祕耳。」他列舉了大量的《詩經》四聲分用的例證，說明古本有四聲存在。

現在學者對上古聲調問題也進行了探索，目前也沒有接近一致的意見。王力先生基本贊同段玉裁的意見，認爲上古的聲調，「除了以特定的音高爲其特徵外，分爲舒促兩大類，但又細分爲長短。舒而長的聲調就是平聲，舒而短的聲調就是上聲，促聲不論長短，我們一律稱爲入聲。」李方桂先生在《上古音研究》中主張上古有四個調類。他認爲，有人所謂《詩經》中的異調同押例，或者可能在當時不是異調，而是同調，或者該字在當時有異讀。周祖謨先生在《古音有無上去二聲辨》中說：「即上求周秦兩漢之文，亦莫不曲節有度，急徐應律，平必韻平，入必韻入。」他更進一步說，「同爲一字，其分見於數章者，聲調平同，不與他類雜協」，這更是古有四聲的佐證。裘錫圭在《談談古文字資料對古漢語研究的重要性》一文中，對馬王堆三號漢墓出土的竹書當中的韻腳加以分析，指出「這一篇文字的韻腳，四聲分用和脂微分用的現象，非常明顯，連一個例外也沒有」。馬王堆漢墓出土的竹書約爲漢初抄錄戰國時代的作品。由此我們似乎可以肯定，至少在戰國時代是四聲具備的，而且是分用的。

我們所說的「四聲」，是指平、上、去、入四個調類，具體的調值還待認識。

㈣上古常用字聲韻表

1. 本表共收上古常用漢字一千七百餘字。
2. 王力《漢語史稿》列上古聲母計 32 個。本表中的云母仍單列，喻母四等字用「以」標示。所以本表所列聲母實際是 33 個。讀者在使用本表時可逕將「云」看作「匣」。
3. 本表未收的字，讀者可根據形聲字的聲符去推求。如「歐」可由「區」推求；「聞」字可由「門」字推求。
4. 本表所收單字先按今音排列，然後標明上古的聲母、韻部。今音依漢語拼音字母的次序排列。

A

ā	阿——影母歌部
āi	衰——影母微部
ài	愛——影母物部
	隘——影母錫部
ān	安——影母元部
	闇——影母侵部
áo	敖——疑母宵部
	奥——影母覺部
	傲——疑母宵部

B

bā	八——幫母物部
bà	霸——幫母魚部
	罷——並母歌部

bái 白——並母鐸部
bǎi 柏——幫母鐸部
bài 敗——並母月部
ban 搬——幫母元部
bǎn 板版
——幫母元部
bàn 辦——並母元部
半——幫母元部
bàng 謗——幫母陽部
bāo 苞庖
——幫母幽部
bǎo 保寶飽
——幫母幽部
bào 暴——並母藥部
報——幫母幽部
抱——並母幽部
豹——幫母藥部
bēi 卑——幫母支部
悲——幫母微部
běi 北——幫母職部
bèi 背備
——幫母職部
被——並母歌部
貝——幫母月部
倍——並母之部
bēn 奔——幫母文部
běn 本——幫母文部

bēng 崩——幫母蒸部
bí 鼻——並母質部
bǐ 比——幫母脂部
俾——幫母支部
彼——幫母歌部
bì 斃蔽敝弊幣
——並母月部
必閉
——幫母質部
裨——幫母支部
弼——並母物部
匕——幫母脂部
辟璧嬖
——幫母錫部
biān 邊籩鞭
——幫母元部
編——幫母眞部
biàn 變——幫母元部
徧——幫母眞部
辯辨便
——並母元部
bīn 賓濱
——幫母眞部
biǎo 表——幫母宵部
bīng 兵——幫母陽部
冰——幫母蒸部

bǐng　秉柄

　　——幫母陽部

bìng　並——幫母耕部

　　病——並母陽部

bō　剝——幫母屋部

　　播——幫母月部

　　波——幫母歌部

bó　勃——並母物部

　　帛薄

　　——並母鐸部

　　伯搏

　　——幫母鐸部

　　駁——幫母藥部

　　孛——並母物部

bǒ　跛——幫母歌部

biē　鱉——幫母月部

bié　別——幫母月部

bǔ　補——幫母魚部

　　卜——幫母屋部

bù　步——並母魚部

　　布——幫母魚部

C

cái　才財材

　　——從母之部

　　采——清母之部

cài　蔡——清母月部

　　菜——清母之部

cān　參驂

　　——清母侵部

　　餐——清母元部

cán　殘——從母元部

　　蠶——從母侵部

cāng　倉蒼

　　——清母陽部

cāo　操——清母宵部

cáo　巢——崇母宵部

cǎo　草——清母幽部

cè　側——莊母職部

　　測——初母職部

céng　曾——從母蒸部

chá　察——初母月部

chà　差——初母歌部

chāi　差——初母歌部

chái　柴——崇母支部

chán　讒——崇母談部

chǎn　產——生母元部

chāng　昌——昌母陽部

cháng　場——定母陽部

　　長——定母陽部

　　常嘗償

　　——禪母陽部

chàng　暢——透母陽部

　　唱——昌母陽部

chāo　超——透母宵部

cháo 朝——定母宵部
chē 車——昌母魚部
chè 徹——透母月部
chén 辰晨——禪母文部
陳——定母眞部
chéng 成城誠——禪母耕部
程——定母耕部
承——禪母蒸部
懲——定母蒸部
乘——船母蒸部
chī 絺——透母微部
鴟——昌母脂部
chí 池——定母歌部
持——定母之部
chǐ 尺——昌母鐸部
恥——透母之部
chì 赤——昌母鐸部
chōng 充衝——昌母東部
chóng 蟲——定母冬部
崇——崇母冬部
重——定母東部
chǒng 寵——透母東部
chōu 瘳——透母幽部
chóu 仇酬——禪母幽部
疇——定母幽部
愁——崇母幽部
chǒu 醜(丑)——昌母幽部
chòu 臭——昌母幽部
chuāi 揣——初母歌部
chū 初——初母魚部
出——昌母物部
chú 除——定母魚部
chǔ 杵——昌母魚部
楚——初母魚部
chù 處——昌母魚部
觸——昌母屋部
黜——昌母物部
chuān 川——昌母文部
穿——昌母元部
chuán 傳——定母元部
chuáng 牀——崇母陽部
chuàng 創——初母陽部
chuí 垂——禪母歌部
chūn 春——昌母文部
chún 純鶉——禪母文部
chǔn 蠢——昌母文部
chuò 輟——端母月部

	綽——昌母藥部
cí	辭——邪母之部
	慈——從母之部
	雌——清母支部
cǐ	此——清母支部
cì	次——清母脂部
	茨——從母脂部
	刺——清母錫部
	賜——心母錫部
cōng	聰——清母東部
cóng	從——從母東部
cú	徂——從母魚部
cuàn	爨——清母元部
cuì	萃——從母物部
cùn	寸——清母文部
cuò	措錯——清母鐸部

D

dá	答——端母緝部
dà	大——定母月部
dǎi	逮——定母質部
	待殆怠——定母之部
	代——定母職部
	帶——端母月部
	戴——端母之部
	貸——透母職部
dàn	澹——定母談部
	旦——端母元部
	誕憚——定母元部
dāng	當——端母陽部
dǎng	黨——端母陽部
dàng	蕩——定母陽部
dāo	刀——端母宵部
dǎo	禱——端母幽部
	倒——端母宵部
dé	德——端母職部
dě	得——端母職部
děng	等——端母蒸部
dí	敵狄——定母錫部
dǐ	砥底——端母脂部
dì	弟——定母脂部
	帝——端母錫部
diān	顛——端母眞部
diǎn	典——端母文部
diàn	展——端母文部
diāo	彫——端母幽部
diào	調——定母幽部
	吊——端母宵部
	釣——端母藥部
dié	迭——定母質部

dīng 丁——端母耕部
dǐng 頂鼎
——端母耕部
dìng 定——定母耕部
dōng 東——端母東部
冬——端母冬部
dòng 凍——端母東部
dǒu 斗——端母侯部
dòu 豆——定母侯部
dū 都——端母魚部
督——端母覺部
dú 毒——定母覺部
獨——定母屋部
瀆——定母屋部
dǔ 睹——端母魚部
篤——端母覺部
dù 度——定母鐸部
duān 端——端母元部
duǎn 短——端母元部
duì 隊——定母物部
對——端母物部
dùn 盾——定母文部
duō 多——端母歌部
duò 墮惰
——定母歌部

E

é 俄——疑母歌部
è 餓——疑母歌部
遏——影母月部
ēn 恩——影母眞部
ér 兒——日母支部
而——日母之部
ěr 耳——日母之部
爾邇
——日母支部
二貳
——日母脂部

F

fā 發——幫母月部
fá 罰伐
——並母月部
乏——並母葉部
fǎ 法——幫母葉部
fà 發(髮)
——幫母月部
fān 藩——幫母元部
fán 蕃燔樊
——並母元部
凡——並母侵部
fǎn 反——幫母元部
fàn 飯——並母元部
fāng 方——幫母陽部
fáng 房——並母陽部
fàng 放——幫母陽部

fēi 飛非
——幫母微部
féi 肥——並母微部
fěi 匪——幫母微部
fèi 廢——幫母月部
費——滂母物部
fēn 分紛
——幫母文部
fén 焚墳
——並母文部
fèn 奮——幫母文部
忿憤
——並母文部
fēng 風——幫母侵部
豐——滂母冬部
封——幫母東部
féng 逢縫
——並母東部
馮——並母蒸部
fèng 鳳——並母侵部
fū 夫膚
——幫母魚部
fú 浮——並母幽部
弗——幫母物部
伏服
——並母職部
縛——並母鐸部
符——滂母魚部
韍——幫母月部
敷——滂母魚部
輻——幫母職部
fǔ 腐——並母侯部
輔——並母魚部
脯斧俯黼
——幫母魚部
拊——滂母侯部
府——幫母侯部
釜——並母魚部
fù 賦——幫母魚部
富——幫母職部
傅——幫母魚部
覆——滂母覺部
復——並母覺部
赴——滂母屋部
負婦
——並母之部
附父
——並母魚部
fǒ 否——幫母之部

G

gǎi 改——見母之部
gài 蓋丐
——見母月部

gān 干乾
——見母元部
甘——見母談部
gǎn 感——見母侵部
敢——見母談部
gàn 幹——見母元部
gāo 高槁膏
——見母宵部
gào 告誥
——見母覺部
gē 戈歌
——見母歌部
割——見母月部
gé 革——見母職部
格——見母鐸部
gè 各——見母鐸部
gēn 根——見母文部
gěi 給——見母緝部
gēng 庚——見母陽部
耕——見母耕部
gōng 工攻功公恭
——見母東部
躬——見母冬部
弓肱
——見母蒸部
gǒng 拱鞏
——見母東部
gòng 供貢
——見母東部
gōu 溝鈎
——見母侯部
gǒu 苟狗
——見母侯部
gòu 構——見母侯部
gū 姑辜
——見母魚部
gǔ 古股鼓瞽
——見母魚部
穀轂谷
——見母屋部
骨——見母物部
gù 故固顧
——見母魚部
梏——見母覺部
guài 怪——見母之部
guān 官棺關
——見母元部
guǎn 筦館
——見母元部
guàn 灌冠貫
——見母元部
gāng 岡剛
——見母陽部
guāng 光——見母陽部

guǎng 廣——見母陽部
guī 珪規——見母支部
龜——見母之部
歸——見母微部
guǐ 鬼——見母微部
詭——見母支部
軌——見母幽部
guì 貴——見母物部
guō 郭——見母鐸部
guó 國——見母職部
guǒ 果——見母歌部
槨——見母鐸部

H

hài 害——匣母月部
駭——匣母之部
hán 寒——匣母元部
函——匣母侵部
hàn 漢——曉母元部
旱——匣母元部
憾——匣母侵部
háng 行——匣母陽部
háo 毫豪——匣母宵部
hǎo 好——曉母幽部
hào 浩——匣母覺部
耗——曉母宵部

hé 曷——匣母月部
合——匣母緝部
盍闔——匣母葉部
荷和河何——匣母歌部
hè 賀——匣母歌部
褐——匣母月部
鶴——匣母藥部
hēi 黑——曉母職部
héng 衡横——匣母陽部
恆——匣母蒸部
hóng 鴻——匣母東部
弘——匣母蒸部
hóu 侯——匣母侯部
hòu 后厚後候——匣母侯部
hū 乎——匣母魚部
忽——曉母物部
hú 壺湖胡弧——匣母魚部
hǔ 虎——曉母魚部
hù 互戶——匣母魚部
瓠——匣母鐸部
huá 華——匣母魚部

滑——匣母物部
huà 化——曉母歌部
畫——匣母錫部
huó 活——匣母月部
huǒ 火——曉母微部
huō 或惑
——匣母職部
豁——曉母月部
獲——匣母鐸部
貨——曉母歌部
huái 懷槐淮
——匣母微部
huài 壞——匣母微部
huān 歡——曉母元部
huán 桓還環
——匣母元部
huǎn 緩——匣母元部
huàn 患豢
——匣母元部
huī 麾——曉母歌部
煇——曉母微部
恢——溪母之部
huí 回——匣母微部
huǐ 毀——曉母微部
晦誨悔
——曉母之部
huì 惠——匣母質部
喙——曉母月部
會——匣母月部
諱卉
——曉母微部
huāng 荒——曉母陽部
huáng 黃——匣母陽部
hūn 昏——曉母文部
hún 魂——匣母文部
hùn 混——匣母文部

J

jī 幾機譏
——見母微部
飢幾
——見母脂部
基——見母之部
擊——見母錫部
積——精母錫部
jí 棘殛
——見母職部
極——羣母職部
及——羣母緝部
瘠——從母錫部
集——從母緝部
籍——從母鐸部
疾——從母質部
jǐ 己——見母之部
戟——見母鐸部

幾——見母微部

jì 記紀

——見母之部

繼計季

——見母質部

寄——見母歌部

稽——見母脂部

驥——見母職部

忌——羣母之部

際祭

——精母月部

迹——精母錫部

濟——精母脂部

稷——精母職部

旣——見母質部

楫輯

——從母緝部

jiā 嘉加

——見母歌部

家——見母魚部

jiá 頰——見母緝部

jiǎ 賈假

——見母魚部

jià 嫁稼

——見母魚部

駕——見母歌部

jiān 監堅

——見母眞部

肩間

——見母元部

兼——見母談部

jiǎn 儉——羣母談部

建諫澗見

——見母元部

鑒劍

——見母談部

踐賤

——從母元部

jiàn 荐——精母文部

漸——從母談部

jiāng 江——見母東部

疆——見母陽部

漿——精母陽部

jiǎng 講——見母侯部

jiàng 匠——從母陽部

jiāo 交郊驕

——見母宵部

膠——見母幽部

焦——精母幽部

jiǎo 狡矯

——見母宵部

角——見母屋部

jiào 教——見母宵部

jiē 結——見母質部
揭——見母月部
階——見母脂部
嗟——精母歌部
接——精母葉部
jié 結——見母質部
潔——見母月部
傑——羣母月部
節——精母質部
捷——從母葉部
桀——羣母月部
jiě 解——見母支部
jiè 介界
——見母月部
借——精母鐸部
藉——從母鐸部
誡——見母職部
jīn 斤巾筋
——見母文部
今金矜
——見母侵部
津——精母眞部
jǐn 錦——見母侵部
謹——見母文部
僅——羣母文部
jìn 勁——見母耕部
禁——見母侵部
近覲
——羣母文部
晉進搢
——精母眞部
浸——心母侵部
jīng 驚荊經
——見母耕部
旌精
——精母耕部
兢——羣母蒸部
jǐng 景——見母陽部
井——精母耕部
jìng 敬徑
——見母耕部
境——見母陽部
競——羣母陽部
靜靖
——從母耕部
jiū 鳩——見母幽部
jiǔ 九——見母幽部
久——見母之部
酒——精母幽部
jiù 救——見母幽部
疚——見母之部
廄——見母物部
就——從母覺部

jū 拘駒
——見母侯部
居苴
——見母魚部
鞠——見母覺部
jǔ 沮舉——見母魚部
jù 距矩屨詎
——見母魚部
巨遽
——羣母魚部
具——見母侯部
據——見母魚部
拒巨俱
——羣母魚部
懼——羣母魚部
聚——從母侯部
juàn 卷倦
——見母元部
jué 厥蹶決
——見母月部
譎——見母質部
覺——見母覺部
掘——羣母物部
爵——精母藥部
絕——從母月部
jūn 君軍
——見母文部
均鈞
——見母眞部
jùn 浚——心母文部

K

kāi 開——溪母微部
kān 堪——溪母侵部
刊看
——溪母元部
kāng 康——溪母陽部
kē 科——溪母歌部
kě 可——溪母歌部
渴——溪母月部
kè 克刻
——溪母職部
客——溪母鐸部
kěn 肯——溪母蒸部
kōng 空——溪母東部
kǒng 孔恐
——溪母東部
kǒu 口——溪母侯部
kòu 寇——溪母屋部
kū 刳——溪母魚部
哭——溪母屋部
kǔ 苦——溪母魚部
kù 庫——溪母魚部
kuài 塊——溪母微部
kuān 寬——溪母元部

kuāng 筐——溪母陽部

kuáng 狂——羣母陽部

kuàng 壙匡曠——溪母陽部

況——曉母陽部

kuī 窺——溪母支部

kuì 憒——見母物部

餽——羣母微部

喟——匣母物部

匱——羣母物部

潰——匣母物部

kūn 昆——見母文部

kùn 困——溪母文部

kuò 括——見母月部

L

lái 來——來母之部

lán 蘭——來母元部

藍——來母談部

lǎn 覽——來母談部

làn 濫——來母談部

láng 狼——來母陽部

láo 勞——來母宵部

lè 樂——來母藥部

léi 雷——來母微部

lěi 累——來母微部

lèi 類——來母物部

lí 釐貍——來母之部

藜黎——來母脂部

離——來母歌部

lǐ 里理——來母元部

禮醴——來母脂部

lì 麗驪——來母歌部

吏——來母之部

利戾栗慄——來母質部

歷——來母錫部

蒞——來母物部

立——來母緝部

櫟——來母藥部

力——來母職部

lián 連——來母元部

奩——來母談部

廉——來母談部

liǎn 斂——來母談部

liàn 練——來母元部

liáng 良糧梁粱——來母陽部

liǎng 兩——來母陽部

liàng 諒量
——來母陽部
liáo 潦——來母宵部
liè 列烈
——來母月部
lín 麟鄰
——來母真部
臨林
——來母侵部
lǐn 廩——來母侵部
líng 陵——來母蒸部
lǐng 領——來母耕部
lìng 令——來母耕部
liú 流留劉
——來母幽部
liǔ 柳——來母幽部
liù 六——來母覺部
lóng 龍聾
——來母東部
隆——來母冬部
lóu 樓——來母侯部
lòu 漏鏤陋
——來母侯部
lú 盧——來母魚部
lǔ 魯——來母魚部
lù 陸——來母覺部
鹿祿
——來母屋部
路露
——來母鐸部
戮——來母覺部
lǚ 旅閭
——來母魚部
屢縷
——來母侯部
履——來母脂部
lǜ 律——來母物部
慮——來母魚部
luán 巒鸞
——來母元部
luàn 亂——來母元部
lún 輪綸倫
——來母文部
lùn 論——來母文部
luè 略——來母鐸部
luó 羅——來母歌部
luǒ 裸——來母歌部
luò 洛——來母鐸部

M

má 麻——明母歌部
mǎ 馬——明母魚部
mài 賣——明母支部
麥——明母職部

mǎn 滿——明母元部

màn 曼慢——明母元部

máo 旄毛——明母宵部

矛茅——明母幽部

mào 冒茂——明母幽部

貌——明母藥部

méi 媒——明母之部

眉——明母脂部

měi 每——明母之部

美——明母脂部

mèi 寐妹——明母物部

媚——明母脂部

昧——明母物部

mén 門——明母文部

méng 蒙——明母東部

盟萌——明母陽部

měng 猛——明母陽部

mèng 夢——明母蒸部

孟——明母陽部

mí 靡糜——明母歌部

迷——明母脂部

mì 密——明母質部

mián 緜——明母元部

miǎn 湎——明母元部

免冕——明母元部

miàn 面——明母元部

miáo 苗——明母宵部

miǎo 眇——明母宵部

miào 廟——明母宵部

miè 滅——明母月部

mín 民——明母眞部

mǐn 敏——明母眞部

míng 名明冥——明母耕部

mìng 命——明母耕部

mó 謨——明母鐸部

摩——明母歌部

mò 磨——明母歌部

沒——明母物部

莫——明母鐸部

末——明母月部

墨默——明母職部

móu 謀——明母之部

mǔ 畝母——明母之部

mù 目穆睦
——明母覺部
墓幕慕暮
——明母鐸部
木——明母屋部
牧——明母職部

N

nà 納——泥母緝部
nán 男南
——泥母侵部
難——泥母元部
náng 囊——泥母陽部
náo 撓——泥母宵部
ní 泥彌
——泥母脂部
逆——疑母鐸部
匿——泥母職部
溺——泥母藥部
nián 年——泥母眞部
niàn 念——泥母侵部
niǎn 鳥——端母幽部
niè 孽——疑母月部
níng 凝——疑母蒸部
nìng 寧——泥母耕部
niú 牛——疑母之部
nèi 內——泥母物部
nóng 農——泥母冬部
nòu 耨——泥母屋部
nù 怒——泥母魚部
nǔ 女——泥母魚部
nuò 諾——泥母鐸部
nuè 虐——疑母藥部
nuǎn 暖——泥母元部

O

ōu 傴歐毆
——影母侯部
ǒu 偶耦
——疑母侯部

P

pán 盤磐
——並母元部
pàn 畔——並母元部
叛——滂母元部
páng 旁——並母陽部
pèi 佩——並母之部
轡——幫母質部
配——滂母物部
pēng 烹——滂母陽部
péng 蓬——並母東部
彭——並母陽部
pí 陂——滂母歌部
pǐ 匹——滂母質部
pì 譬僻
——滂母錫部

piān　偏篇
　　——滂母眞部
piāo　飄——滂母宵部
pín　貧——並母文部
pìn　聘——滂母耕部
píng　平屛
　　——並母耕部
pò　破——滂母歌部
　　迫——幫母鐸部
pōu　剖——滂母之部
pú　蒲——並母魚部
pǔ　圃——幫母魚部
　　僕——並母屋部
　　普——滂母魚部
　　樸——滂母屋部

Q

qī　漆七
　　——淸母質部
　　妻——淸母脂部
　　期——羣母之部
qí　其騏旗
　　——羣母之部
　　祈旂
　　——羣母微部
　　祇——羣母支部
　　跂——溪母支部
　　戚——淸母覺部
　　奇——羣母歌部
　　齊——從母脂部
　　耆——羣母脂部
qǐ　豈——溪母微部
　　啓——溪母脂部
　　起——溪母之部
　　乞——溪母物部
qì　器棄
　　——溪母質部
　　契——溪母月部
　　氣——溪母物部
　　泣——溪母緝部
qià　洽——匣母緝部
qiān　愆遷騫
　　——溪母元部
　　謙——溪母談部
　　牽——溪母眞部
　　千——淸母眞部
qián　前錢
　　——從母元部
　　黔——羣母侵部
　　潛——從母侵部
qiǎn　嗛——溪母談部
　　淺——淸母元部
qiáng　彊——羣母陽部
　　牆——從母陽部

qiáo	喬橋——羣母宵部
qiǎo	巧——溪母幽部
qié	切——清母質部
qiě	且——清母魚部
qiè	妾——清母葉部
	竊——清母質部
	契——溪母月部
qīn	欽——溪母侵部
	親——清母眞部
	侵——清母侵部
qín	禽琴——羣母侵部
	勤——羣母文部
qǐn	寑——清母侵部
	衾——溪母侵部
qiū	秋——清母幽部
	丘——溪母之部
qiú	求——羣母幽部
	裘——羣母之部
qīng	卿——溪母陽部
	傾輕——溪母耕部
	青清——清母耕部
qíng	情——從母耕部
qǐng	請——清母耕部
	頃——溪母耕部
qìng	慶——溪母陽部
qiáng	窮——羣母冬部
qū	趨——清母侯部
	區驅——溪母侯部
	詘屈——溪母物部
qú	渠衢——羣母魚部
qǔ	取——清母侯部
	曲——溪母屋部
qù	趣——清母侯部
	去——溪母魚部
quán	泉全——從母元部
quǎn	犬——溪母元部
quàn	勸——溪母元部
quē	缺闕——溪母月部
què	鵲——清母鐸部
	雀——精母藥部
qún	羣——羣母文部

R

rán	然——日母元部
rǎn	染——日母談部
rǎng	攘——日母陽部

ràng 讓——日母陽部
rǎo 擾——日母幽部
rēn 人仁
——日母眞部
rěn 忍——日母文部
rèn 任——日母侵部
刃——日母文部
rēng 仍——日母蒸部
rì 日——日母質部
róng 容——以母東部
榮——日母耕部
戎——日母冬部
róu 柔——日母幽部
ròu 肉——日母覺部
rè 熱——日母月部
rú 茹如
——日母魚部
儒孺
——日母侯部
rǔ 汝——日母魚部
辱——日母屋部
rù 入——日母緝部
rùn 潤——日母眞部
ruì 銳——以母月部
ruò 若——日母鐸部
弱——日母藥部

S

sǎ 洒——生母支部
sāi 塞——心母職部
sān 三——心母侵部
sǎn 散——心母元部
sāng 桑——心母陽部
sǎng 顙——心母陽部
sàng 喪——心母陽部
sè 瑟——生母質部
色嗇
——生母職部
shā 殺——生母月部
shān 山譣
——生母元部
shàn 善擅
——禪母元部
shāng 商傷
——書母陽部
裳——禪母陽部
shǎng 賞——書母陽部
shàng 上尚
——禪母陽部
shāo 稍——生母宵部
燒——書母宵部
sháo 韶——禪母宵部
shǎo 少——書母宵部
shē 奢——書母魚部

shé 蛇——船母歌部

shě 舍——書母魚部

shè 攝——書母葉部

設——禪母月部

涉——禪母葉部

赦——書母鐸部

射——船母鐸部

shēn 莘——生母眞部

身申——書母眞部

深——書母侵部

shén 神——船母眞部

shèn 甚——禪母侵部

慎——禪母眞部

shēng 笙生牲——生母耕部

聲——書母耕部

升——書母蒸部

shěng 省——生母耕部

shèng 盛——禪母耕部

聖——書母耕部

勝——書母蒸部

shī 詩——書母之部

施——書母歌部

尸——書母脂部

失——書母質部

濕——書母緝部

師——生母脂部

shí 時——禪母之部

石——禪母鐸部

十什——禪母緝部

食蝕——船母職部

實——船母質部

識——書母職部

shǐ 始——書母之部

矢豕——書母脂部

shì 市侍恃——禪母之部

是氏——禪母支部

視嗜——禪母脂部

筮誓逝——禪母月部

世勢——書母月部

事士——崇母之部

試飾——書母職部

室——書母質部

適——書母錫部
示——船母脂部
釋——書母鐸部
shōu 收——書母幽部
shǒu 手守首
——書母幽部
shòu 獸——書母幽部
壽受
——禪母幽部
shū 疏——生母魚部
輸——書母侯部
叔菽
——書母覺部
舒書
——書母魚部
殊——禪母侯部
淑——禪母覺部
樞——昌母侯部
shú 孰熟
——禪母覺部
贖——船母屋部
shǔ 暑——禪母魚部
屬——禪母屋部
數——生母侯部
鼠黍
——書母魚部
shù 術述
——船母物部
樹——禪母侯部
束——書母屋部
庶——書母鐸部
shuí 誰——禪母微部
shuǐ 水——書母微部
shuì 稅——書母月部
shuāi 衰——生母微部
shuài 率——生母物部
shuāng 雙——生母東部
shuǎng 爽——生母陽部
shùn 順——船母文部
舜——書母文部
shuō 說——書母月部
shuò 鑠——書母藥部
碩——禪母鐸部
sī 思司絲
——心母之部
斯——心母支部
私——心母脂部
sì 兕——邪母脂部
祀耜嗣似
——邪母之部
駟——心母質部
sōng 松——心母東部
sòng 宋——心母冬部

頌誦訟
——邪母東部
送——心母東部
sōu 搜——生母幽部
sǒu 叟——心母幽部
藪——心母侯部
sū 蘇——心母魚部
sú 俗——邪母屋部
sū 粟——心母屋部
sǔ 粟——心母屋部
sù 宿——心母覺部
朔愬
——心母鐸部
速——心母屋部
素——心母魚部
suī 雖——心母微部
suí 遂隧
——邪母物部
隨——邪母歌部
綏——心母微部
suì 燧——邪母物部
歲——心母月部
sǔn 損——心母文部
suǒ 索——心母鐸部
硝——心母歌部
所——心母魚部

T

tā 他——透母歌部
tái 台——定母之部
tài 太泰
——透母月部
tán 壇——定母元部
談——定母談部
tǎn 忐——透母談部
坦——透母元部
tàn 探——透母侵部
tāng 湯——透母陽部
táng 唐堂
——定母陽部
tāo 滔——透母幽部
táo 陶——定母幽部
桃逃
——定母宵部
tǎo 討——定母幽部
tè 特——定母職部
慝——透母職部
tí 提題
——定母支部
蹄——定母錫部
tǐ 體——透母脂部
tì 涕——透母脂部
悌——定母脂部
惕——透母錫部

tiān 天——透母眞部

tián 塡田

——定母眞部

恬——定母談部

tiǎn 殄——定母文部

tiáo 條——定母幽部

tie 鐵——透母質部

tīng 聽——透母耕部

tíng 庭霆

——定母耕部

tōng 通——透母東部

tóng 同童桐

——定母東部

tǒng 統——透母東部

tòng 痛——透母東部

tōu 偸——透母侯部

tóu 投——定方侯部

tū 突——定母物部

tú 徒圖塗屠

——定母魚部

tǔ 土——透母魚部

tuán 摶——定母元部

tuī 推——透母微部

tuì 退——透母物部

tún 屯豚

——定母文部

tuō 託——透母鐸部

tuó 橐——透母鐸部

W

wā 瓦——疑母歌部

wān 彎——影母元部

wán 丸——匣母元部

wǎn 晚——明母元部

wàn 萬——明母元部

wáng 王——云母陽部

亡——明母陽部

wǎng 往——云母陽部

罔——明母陽部

枉——影母陽部

wàng 忘望

——明母陽部

wēi 微——明母微部

巍——疑母微部

危——疑母支部

wéi 維——明母微部

違韋圍帷

——云母微部

唯——以母微部

wěi 尾——明母微部

委——影母微部

緯——云母微部

僞——疑母歌部

wèi 未味

——明母物部

位謂

——云母物部

衞——云母月部

魏——疑母微部

畏——影母微部

wēn 溫——影母文部

wén 文——明母文部

wèn 問——明母文部

wǒ 我——疑母歌部

wò 握——影母屋部

wū 巫誣

——明母魚部

烏——影母魚部

屋——影母屋部

wú 無——明母魚部

梧——疑母魚部

wǔ 武舞

——明母魚部

五午吾

——疑母魚部

侮——明母之部

wù 勿物

——明母物部

毋——明母魚部

惡——影母鐸部

務——明母幽部

誤——疑母魚部

X

xī 祈晰錫

——心母錫部

奚蹊兮

——匣母支部

熙——曉母之部

犧——曉母歌部

翕——曉母緝部

息——心母職部

犀——心母微部

昔——心母鐸部

棲——心母脂部

谿——溪母支部

夕——邪母鐸部

xí 習襲隰

——邪母緝部

席——邪母鐸部

xǐ 徙——心母支部

xì 隙——溪母鐸部

系——匣母支部

繫——匣母錫部

戲——曉母魚部

細——心母脂部

xiá 暇瑕

——匣母魚部

xià 下夏

——匣母魚部

xiān 先——心母文部
鮮——心母元部
xián 閒閑——匣母元部
賢絃——匣母真部
嫌——匣母談部
咸——匣母侵部
xiǎn 險——曉母談部
顯——曉母元部
xiàn 陷——匣母談部
縣——匣母元部
xiāng 襄——心母陽部
香鄉——曉母陽部
xiáng 詳祥翔——邪母陽部
降——匣母東部
xiǎng 享饗響饗——曉母陽部
xiàng 巷項——匣母東部
相——心母陽部
象——邪母陽部
xiāo 逍消宵肖——曉母宵部
囂——曉母宵部
xiǎo 小——心母宵部
xiào 效校——匣母宵部
笑——心母宵部
孝——曉母幽部
xié 挾——匣母葉部
偕——見母脂部
xiě 血——曉母質部
寫——心母鐸部
xiè 泄——心母月部
械——匣母職部
謝——邪母鐸部
xīn 欣——曉母文部
幸——心母真部
薪新——心母文部
心——心母侵部
xìn 信——心母真部
xīng 星——心母耕部
興——曉母蒸部
xíng 行——匣母陽部
形——匣母耕部
xǐng 省——心母耕部
xìng 性姓——心母耕部
xiōng 凶胸——曉母東部

	兄——曉母陽部
xióng	雄熊
	——云母蒸部
xiū	休——曉母幽部
	脩羞修
	——心母幽部
xiù	繡——心母幽部
xū	需須
	——心母侯部
	盱虛
	——曉母魚部
xú	徐——邪母魚部
xǔ	許——曉母魚部
xù	蓄——曉母覺部
	緒——邪母魚部
	續——邪母屋部
	序——邪母魚部
	胥——心母魚部
	恤——心母質部
xuān	宣——心母元部
xuán	旋——邪母元部
	弦玄
	——匣母眞部
xuǎn	選——心母元部
xuē	削——心母宵部
xué	學——匣母覺部
xuě	雪——心母月部
xuè	穴——匣母質部
	屑——心母質部
xūn	熏——曉母文部
xún	循——邪母文部
	尋——邪母侵部
xùn	殉——邪母眞部
	遜訊
	——心母文部
	訓——曉母文部

Y

yá	牙——疑母魚部
yǎ	雅——疑母魚部
yān	煙——影母眞部
	焉——影母元部
	湮——影母文部
yán	言——疑母元部
	嚴——疑母談部
	炭——云母談部
	鹽——以母談部
	筵——以母元部
yǎn	偃——影母元部
	掩——影母談部
	衍——以母元部
yàn	燕晏宴
	——影母元部
	雁顏諺
	——疑母元部

豔——以母談部

yāng 央殃鞅
——影母陽部

yáng 羊揚楊
——以母陽部

yǎng 養——以母陽部
仰——疑母陽部
抑——影母質部

yāo 夭——影母宵部

yáo 搖瑤
——以母宵部

yào 耀藥
——以母藥部
要——影母宵部

yé 耶——以母魚部

yě 也——以母歌部
野——以母魚部

yè 夜——以母鐸部
業——疑母葉部

yī 衣依
——影母微部
一壹
——影母質部
揖——影母緝部
醫——影母之部
伊——影母脂部
噫——影母職部

yí 儀——疑母歌部
疑——疑母之部
移——以母歌部

yǐ 倚——影母歌部
以已
——以母之部
矣——云母之部

yì 億意
——影母職部
宜義議
——疑母歌部
亦——以母鐸部
溢易役
——以母錫部
佚逸
——以母質部
弋翼
——以母職部
刈藝
——疑母月部
毅——疑母微部
邑——疑母緝部
益——影母錫部
懿——影母質部

yīn 因——影母眞部
音——影母侵部
殷——影母文部

yín 淫——以母侵部

yǐn 尹引

——以母眞部

飲——影母侵部

隱——影母文部

yīng 應鷹

——影母蒸部

英——影母陽部

纓——影母耕部

yíng 贏楹營盈

——以母耕部

蠅——以母蒸部

迎——疑母陽部

yìng 應——影母蒸部

媵——以母蒸部

yōng 壅雍

——影母東部

庸傭

——以母東部

yǒng 勇——以母東部

永——云母陽部

yòng 用——以母東部

yōu 優憂幽

——影母幽部

攸悠

——以母幽部

游遊由猶猷

——以母幽部

yóu 尤郵

——云母之部

yǒu 友——云母之部

yòu 右囿宥又

——云母之部

誘——以母幽部

yū 愚——疑母侯部

汙——影母魚部

yú 隅——疑母侯部

魚漁虞

——疑母魚部

兪榆踰諭臾諛

——以母侯部

餘輿與

——以母魚部

于——云母魚部

於——影母魚部

yǔ 禹雨宇

——云母魚部

圉語

——疑母魚部

yù 馭御禦

——疑母魚部

獄玉

——疑母屋部

欲浴裕
——以母屋部
尉鬱
——影母物部
遇寓
——疑母侯部
予豫譽
——以母魚部
育——以母覺部
域——云母職部

yuān 淵——影母眞部
鳶——以母元部

yuán 元原源
——疑母元部
緣——以母元部
園爰援
——云母元部
員圓
——云母文部

yuǎn 遠——云母元部

yuàn 院願
——疑母元部
怨——影母元部

yuē 曰——云母月部
約——影母藥部

yuè 樂櫟——疑母藥部
悅閱
——以母月部
躍籥
——以母藥部
鉞越
——云母月部
月——疑母月部

yún 耘云
——云母文部

yǔn 允——以母文部
隕——云母文部

yùn 慍——影母文部
運——云母文部

Z

zá 雜——從母緝部

zāi 哉災
——精母之部

zǎi 載——精母之部

zàn 贊——精母元部

zāng 臧——精母陽部

zàng 葬——精母陽部

zāo 遭——精母幽部

zǎo 蚤——精母幽部

zào 造——從母幽部
燥——心母宵部
灶——精母覺部

澤擇

——定母鐸部

責——莊母錫部

則——精母職部

zéi 賊——從母職部

zèn 譖——莊母侵部

zeng 曾——從母蒸部

zèng 憎——精母蒸部

zhá 札——莊母質部

zhà 詐——莊母鐸部

zhāi 齋——莊母脂部

zhái 宅——定母鐸部

zhān 瞻——章母談部

zhǎn 展——端母元部

斬——莊母談部

zhàn 湛——定母侵部

戰——章母元部

zhāng 章彰璋

——章母陽部

張——端母陽部

zhǎng 掌——章母陽部

zhàng 丈——定母陽部

zhāo 昭招

——章母宵部

zhǎo 爪——莊母幽部

zhào 照——章母宵部

召詔

——定母宵部

zhé 折哲

——章母月部

zhě 者——章母魚部

zhēn 眞——章母眞部

箴——章母侵部

貞——端母耕部

zhěn 枕——章母侵部

zhèn 振震

——章母文部

朕——定母侵部

zhēng 征——章母耕部

烝蒸

——章母蒸部

徵——端母蒸部

爭——莊母耕部

zhěng 整——章母耕部

zhèng 正政

——章母耕部

zhī 枝支知

——章母支部

之——章母之部

zhí 殖植

——禪母職部

寘——章母支部

直——定母職部

職——章母職部

zhǐ 指旨
——章母脂部
止趾
——章母之部

zhì 置陟
——端母職部
智——端母支部
致窒
——端母質部
櫛——莊母質部
制摯
——章母月部
質——章母質部
治——定母之部
彘雉
——定母脂部
秩——定母質部

zhōng 鍾——章母東部
終——章母冬部
中忠
——端母冬部

zhǒng 冢——端母東部

zhòng 仲——端母冬部
衆——章母冬部
重——定母東部

zhōu 舟周
——章母幽部

zhòu 胄紂
——定母幽部
晝——端母侯部

zhū 誅株
——端母侯部
朱珠
——章母侯部
諸——章母魚部

zhú 逐——定母覺部

zhǔ 主——章母侯部

zhù 柱——定母侯部
注——章母侯部
祝——章母覺部
助——崇母魚部
築——端母覺部

zhuān 專——章母元部

zhuǎn 轉——端母元部

zhuàn 傳——定母元部

zhuāng 莊——莊母陽部

zhuàng 壯——莊母陽部
狀——崇母陽部

zhuī 追——端母微部

zhūn 諄——章母文部

zhǔn 準——章母文部

zhuó 濯——定母藥部

	琢——端母屋部
	濁——定母屋部
	酌——章母藥部
zī	訾咨粢資——精母脂部
	菑滋茲——精母之部
zǐ	紫子——精母之部
zì	恣——精母脂部
	梓——精母之部
	自——從母質部
zōng	宗——精母冬部
zǒng	總——精母東部
zòng	縱——精母東部
zǒu	走——精母侯部
zòu	奏——精母侯部
	驟——崇母侯部
zú	卒——精母物部
	足——精母屋部
	族——從母屋部
zǔ	詛俎阻——精母魚部
zuì	最——精母月部
	醉——精母物部
	罪——從母微部
zūn	尊遵——精母文部
zuǒ	左——精母歌部
zuò	作——精母鐸部
	鑿——從母鐸部

五、中古音系

所謂「中古音系」是指《切韻》一書所代表的音韻系統。

(一)《廣韻》的沿革及體例

漢代以後，特別是六朝文人作文務求聲律。四聲八病的創立，更促使文人追求文章的形式美。文學創作上的這種唯美趨勢，要求有一部起規範作用的韻書，韻書在這種要求下逐漸出現了。從文獻上看，魏晉時期的韻書先後出現了不少，有幾種對後來韻書的完善還起過積極的作用。因爲這些韻書都已不復存在，所以這裡就略而不談了。

到了隋代，總結韻書編撰工作的經驗，條件已經具備。這時，陸法言等九人在一起共同討論了以往韻書在記音上的得失，並決定寫一部能囊括諸家所長的韻書。後來，陸法言在以往集體討論的基礎上，編撰成漢語語音史上劃時代的韻書——《切韻》。陸法言在《切韻・序》中說：「欲廣文路，自可清濁皆通，若賞知音，即須輕重有異」，他所編的這部韻書既照顧到寫文用韻的需要，又照顧到「賞知音」——嚴格審音的要求。全書共收 12158 字（據唐代封演《聞見記》），根據宋濂跋本《王仁昫刊謬補缺切韻》的韻目推定，《切韻》計分 193 韻，這些韻目是：

◎平聲

一東	二冬	三鍾	四江
五支	六脂	七之	八微
九魚	十虞	十一模	十二齊
十三佳	十四皆	十五灰	十六咍
十七眞	十八臻	十九文	二十殷
二十一元	二十二魂	二十三痕	二十四寒
二十五刪	二十六山	二十七先	二十八仙
二十九蕭	三十宵	三十一肴	三十二豪
三十三歌	三十四痲	三十五覃	三十六談
三十七陽	三十八唐	三十九庚	四十耕
四十一淸	四十二青	四十三尤	四十四侯
四十五幽	四十六侵	四十七鹽	四十八添
四十九蒸	五十登	五十一咸	五十二銜
五十三嚴	五十四凡		

上　聲

一董	二腫	三講	四紙
五旨	六止	七尾	八語
九麌	十姥	十一薺	十二蟹
十三駭	十四賄	十五海	十六軫(軫)
十七吻	十八隱	十九阮	二十混
二十一很	二十二旱	二十三產	二十四潸
二十五銑	二十六獮	二十七篠	二十八小
二十九巧	三十皓	三十一哿	三十二馬
三十三感	三十四敢	三十五養	三十六蕩
三十七梗	三十八耿	三十九靜	四十迥
四十一有	四十二厚	四十三黝	四十四寑
四十五琰	四十六忝	四十七拯	四十八等
四十九豏	五十檻	五十一范	

去　聲

一送	二宋	三用	四降
五寘	六至	七志	八未
九御	十遇	十一暮	十二泰
十三霽	十四祭	十五卦	十六怪
十七夬	十八隊	十九代	二十廢
二十一震	二十二問	二十三焮	二十四願
二十五慁	二十六恨	二十七翰	二十八諫
二十九襉	三十霰	三十一線	三十二嘯
三十三笑	三十四效	三十五號	三十六箇
三十七禡	三十八勘	三十九闞	四十漾
四十一宕	四十二敬	四十三諍	四十四勁
四十五徑	四十六宥	四十七候	四十八幼

四十九沁	五十豔	五十一㮇	五十二證
五十三嶝	五十四陷	五十五鑑	五十六梵

㈣入　聲

一屋	二沃	三燭	四覺
五質	六物	七櫛	八迄
九月	十沒	十一末	十二黠
十三鎋	十四屑	十五薛	十六錫
十七昔	十八麥	十九陌	二十合
二十一盍	二十二洽	二十三狎	二十四葉
二十五怗	二十六緝	二十七藥	二十八鐸
二十九職	三十德	三十一業	三十二乏

《切韻》一書已經失傳，現在我們只能見到幾種不甚完整的殘卷。

《切韻》編就之後，「時俗共重，以爲典規，然苦字少，復闕字義」，所以給它加字補訓的人很多。其中影響較大的，是唐代王仁煦的《刊謬補缺切韻》。王仁煦自己談了他所做工作的內容：「刊謬者謂刊正謬誤，補缺者謂加字及訓」。王仁煦的工作，使《切韻》一書的質量得到很大的提高。此外，增訂《切韻》的還有孫愐的《唐韻》。

隨著科舉制度的實行，需要一部有官方權威的韻書，作爲統一考試的標準。宋代的陳彭年、丘雍等人奉皇帝之命，於「景德四年十一月戊寅，崇文院上校定《切韻》五卷……祥符元年六月五日，改爲《大宋重修廣韻》」（見《玉海》）。「廣韻」即「擴充切韻」的意思。

《廣韻》是根據前代韻書修訂而成的，所以它是《切韻》系韻書的集大成者。在《切韻》、《唐韻》等韻書殘卷沒發現之前，人們總是把《廣韻》當作《切韻》。從已經發現的材料看，它們的語音系統是相同的。

《廣韻》共分 206 韻，其中平聲 57 韻、上聲 55 韻、去聲 60 韻、入聲 34 韻，分別按平、上、去、入四聲編爲 5 卷（平聲字多，因而編爲 2 卷，其餘各聲調分別爲 1 卷）。和《切韻》的 193 韻比，《廣韻》多出 13 韻，但是從韻類角度看，《廣韻》和《切韻》又是一致的。正因爲如此，在《切韻》殘缺不全的情況下，人們總是用《廣韻》作主要依據去研究《切韻》。

《切韻》對韻的分類是很細的。由於語言的變化，也由於作詩押韻不必要苛細分韻，到了唐初，人們就感到按《切韻》的分類去寫詩苦不堪言，所以「國初，許敬宗等詳議，以其韻窄，奏合而用之」。據戴震考訂，許敬宗等奏合而用的韻，就是現行《廣韻》韻目下所標注的「同用」例。所謂「同用」，即標注範圍內的幾個韻可以認作相同而可以互相押韻的意思。如「冬」韻下注「鍾同用」，就是指冬、鍾可以認作相同而用。有了《廣韻》韻目下所標注的「同用」、「獨用」（即不能和別的韻押韻），我們就可以了解唐詩，乃至以後的格律詩的用韻範圍了。

《廣韻》把同韻（包括聲調）的字按聲音是否相同分組，凡是同音的字就編成一組，這個同音字組叫做「小韻」。每一個小韻都是在該小韻中的第一個字後面加注切語，並標注該小韻所收的字數。小韻之間都用○標誌分開。如：

東 春方也說文曰動也从日在木中亦東風菜廣州記云陸地生莖赤和肉作羹味如酪香似蘭……德紅切十七　菄 東風菜義見上注俗加艸

鶇……䰤[illegible]○同 齊也共也輩也合也律曆有六同亦州春秋時晋夷吾獻其西河地于秦……徒紅切四十五

仝 古文出道書　童……

「德紅切」是「東」小韻的標音反切，「十七」是指這一個同音小韻共有十七個字。「○」後的「同」與「東」是兩個小韻。

《廣韻》二○六韻原則上是四聲相承，即平、上、去、入四個聲調互相配合的。根據研究，在《切韻》音系中，入聲韻只與陽聲韻相承，陰聲韻則沒有相承的入聲。

《廣韻》是一部兼有訓詁內容的韻書，通過它不但可以了解中古時期的語音系統及其有關問題，還能查到訓釋，所以它又是一部按韻編排的字典。

㈡《廣韻》的聲母

唐人所擬就的三十六字母能不能代表《廣韻》的聲母系統呢？回答是否定的。現代《廣韻》學研究證明，它的聲母系統與三十六字母有許多參差，所以我們不能簡單地把三十六字母看作是《廣韻》的聲母系統。若想了解《廣韻》的聲母系統，需要分析它的「聲類」。

1.《廣韻》的聲類

所謂「聲類」，是指韻書反切上字的類別。

《廣韻》的科學、嚴密性表現在它的反切上。我國清代的學者陳澧首先提出了分析反切的方法。他在《切韻考》「條例」中說：「切語上字與所切字爲雙聲，則切語上字『同用者』、『互用者』、

『遞用者』聲必同類也」。他還說：「《廣韻》同音之字不分兩切語，此必陸氏舊例也。其兩切語下字同類者，則上字必不同類」。陳澧使用上述方法，再輔以補充條例，「校定《廣韻》切語，粗得陸氏體例，總而核之，切語上字凡四五二字，每字又取其切語上字，而系聯之，得四十類，此隋以前雙聲之區域也」。關於這 40 類，陳澧並未給定出名稱，他只標出清聲 21 類，濁聲 19 類。後代的學者黃侃、錢玄同將其與三十六字母比較，定名爲：

幫滂並明非敷奉

端透定泥知徹澄娘

精淸從心邪

照穿牀審禪莊初神山

影曉匣于喻（以）

見溪羣疑

來日

陳澧所考訂的四十聲類，有未盡科學的地方，後人陸續對它有所補正。黃侃、錢玄同二人分「明」類爲「明」、「微」二類，計得四十一聲類。高本漢求得四十七類。白滌洲使用數字統計法，考求《廣韻》爲四十七聲類。以後更有人提出分五十一、五十九類的。我們採用了四十七聲類的結論。

2.《廣韻》的聲母

聲類包括了聲母和韻母結合的關係，如果除去這種關係，就可以通過聲類，求得《廣韻》的聲母系統。經過考察，《廣韻》的聲母應該是：

幫滂並明

端透定泥

知徹澄

精清從心邪

莊初崇生

章昌船書禪

見溪羣疑

影曉匣〔于〕喻〔以〕

來日

這35個聲母和唐人三十六字母及四十七聲類的關係，可列成下表：

		三十六字母	《廣韻》三十五聲母	聲　類
舌音	舌頭	端透定泥	端透定泥	都他徒奴
	舌上	知徹澄娘	知徹澄	陟丑直女
齒音	齒頭	精清從心邪	精清從心邪	作倉昨蘇徐
	正齒	照穿牀審禪	莊初崇生 章昌船書禪	側初士山 之昌神書市
牙音		見溪羣疑	見溪羣疑	古苦　五 居去渠魚
喉音		影曉匣喻	影曉匣喻	烏呼胡 於許于以
雙脣		幫滂並明 非敷奉微	幫滂並明	博普薄莫 必披皮彌
半舌半齒		來日	來日	盧 力　而

3.《廣韻》聲母與普通話聲母比較

用《廣韻》的三十五聲母和現代普通話聲母比較，我們可以看出下面幾個特點：

第一，從發音部位角度看，中古的全濁聲母發展到現代普通話全部變成清聲母。其變化規律是：

塞音、塞擦音的全濁聲母全部轉變爲同一發音部位的全淸聲母或次淸聲母。其轉化條件是音節的聲調：平聲的全濁聲母轉爲同部位的次淸聲母，仄聲的轉爲同部位的全淸聲母：

並 { 平聲→滂〔p'〕龐、朋
　 { 仄聲→幫〔p〕棒、笨

定 { 平聲→透〔t'〕田、談
　 { 仄聲→端〔t〕電、誕

羣 { 平聲→溪〔k'〕或〔tɕ'〕逵、黔
　 { 仄聲→見〔k〕或〔tɕ〕跪、巨

澄 { 平聲→徹〔tʂ'〕除、錘
　 { 仄聲→知〔tʂ〕著、縋

從 { 平聲→淸〔ts'〕或〔tɕ'〕慈、全
　 { 仄聲→精〔ts〕或〔tɕ〕字、賤

崇 { 平聲→初〔ts'〕鋤、潺
　 { 仄聲→莊〔ts〕助、撰

船 { 平聲→昌〔tʂ'〕臣、脣
　 { 仄聲→書〔ʂ〕順、示

擦聲的全濁聲母，轉化爲同部位的全淸聲母：

邪→心〔s〕或〔ɕ〕隨、續

匣→曉〔x〕或〔ɕ〕胡、項

禪→書〔ʂ〕順、睡

　→昌〔tʂ'〕仇、純

第二，從發音部位角度看，中古的脣音只有重脣（雙脣）一類，現代普通話分爲雙脣、脣齒音兩類：

中古：	幫		滂		並			明	
現代：	幫	非	滂	敷	幫、	滂	奉	明	微
	〔p〕	〔f〕	〔p'〕	〔f〕	〔p〕	〔p'〕	〔f〕	〔m〕	〔o〕

其次，從《廣韻》的牙音（包括曉、匣）和齒頭音中共同分化出普通話的 tɕ、tɕ'、ɕ 聲母，其具體分化情況是：

精——和洪音結合：〔ts〕
精、見——和細音結合：〔tɕ〕
見——和洪音結合：〔k〕

清——和洪音結合：〔ts'〕
清、溪——和細音結合：〔tɕ'〕
溪——和洪音結合：〔k'〕

從→精、清

羣→見、溪

心——和洪音結合：〔s〕
心、曉——和細音結合：〔ɕ〕
曉——和洪音結合：〔x〕

邪→心

匣→曉

如：精母＋əŋ（洪音）→tsəŋ 增繒
精母＋iaŋ（細音）→tɕaŋ 將獎
清母＋əŋ（洪音）→ts'əŋ 曾噌
清母＋iaŋ（細音）→tɕ'iaŋ 槍搶
見母＋əŋ（洪音）→kəŋ 更耿
見母＋iaŋ（細音）→tɕ'iaŋ 講疆
溪母＋əŋ（洪音）→k'əŋ 坑鏗
溪母＋iaŋ（細音）→tɕ'iaŋ 腔羌
心母＋əŋ（洪音）→səŋ 僧

心母＋iaŋ（細音）→xiaŋ 相想

曉母＋əŋ（洪音）→xəŋ 亨恆

曉母＋iaŋ（細音）→xiaŋ 向想

其餘如從、羣、邪、匣等全濁聲母的變化已在前文講過，只要按規律轉入相應的全清、次清聲母中，然後再按這裡所講的規律變化就可以了。

第三，普通話中的捲舌聲母大量出現。在《廣韻》音系中，一般都認爲不存在捲舌聲母。《廣韻》中的知組、莊組、章組和日母字到現代普通話裡大部分變成捲舌聲母。如：

珍〔知〕重〔澄〕　眞〔章〕實〔船〕

爭〔莊〕讒〔崇〕　柔〔日〕軟〔日〕

第四，普通話中零聲母增多。在《廣韻》音系中可以認爲是零聲母的，只有影母字，現代普通話中，古微、疑、喻等聲母字也變成零聲母字（疑母有少數例外）。如：

惡〔影〕　巫〔微〕　吳〔疑〕　旺〔喻〕

縈〔影〕　亡〔微〕　銀〔疑〕　寅〔喻〕

「疑」母發展到現代普通話後，少部分變成 n 聲母，如：

牛擬倪逆凝

(三)《廣韻》的韻母系統

《廣韻》的 206 韻所反映的語音現象比較複雜，這些韻除了區分四聲這一點比較集中外，有些韻的區分只在於開、合口（如魂、痕之類），有的只在於區分「等」的差別（如蕭肴之類），所以這二〇六韻並不處於同一等級範疇之內。因此，《廣韻》206 韻並不就是它的韻母系統。而要了解《廣韻》的韻母系統，必須先從了解它的「韻類」開始。

1.《廣韻》的韻類

所謂「韻類」，是韻書中反切下字的類別。考察《廣韻》的韻類需從考察反切下字入手。陳澧分析《廣韻》反切的原則是：「切語下字與所切字爲疊韻，則切語下字同用者、互用者、遞用者，韻必同類也。……廣韻同音之字不分兩切語，此必陸氏舊例也。其兩切語下字同類者，則上字必不同類……上字同類者，下字必不同類。」陳澧使用上述條例，再加上若干補充條例分析《廣韻》一千二百多個反切，共得311類，其中有的韻只有一類，有的有兩類、三類，乃至四類。

用陳澧的「系聯法」考查韻類還有一些問題，由於個別條例制定得不甚合理，貫徹這些原則時，又不很一致，再加上其他原因（如重紐），人們對《廣韻》韻類的考查、分類就存在著一些分歧。黃侃分339類，黃淬伯分335類，李榮《切韻音系》分334類，高本漢分290類。我們這裡採用293類的結論，其中平聲83類，上聲76類，去聲83類，入聲51類。詳見附表。

2.《廣韻》的韻母

前面我們已經說過，《廣韻》中的「韻」，情況比較複雜，不能反映韻母的情況。從反切下字的分析中我們發現，反切下字的分類和開、合口、等列等都有關，實際上韻的分類就是韻母。在分析《廣韻》的韻類時，我們發現按照四聲相承的原則，平、上、去、入四個韻的韻類數往往是相同的，只有少數稍有出入。而其中平聲、上聲、去聲中的同一韻類，除去聲調的區別以外，韻頭（如果有韻頭的話）、韻腹、韻尾（如果有韻尾的話）部分是相同的，相應的入聲韻類韻尾有區別。這樣我們可以歸納出《廣韻》293韻類中計有韻母142個，其中平、上、去三聲共91個韻母，入聲51個韻母（見《廣韻韻類暨反切下字表》）。

爲了分析《廣韻》等韻書的韻母系統，宋元時期興起了「等韻學」。它就是分析韻書中的反切，即聲、韻、調配合關係的專門學問。我國傳統等韻學著作常用圖表的形式分列反切中的聲、韻、調三要素，從中體現三者的配合關係。因爲這一部分比較艱澀，寫起來頗費篇幅，這裡就從略了。

3.《廣韻》韻母與普通話韻母比較

比較《廣韻》的韻母和現代普通話的韻母，最大的特點是韻母趨於簡化：《廣韻》有 142 個韻母，而現代普通話只有 37 個。韻母大量的合併體現在：入聲韻的消失；臨近韻母的歸併；閉口韻尾的消失。

(1)入聲韻的消失

《廣韻》51 個入聲韻母到現代普通話中完全消失，它們在中古時期的〔−p〕、〔−t〕、〔−k〕韻尾，不復存在，一律變爲陰聲韻。如：

《廣韻》韻母		普通話韻母
屋〔uk〕		
〔ǐuk〕	→	〔u〕
答〔ɐp〕	→	〔a〕
結〔iet〕	→	〔ie〕

(2)臨近的元音合併

《廣韻》中有的韻母的區分是由於「等」的不同，而這些差別有的是體現在主要元音的細微差異上。如：

《廣韻》韻母		現代普通話韻母
豪〔ɑu〕	→	〔au〕
宵〔ǐɛu〕	→	〔iau〕
蕭〔ǐeu〕	→	〔iau〕

(3)閉口韻尾消失

《廣韻》中的侵……凡九個平聲韻及其相承的上、去聲韻的韻尾是〔−m〕，現在全部變成〔−n〕：

《廣韻韻母》		普通話韻母
侵〔əm〕	→	〔ən〕
針〔əm〕	→	〔ən〕

這樣也使韻母趨於簡化。

(四)《廣韻》的四聲

《廣韻》明確標誌著平、上、去、入四個調類。

和現代普通話「四聲」比較，兩者的區別是：

《廣韻》四聲：平、上、去、入。

普通話四聲：陰平、陽平、上、去。

比較它們的變化，我們發現：

1. 平聲分陰平、陽平

《廣韻》的平聲，發展到現代普通話分化爲陰平、陽平。這種分化的條件是聲母的清濁：

清聲母（包括次清）變成現代的陰平聲：

幫→〔paŋ^{1}〕　　奔〔幫〕→〔pən^{1}〕

滂→〔p‘aŋ^{1}〕　　胚〔滂〕→〔p‘əi^{1}〕

濁聲母（包括次濁）變成現代的陽平聲。如：

旁〔並〕→〔p'aŋ²〕　　　還〔匣〕→〔xuan²〕

忙〔明〕→〔maŋ²〕　　　婪〔來〕→〔lan²〕

2. 全濁上聲變去聲

全濁聲母的上聲字到現代普通話中變成去聲。如：

禍〔匣母果韻〕→〔xuo⁴〕

巨〔羣母語韻〕→〔tɕy⁴〕

罪〔從母賄韻〕→〔tsuəi⁴〕

跪〔羣母紙韻〕→〔kuəi⁴〕

3. 入聲派入陰平、陽平、上聲、去聲

《廣韻》入聲字到現代普通話全部消失，分別派入普通話中的陰平、陽平、上聲、去聲，這種派入當初本有著嚴整的規律的，但是到現代卻有一部分沒有嚴整的規律了。具體地說是：

A　全濁聲母的入聲，派入普通話的陽平：

白〔並母陌韻〕　　　逐〔澄母屋韻〕

蝶〔定母帖韻〕　　　俗〔邪母燭韻〕

B　次濁聲母的入聲，派入普通話的去聲：

六〔來母屋韻〕　　　肉〔日母屋韻〕

藥〔喻母藥韻〕　　　麥〔明母麥韻〕

淸聲母入聲和現代普通話無明顯的對應規律。如：

積〔精母昔韻〕→tɕi¹

吉〔見母質韻〕→tɕi²

戟〔見母陌韻〕→tɕi³

迹〔精母昔韻〕→tɕi⁴

這就給普通話區的人掌握《廣韻》音系的入聲字帶來一定的困

難。人們曾想出一些補救的辦法，但這些辦法只是幫助記憶，卻不能代替記憶。

(五)《廣韻》聲類暨反切上字表

見　古$_{136}$公$_{3}$過$_{1}$各$_{1}$格$_{1}$兼$_{1}$姑$_{1}$佳$_{1}$詭$_{1}$

　　居$_{79}$舉$_{7}$九$_{6}$俱$_{4}$紀$_{3}$几$_{2}$規$_{1}$吉$_{1}$

溪　苦$_{86}$口$_{13}$康$_{4}$枯$_{3}$空$_{2}$恪$_{2}$牽$_{1}$謙$_{1}$楷$_{1}$客$_{1}$

　　去$_{42}$丘$_{37}$區$_{4}$墟$_{3}$起$_{3}$驅$_{2}$羌$_{2}$綺$_{2}$欽$_{1}$傾$_{1}$窺$_{1}$詰$_{1}$祛$_{1}$豈$_{1}$曲$_{1}$

羣　渠$_{36}$其$_{25}$巨$_{24}$求$_{7}$奇$_{2}$暨$_{2}$臼$_{1}$衢$_{1}$强$_{1}$具$_{1}$

疑　五$_{80}$吾$_{5}$研$_{2}$俄$_{1}$

　　魚$_{40}$語$_{14}$牛$_{10}$宜$_{4}$虞$_{2}$疑$_{1}$擬$_{1}$愚$_{1}$遇$_{1}$危$_{1}$玉$_{1}$

曉　呼$_{70}$火$_{16}$荒$_{4}$虎$_{4}$海$_{1}$呵$_{1}$馨$_{1}$花$_{1}$

　　許$_{70}$虛$_{16}$香$_{9}$況$_{7}$興$_{2}$休$_{2}$喜$_{2}$朽$_{1}$羲$_{1}$

匣　胡$_{91}$戶$_{32}$下$_{14}$侯$_{6}$何$_{2}$黃$_{2}$乎$_{1}$護$_{1}$懷$_{1}$

(**喻**$_{\text{三}}$)于$_{20}$王$_{6}$雨$_{4}$為$_{3}$羽$_{3}$云$_{2}$永$_{1}$有$_{1}$筠$_{1}$遠$_{1}$韋$_{1}$榮$_{1}$洧$_{1}$

影　烏$_{82}$伊$_{3}$一$_{3}$安$_{3}$煙$_{1}$鷖$_{1}$挹$_{1}$愛$_{1}$哀$_{1}$握$_{1}$

　　於$_{109}$乙$_{8}$衣$_{3}$央$_{2}$紆$_{2}$憶$_{1}$依$_{1}$憂$_{1}$謁$_{1}$委$_{1}$

喻$_{\text{四}}$　以$_{24}$羊$_{14}$余$_{12}$餘$_{8}$與$_{7}$弋$_{3}$夷$_{2}$予$_{1}$翼$_{1}$營$_{1}$移$_{1}$悅$_{1}$

知　陟$_{41}$竹$_{13}$知$_{9}$張$_{8}$中$_{2}$豬$_{1}$徵$_{1}$追$_{1}$卓$_{1}$珍$_{1}$

徹　丑$_{67}$敕$_{9}$恥$_{1}$癡$_{1}$楮$_{1}$褚$_{1}$抽$_{1}$

澄　直$_{55}$除$_{7}$丈$_{5}$宅$_{4}$持$_{3}$柱$_{2}$池$_{1}$遲$_{1}$治$_{1}$場$_{1}$佇$_{1}$馳$_{1}$墜$_{1}$

照$_{\text{二}}$　側$_{36}$莊$_{7}$阻$_{6}$鄒$_{1}$簪$_{1}$仄$_{1}$爭$_{1}$

照$_{\text{三}}$　之$_{29}$職$_{12}$章$_{12}$諸$_{7}$旨$_{4}$止$_{3}$脂$_{1}$征$_{1}$正$_{1}$占$_{1}$支$_{1}$煮$_{1}$

穿$_{\text{二}}$　初$_{26}$楚$_{23}$測$_{3}$叉$_{3}$芻$_{1}$廁$_{1}$創$_{1}$瘡$_{1}$

穿$_{\text{三}}$　昌$_{30}$尺$_{15}$充$_{7}$赤$_{3}$處$_{3}$叱$_{2}$春$_{1}$姝$_{1}$

牀$_{\text{二}}$　士$_{35}$仕$_{9}$鋤$_{8}$鉏$_{3}$牀$_{3}$查$_{2}$雛$_{2}$助$_{1}$豺$_{1}$崇$_{1}$崱$_{1}$俟$_{1}$

牀$_{\text{三}}$　神$_{6}$食$_{11}$實$_{1}$乘$_{1}$示$_{1}$

審二　山$_{15}$所$_{44}$疎$_{6}$色$_{5}$數$_{3}$砂$_{2}$沙、疏$_{1}$生$_{1}$史$_{1}$

審三　書$_{10}$式$_{23}$失$_{6}$舒$_{6}$施$_{3}$傷$_{2}$識$_{2}$賞$_{2}$詩$_{2}$始$_{1}$試$_{1}$矢$_{1}$釋$_{1}$商$_{1}$

禪　市$_{11}$是$_{6}$時$_{15}$常$_{11}$承$_{5}$視$_{3}$署$_{2}$氏$_{1}$上$_{1}$殊$_{1}$寔$_{1}$臣$_{1}$殖$_{1}$植$_{1}$嘗$_{1}$
蜀$_{1}$成$_{1}$

日　而$_{23}$如$_{17}$人$_{16}$汝$_{4}$仍$_{1}$兒$_{1}$耳$_{1}$儒$_{1}$

泥　奴$_{54}$乃$_{16}$那$_{3}$諾$_{2}$內$_{2}$妳$_{1}$
尼$_{9}$拏$_{1}$穠$_{1}$女$_{35}$

來　盧$_{29}$郎$_{16}$落$_{11}$魯$_{9}$來$_{3}$洛$_{2}$勒$_{2}$賴$_{1}$練$_{1}$
力$_{57}$良$_{13}$呂$_{7}$里$_{2}$林$_{1}$離$_{1}$連$_{1}$縷$_{1}$

端　都$_{37}$丁$_{23}$多$_{11}$當$_{9}$得$_{2}$德$_{1}$冬$_{1}$

透　他$_{54}$吐$_{10}$土$_{8}$託$_{2}$湯$_{2}$天$_{1}$通$_{1}$台$_{1}$

定　徒$_{64}$杜$_{3}$特$_{2}$度$_{2}$唐$_{2}$同$_{1}$陀$_{1}$堂$_{1}$田$_{1}$地$_{1}$

精　子$_{62}$即$_{16}$作$_{14}$則$_{11}$將$_{7}$祖$_{5}$臧$_{4}$資$_{3}$姊$_{3}$遵$_{2}$茲$_{2}$借$_{1}$醉$_{1}$

清　七$_{61}$倉$_{24}$千$_{11}$此$_{4}$親$_{2}$采$_{2}$蒼$_{2}$麤$_{2}$麁$_{1}$青$_{1}$醋$_{1}$遷$_{1}$取$_{1}$雌$_{1}$

從　昨$_{28}$徂$_{19}$疾$_{16}$才$_{12}$在$_{10}$慈$_{9}$秦$_{5}$藏$_{4}$自$_{1}$匠$_{1}$漸$_{1}$情$_{1}$前$_{1}$酢$_{1}$

心　蘇$_{41}$息$_{30}$先$_{13}$相$_{11}$私$_{8}$思$_{7}$桑$_{5}$素$_{4}$斯$_{3}$辛$_{1}$司$_{1}$速$_{1}$雖$_{1}$悉$_{1}$寫
$_{1}$胥$_{1}$須$_{1}$

邪　徐$_{11}$似$_{11}$祥$_{4}$辝$_{3}$詳$_{2}$寺$_{1}$辭$_{1}$隨$_{1}$旬$_{1}$夕$_{1}$

幫　博$_{23}$北$_{23}$布$_{9}$補$_{7}$邊$_{2}$伯$_{1}$百$_{1}$巴$_{1}$晡$_{1}$
方$_{32}$甫$_{12}$府$_{11}$必$_{7}$彼$_{6}$卑$_{4}$兵$_{2}$陂$_{2}$並$_{2}$分$_{2}$筆$_{2}$畀$_{1}$鄙$_{1}$封$_{1}$

滂　普$_{38}$匹$_{32}$滂$_{3}$譬$_{1}$
芳$_{15}$敷$_{12}$撫$_{4}$孚$_{4}$披$_{3}$丕$_{1}$妃$_{1}$峯$_{1}$拂$_{1}$

並　蒲$_{29}$薄$_{23}$傍$_{5}$步$_{4}$部$_{2}$白$_{2}$裴$_{1}$捕$_{1}$
符$_{24}$扶$_{13}$房$_{11}$皮$_{7}$毗$_{7}$防$_{4}$平$_{3}$婢$_{1}$便$_{1}$附$_{1}$縛$_{1}$浮$_{1}$馮$_{1}$父$_{1}$
弼$_{1}$苻$_{1}$

明　莫$_{65}$模$_{2}$謨$_{2}$摸$_{1}$慕$_{1}$母$_{1}$
武$_{24}$亡$_{13}$彌$_{11}$無$_{7}$文$_{4}$眉$_{3}$靡$_{2}$明$_{2}$美$_{1}$綿$_{1}$巫$_{1}$望$_{1}$

《廣韻》聲類表

發音方法 新名	發音方法 舊名	發音部位 舊名	發音部位 新名 / 舊名	雙唇	唇齒	舌尖前	舌尖	舌葉	舌面前	舌根	喉
				重唇	輕唇	齒頭	舌頭		舌上	牙	喉
塞音	不帶音	不送氣	全清	博必			都		陟	古居	烏於
塞音	不帶音	送氣	次清	普披			他		丑	苦丘	
塞音	帶音	送氣	全濁	並皮			徒		直	渠	
鼻音	帶音	不送氣	次濁	莫彌			奴女			五魚	
			部位 / 方法					正	齒	喉	
塞擦音	不帶音	不送氣	全清			子		莊	章		
塞擦音	不帶音	送氣	次清			七		初	昌		
塞擦音	帶音	送氣	全濁			疾		崇	船		
擦音	不帶音		清			息		生	書	呼許	
擦音	帶音		濁			徐			禪	胡于	以
			部位 / 方法				半舌		半齒		
邊音			次濁				盧力				
鼻擦音			次濁						而		

《廣韻》韻類暨反切下字表

韻數	韻母數	平上、去擬音	平	反切下字	上	反切下字	去	反切下字	入擬音	入	反切下字
一	1 2	uŋ ǐuŋ	東	紅$_{12}$東$_{2}$公$_{2}$ 弓$_{5}$戎$_{5}$中$_{3}$融宮終隆	董	孔$_{8}$董$_{2}$動$_{2}$揔蠓	送	貢$_{8}$弄$_{5}$送$_{2}$凍 仲$_{7}$鳳$_{3}$衆	uk ǐuk	屋	木$_{8}$谷$_{7}$卜祿 六$_{20}$竹$_{4}$逐福匊匐宿
二	3	uoŋ	冬	冬$_{7}$宗	(腫)	鳩湩	宗	綜$_{2}$宋$_{2}$統	uok	沃	沃$_{9}$毒$_{3}$酷$_{2}$篤
三	4	ǐwoŋ	鍾	容$_{17}$恭$_{3}$封鍾凶庸	腫	隴$_{11}$勇$_{2}$拱$_{2}$踵奉宂悚冢	用	用$_{16}$頌	ǐwok	燭	玉$_{14}$蜀$_{3}$欲$_{2}$足曲祿
四	5	ɔŋ	江	江$_{17}$雙	講	項$_{4}$講$_{2}$㥬	絳	絳$_{7}$降巷	ɔk	覺	角$_{17}$岳覺
五	6	ǐe	支	支$_{9}$移$_{9}$宜$_{6}$羈$_{5}$離$_{3}$奇知	紙	氏$_{1}$綺$_{9}$紙$_{4}$婢$_{3}$倚$_{2}$爾$_{2}$ 此足豸侈俾（被）	寘	義$_{14}$智$_{5}$寄$_{3}$賜$_{3}$豉$_{2}$企			
	7	iwe		爲$_{12}$垂$_{5}$危規隋吹		委$_{10}$婢$_{3}$弭$_{3}$彼$_{2}$累$_{3}$捶$_{3}$ 詭毀髓俾靡		僞$_{9}$恚$_{4}$睡$_{3}$瑞$_{3}$避累			
六	8	i	脂	夷$_{8}$脂$_{6}$尼資飢肌私（之）	旨	几$_{7}$履$_{4}$姊$_{3}$雉視矢	至	利$_{10}$至$_{6}$四$_{3}$冀$_{3}$季$_{3}$二$_{2}$ 器$_{2}$寐悸自			
	9	wi		追$_{9}$悲$_{4}$佳$_{4}$遺眉綏維		軌$_{4}$鄙$_{3}$癸$_{3}$美$_{2}$誄$_{2}$水$_{2}$ 洧壘（累）		類$_{4}$醉$_{3}$位$_{3}$遂$_{3}$愧$_{3}$祕$_{2}$ 媚備萃			

七	10	iə	之	之$_{14}$其$_5$茲$_2$持$_2$而菑	止	里$_{11}$止$_3$紀$_3$士$_2$史$_2$市理已擬	志	吏$_{11}$記$_4$置$_2$志			
八	11 12	ĭəi ĭwəi	微	希$_2$衣$_2$依 非$_5$韋$_2$微歸	尾	豈$_3$稀$_2$ 鬼$_3$偉$_2$尾$_2$匪	未	既$_5$豙 貴$_3$胃$_2$沸$_2$味未畏			
九	13	ĭo	魚	魚$_{12}$居$_7$諸$_2$余$_2$菹	語	呂$_{13}$與$_6$舉$_4$許$_2$巨渚	御	據$_7$倨$_5$恕$_3$御$_2$慮$_2$預$_2$署洳助去			
十	14	ĭu	虞	俱$_8$朱$_8$無$_3$于$_3$輸俞夫逾誅隅芻	麌	矩$_5$庾$_5$主$_4$雨$_3$武$_2$甫羽禹	遇	遇$_{13}$句$_8$戍$_2$注$_2$具			
十一	15	u	模	胡$_9$都$_3$孤$_2$乎吳吾姑烏	姥	古$_{14}$戶魯補杜	暮	故$_{14}$誤祚暮路			
十二	16 17	iei iwei	齊	奚$_7$雞$_4$稽$_3$兮$_3$迷$_2$鷖低 攜$_3$圭$_2$	薺	禮$_{12}$啓$_2$米$_2$弟	霽	計$_{16}$詣$_3$ 惠$_2$桂戾			
十三	18 19	ĭɛi ĭwɛi					祭	例$_9$制$_5$祭$_2$憩$_2$弊袂蔽 芮$_8$銳$_2$歲$_2$衞$_2$稅$_2$			
十四	20 21	ai wai̯					泰	蓋$_{11}$太帶大艾貝 外$_{11}$會$_2$最			
十五	22 23	ai wai	佳	佳$_{11}$膎 蝸$_3$蛙緺	蟹	蟹$_7$買$_4$ 夥$_2$[illegible]	卦	懈$_7$賣$_5$隘 卦$_5$賣			
十六	24 25	ai wɐi	皆	皆$_{14}$諧$_3$ 懷$_5$乖淮	駭	駭$_3$楷	怪	介$_5$拜$_5$界$_2$戒 怪$_6$壞			

十七	26 27	æi wæi					夬	犗$_{5}$喝 夬$_{5}$邁$_{4}$快$_{2}$話			
十八	28	uɐi	灰	回$_{13}$恢$_{3}$杯$_{3}$灰胚	賄	罪$_{10}$猥$_{4}$賄$_{3}$	隊	對$_{8}$內$_{4}$佩$_{2}$妹隊輩繢			
十九	29	ɐi	咍	來$_{9}$哀$_{4}$才$_{3}$開哉	海	亥$_{9}$改$_{6}$宰$_{2}$在乃紿愷	代	代$_{11}$愛$_{2}$溉耐槩			
二十	30 31	ĭɐi ĭwɐi					廢	（肺） 廢$_{2}$肺$_{2}$穢$_{2}$			
二十一	32 33	ĭen ĭwen	眞	鄰$_{11}$巾$_{6}$眞$_{4}$珍$_{3}$人$_{3}$銀賓 （倫$_{2}$）贇筠	軫	忍$_{11}$引$_{2}$軫盡 殞$_{2}$敏	震	刃$_{13}$覲$_{3}$晉$_{2}$遴$_{2}$振印	ĭet ĭwet	質	質$_{7}$吉$_{5}$悉$_{4}$栗$_{4}$乙$_{4}$筆$_{2}$密$_{2}$必$_{2}$畢$_{2}$七一日叱 （律）
二十二	34	ĭuen	諄	倫勻遵逈脣綸旬（巾人）	準	尹$_{6}$隼$_{3}$允$_{2}$賢紖（忍）	稕	閏$_{5}$順峻	iuet	術	聿$_{6}$律$_{6}$卹$_{2}$
二十三	35	ĭuen	臻	臻$_{2}$詵		（謹）			ĭet	櫛	瑟$_{2}$櫛
二十四	36	ĭuən	文	雲$_{3}$分$_{3}$文$_{2}$	吻	粉$_{5}$吻$_{3}$	問	問$_{4}$運$_{4}$	ĭuet	物	勿$_{1}$物$_{2}$弗$_{2}$
二十五	37	ĭən	欣	斤$_{4}$欣	隱	謹$_{5}$隱	焮	靳$_{4}$焮	ĭet	迄	訖$_{2}$迄$_{2}$乞

二十六	38 39	ĭɐn ĭwɐn	元	言$_5$軒 袁$_5$元$_2$煩	阮	偃$_5$幰 遠$_3$阮$_3$晚$_3$	願	建$_3$堰（萬$_2$） 願$_5$萬$_3$販怨	ĭɐt ĭwɐt	月	竭$_2$謁歇訐 月$_5$伐$_3$越厥發
二十七	40	uən	魂	昆$_{10}$渾$_4$尊$_2$奔魂	混	本$_{13}$損$_2$忖袞	慁	困$_{11}$悶寸	uət	沒	沒$_8$骨$_8$忽$_2$勃
二十八	41	ən	痕	痕$_2$根$_2$恩	很	很$_2$懇	恨	恨$_3$	ət	麧	（訖）
二十九	42	ɑn	寒	干$_6$寒$_6$安（官）	旱	旱$_9$但笴	翰	旰$_8$案$_4$贊按旦	ɑt	曷	割$_6$葛$_4$達$_3$曷$_2$
三十	43	uan	桓	官$_{11}$丸$_4$潘端	緩	管伴滿纂緩（旱$_2$但）	換	貫$_5$玩$_4$半$_3$亂$_2$段換喚筭槾	uat	末	括$_9$活$_3$撥$_2$末$_2$栝
三十一	44 45	an wan	刪	姦$_3$顏$_2$ 還$_6$關$_2$班（頑）	潸	（板$_5$）赧 板$_6$綰鯇	諫	晏$_6$諫澗鴈 患$_7$慣	at wat	黠	八$_{10}$黠 滑$_6$拔（八）
三十二	46 47	æn wæn	山	閑$_5$山$_3$間瞷 頑$_5$鰥$_2$	產	限$_6$簡$_3$ （綰）	襇	莧$_{15}$襇 幻$_2$辨	æt wæt	鎋	鎋$_1$轄瞎 刮$_7$頒
三十三	48 49	ien iwen	先	前$_4$賢$_3$年$_2$堅$_2$田$_2$先$_2$顛煙 玄$_5$涓	銑	典$_7$珍$_4$繭峴 泫$_3$畎	霰	甸$_{13}$練$_2$佃電麵 縣$_3$（練）	iet iwet	屑	結$_{17}$屑蔑 訣$_3$穴$_2$

三十四	50 51	ǐɛn ǐwen	仙	連$_{9}$延$_{8}$然$_{3}$乾$_{3}$仙焉 緣$_{14}$員$_{4}$權$_{2}$專園攣川 宣全泉	獮	善$_{7}$演$_{5}$免$_{4}$淺$_{3}$蹇$_{2}$輦$_{2}$ 展辨剪 兗$_{13}$轉$_{2}$緬篆	線	戰$_{5}$箭$_{3}$線$_{2}$肩$_{2}$面$_{2}$扇$_{2}$ 賤碾膳變彥（見） 戀$_{5}$絹$_{5}$眷$_{4}$倦$_{2}$卷$_{2}$掾釧 囀	ǐɛt ǐwɛt	薛	烈$_{22}$薛熱滅別竭 劣$_{8}$悅$_{5}$雪$_{4}$絕$_{3}$爇輟
三十五	52	ieu	蕭	聊$_{3}$堯$_{12}$么$_{6}$彫$_{2}$蕭	篠	了$_{6}$鳥$_{3}$皎$_{2}$晶	嘯	弔嘯叫			
三十六	53	iɛu	宵	遙$_{6}$招$_{4}$嬌$_{4}$昭$_{3}$喬$_{2}$霄$_{2}$ 邀宵消瀌焦刀囂	小	小$_{7}$詔$_{7}$兆$_{2}$夭$_{2}$表$_{2}$少$_{2}$ 矯	笑	照$_{5}$召$_{5}$笑$_{3}$妙$_{2}$肖$_{2}$要少 廟			
三十七	54	au	肴	交$_{16}$肴茅嘲	巧	巧$_{7}$絞$_{4}$爪飽	效	教$_{15}$皃帛稍			
三十八	55	au	豪	刀$_{8}$勞$_{3}$袍$_{2}$毛曹遭牢 褒	皓	皓$_{7}$老$_{5}$浩$_{3}$早抱道	號	到$_{12}$報$_{2}$導耗倒			
三十九	56	a	歌	何$_{11}$俄歌河	哿	可$_{11}$我$_{3}$	箇	箇$_{6}$佐$_{3}$賀個邏			
四十	57 58 59	ua ǐa ǐua	戈	禾$_{10}$（伽$_{5}$）戈$_{5}$波婆 和（迦） 伽迦 韡$_{3}$胣$_{2}$肥	果	果$_{13}$火（可$_{2}$）	過	臥$_{14}$過$_{5}$貨$_{2}$唾（賀）			

四 十 一	60 61 62	a ĭa wa	麻	加$_{14}$牙$_{2}$巴$_{2}$霞 遮$_{4}$邪$_{4}$車嗟奢賒 瓜$_{5}$華$_{2}$花	馬	下$_{14}$雅賈疋 者$_{14}$也$_{3}$野$_{2}$冶姐 瓦$_{6}$寡$_{2}$	禡	駕$_{11}$訝$_{2}$嫁$_{2}$亞$_{2}$罵 夜$_{8}$謝 化$_{4}$吴（霸）			
四 十 二	63 64	ĭaŋ ĭwaŋ	陽	良$_{14}$羊$_{12}$莊$_{2}$章陽張 方$_{4}$王$_{2}$	養	兩$_{4}$丈$_{2}$奬掌養網昉 往$_{4}$	漾	亮$_{12}$讓向樣 放$_{3}$況$_{2}$妄訪	iak iwak	藥	略$_{7}$約$_{5}$灼$_{3}$若$_{2}$勺爵雀 虐 縛$_{6}$钁矍
四 十 三	65 66	aŋ waŋ	唐	郎$_{12}$當$_{12}$岡$_{2}$剛 光$_{5}$旁黃	蕩	朗$_{17}$黨 晃$_{14}$廣	宕	浪$_{16}$宕 曠$_{12}$謗	ak wak	鐸	各$_{14}$落$_{3}$ 郭$_{7}$博（各）
四 十 四	67 68 69 70	aŋ ĭaŋ waŋ ĭwaŋ	庚	庚$_{12}$行（盲） 京$_{3}$卿驚 橫$_{2}$盲$_{2}$ 兵$_{3}$明榮	梗	梗$_{4}$杏$_{2}$冷打 影景（丙） （猛$_{2}$）礦營（幸） 永$_{4}$憬	映	孟$_{8}$更$_{2}$ 敬$_{6}$慶 橫$_{2}$（孟） 病$_{2}$命$_{2}$	ɐk ĭɐk wɐk	陌	格$_{6}$伯$_{5}$陌$_{4}$白$_{3}$ 戟$_{5}$逆劇郤 伯獲虢
四 十 五	71 72	ĭɛŋ wæŋ	耕	耕$_{8}$莖$_{6}$ 萌$_{5}$宏$_{2}$	耿	幸$_{4}$耿	諍	迸$_{4}$諍$_{2}$爭	æk wæk	麥	革$_{9}$核厄摘責 獲$_{5}$麥$_{3}$摑
四 十 六	73 74	ĭɛŋ ĭwɛŋ	清	盈$_{9}$貞$_{3}$成$_{2}$征情并 營$_{3}$傾	靜	郢$_{9}$井$_{3}$整靜 頃穎	勁	正$_{10}$政$_{4}$姓$_{2}$盛鄭令	ĭɛk ĭuɛk	昔	益$_{4}$隻$_{3}$昔$_{2}$石$_{2}$亦$_{2}$積易 迹炙 辟役
四 十 七	75 76	ieŋ iweŋ	青	經$_{6}$丁$_{5}$靈刑 扃螢	迥	挺$_{5}$鼎$_{4}$頂$_{2}$剄醒涬 迥熲	徑	定$_{10}$徑佞	iek iwek	錫	歷$_{11}$擊$_{4}$激$_{2}$狄$_{2}$ 闃狊鶪

四十八	77 78	ĭəŋ	蒸	陵$_{12}$冰$_{2}$兢$_{2}$矜$_{2}$膺蒸乘仍升	拯	拯$_{2}$庱	證	證$_{7}$孕$_{2}$應$_{2}$餕甑	ĭək ĭwək	職	力$_{18}$職$_{3}$側即翼直極（逼）
四十九	79 80	əŋ uəŋ	登	登$_{6}$滕$_{3}$棱增崩朋恆肱$_{2}$弘	等	等$_{3}$肯	嶝	鄧$_{7}$亘$_{3}$隥贈	ək uək	德	則$_{5}$得$_{4}$北$_{4}$德$_{2}$勒墨黑或$_{2}$國
五十	81	ĭəu	尤	鳩$_{11}$求$_{3}$由$_{3}$流$_{4}$尤$_{3}$周$_{2}$秋$_{2}$州浮謀	有	九$_{10}$久$_{8}$有$_{3}$柳$_{3}$酉$_{2}$否婦	有	救$_{15}$祐$_{5}$又呪付僦溜富就			
五十一	82	əu	侯	侯$_{13}$鉤$_{4}$婁	厚	后$_{6}$口$_{6}$厚$_{2}$苟$_{9}$垢$_{2}$斗	候	候$_{10}$奏$_{3}$豆$_{3}$遘$_{2}$漏			
五十二	83	iəu	幽	幽$_{5}$虯$_{3}$彪$_{2}$烋	黝	黝$_{2}$糾	幼	幼$_{2}$謬$_{2}$			
五十三	84	ĭəm	侵	林$_{6}$金$_{4}$身$_{4}$深$_{2}$吟$_{2}$淫$_{2}$心尋今簪任	寢	荏$_{5}$錦$_{5}$甚$_{5}$稔$_{3}$飲$_{3}$枕$_{2}$朕$_{2}$凜痒	沁	禁$_{9}$鴆$_{6}$蔭任譖	ĭəp	緝	入$_{9}$立$_{9}$及$_{4}$戢$_{2}$執$_{2}$急$_{2}$汲汁
五十四	85	ɐm	覃	含$_{13}$南男	感	感$_{13}$禫唵	勘	紺$_{13}$暗	ɐp	合	合$_{11}$答$_{4}$閤沓
五十五	86	am	談	甘$_{7}$三$_{2}$酣$_{2}$談	敢	敢$_{11}$覽$_{2}$	闞	濫$_{6}$瞰蹦暫鏨	ap	盍	盍$_{13}$臘榼雜

五十六	87	ĭɛm	鹽	廉$_{13}$鹽$_{7}$占$_{2}$炎$_{2}$淹	琰	琰$_{6}$冉$_{4}$檢$_{3}$染$_{2}$斂漸奄險儉	豔	豔$_{10}$贍$_{2}$驗$_{2}$窆	ĭɛp	葉	涉$_{7}$輒$_{7}$葉$_{7}$攝接
五十七	88	iem	添	兼$_{8}$甜	忝	忝$_{5}$玷簟	㮇	念$_{16}$店$_{2}$	iep	帖	協$_{5}$頰$_{2}$愜牒
五十八	89	ɐm	咸	咸$_{9}$讒	豏	減$_{5}$斬$_{4}$豏	陷	陷$_{8}$韽賺	ɐp	洽	洽$_{10}$夾$_{2}$図
五十九	90	æm	銜	銜$_{7}$監	檻	檻$_{6}$黤	鑑	鑑$_{5}$懺$_{3}$	ap	狎	甲$_{5}$狎
六十	91	ĭɐm	嚴	嚴$_{3}$醃	儼	广$_{2}$掩	釅	釅（欠$_{2}$）（劍）	ĭɐp	業	業$_{4}$怯$_{2}$劫
六十一	92	ĭwɐm	凡	凡芝	范	犯$_{4}$錽范	梵	劍$_{2}$梵泛欠	iwep	乏	法$_{5}$乏

六、古代注音方法

㈠「反切」出現以前的注音方法

我國古代沒有記音符號，在「反切」出現以前，人們只好用曲折的方法記錄字的讀音。這些方法主要有：

1. 描寫法

就是對所要記的音給以描述。如漢代的何休在給《公羊傳・宣公八年》中的傳文「曷爲或言『而』，或言『乃』？『乃』難乎『而』也」這段文字作注時說：「言『乃』者內而深，言『而』者外而淺。」這裡的「內而深」和「外而淺」就是從聲音上區分「乃」和「而」的不同的。這種描述注音的方法，現在看是十分不科學、不簡便的，但是在沒有科學記音方法之前，這也是一種記音的辦法。

2. 讀若法

這是用同音或音近字注音的方法。又稱「讀如」法。如《說文解字・玉部》：「瑂石之似玉者，从玉眉聲，讀若眉。」「讀若眉」，就是說「瑂」、「眉」聲音十分相近或相同。又如《淮南子・原道訓》：「所謂後者，非謂其底滯而不發，凝結而不流。」高誘注：「底讀如紙……」「讀如紙」，就是說「底」、「紙」聲音十分相近或相同。

3. 直音法

「讀若」、「讀如」不一定完全同音，「直音」則是用一個

同音字記音，所以要完全同音才行。如《史記・高祖本紀》：「高祖常繇咸陽，縱觀，觀秦皇帝，喟然太息曰……」正義：「包愷云：上音館，下音官。」意思是說上文中兩「觀」字，上一個讀與「館」同音，下一個讀與「官」同音。

「直音」比「讀若」、「讀如」有許多優越性，比「描寫法」更不知簡便、準確多少。但是「直音」法也有它不可克服的缺點，有的漢字不一定有與之完全同音的字；也可能同音字之間，被注字是常見的，而注音的字是冷僻字，遇到這種情況，就等於沒注音。加上漢語方音的區別，使「直音」法在許多情況下不能起到很好的記音作用。

4. 直音說明法

這是爲了彌補「直音」法的某些缺陷而設的，是「直音」法的補充記音法。如：《九經字樣》「抽，丑平；買，埋上。」「丑平」就是說「抽」應該作「丑」的平聲；「埋上」就是「買」應讀作「埋」的上聲。

上面這些記音方法，雖然存在許多弊端，但是在當時條件下，確實發揮了記音作用，給人們讀書創造了必要的條件。除此之外，還有一些記音法，有的因爲到現在也沒被人所完全理解（如「急言」、「緩言」之類），有的則沒有解釋的必要。古籍中保留著這些記音方法，我們有必要了解它們。

㈡反切

「反切」是我國古代用兩個漢字相拼讀，給一個漢字注音的方法。「反」、「切」都是兩個字互相輾轉拼讀的意思。

清代的顧炎武在《音論》中說：「反切之名，自南北朝以上皆謂之反，孫愐《唐韻》則謂之切，蓋當時忌說反字。唐玄度《九經字樣・序》云：『避以反言，但紐四聲，定其言旨』，其卷內之字，『蓋』字下云『公害翻』，代『反』以『翻』，『受』字下云『平表紐』，代反以紐。」梁僧寶《切韻求蒙》也說：「反亦作翻，見唐玄度《九經字樣》及郭忠恕《佩觿》；又謂之切，如李善注《文選》。反、切兼稱，孫強增《玉篇》，孫愐訂《唐韻》，皆曰切是也。」所以「反切」大約經歷了「反」、「翻」、「切」、「反切」等幾種叫法。

清代人把「反切」也叫做「切語」。我國古代的典籍卻是從上至下行文，由左往右布篇的，所以「反切」的第一個字叫「反切上字」或「切語上字」（簡稱「切上字」）；第二個字叫「反切下字」或「切語下字」（簡稱「切下字」）。被反切注音的字叫「被切字」。如：

同（被切字） 徒（切上字） 紅（切下字） 切

1. 反切的基本原則

兩個漢字代表兩個音節，它們怎麼能給一個漢字注音呢？這要有一定的原則。關於這個原則，清代的陳澧曾概括爲「切語之法，以二字爲一字之音，上字與所切字雙聲，下字與所切字疊韻，上字定其清濁，下字定其平上去入」（《切韻考・序錄》）。黃侃在其《音略》中說：「反切之理，上一字定其聲理，不論其何韻；下一字定其韻律，不論其爲何聲。質言之，即上字只取發聲，去其收韻；下字只取收韻，去其發聲。」簡言之，反切的基本原則就是反切上字取其聲母，反切下字取其韻母和聲調，二者拼讀。如：

都 當 孤切

t[aŋ] + [k]u1 →tu1

相 息 亮切

ɕ[i] + [i]iaŋ4 →ɕiaŋ4

「反切」拼音方法是一種聲、韻拼讀法，反切上字是代表聲母的，所以只能取上字的聲母，反切下字是代表韻母和聲調的，所以只能取下字的韻母和聲調，然後拼讀。所以，它是雙拼法。反切總要用兩個漢字（反切上、下字）才能拼讀出一個音節，這一點是固定不變的。正因爲這樣，即使是「零聲母」字，也要有一個反切上字。如：

烏 哀 都切

o[ai] + [t]u1 →ou1

有 云 久切

o[yən] + [tɕ]iou3 →oiou3

2. 反切的改進

人們在使用反切的時候發現，如果在制定反切時，讓反切上字不但與被切字雙聲，而且還同「呼」，那麼拼讀起來就順暢多了。如：

田　　聊　　切

tian^2　liao^2→tiao^2（條）

息　　廉　　切

ɕi　lian^2→ɕian^2（孅）

《集韻》的作者已經注意到這個切上字與被切字同「呼」的問題，因此對《廣韻》切語作了大規模的改造。

田《廣韻》徒年切《集韻》亭年切
諧《廣韻》戶皆切《集韻》雄皆切
格《廣韻》古伯切《集韻》各頟切
敲《廣韻》口交切《集韻》丘交切

兩相比較，《集韻》反切的優點是明顯的。在《集韻》改造了的反切基礎上，人們又發現，切上字如果和被切字不但同呼，而且是個陰聲韻的開韻尾字，切下字是個〇聲母字，那樣拼讀時，只要將兩個字很快連讀起來，就可以讀出被切字的讀音。如：

干《音韻闡微》歌安切
壇《音韻闡微》駝寒切
團《音韻闡微》徒丸切
蕭《音韻闡微》西腰切
牽《音韻闡微》欺煙切
乾《音韻闡微》奇延切

清代李光地的《音韻闡微》正是從這一原則出發改造舊反切

的，用他自己的話說，就是採用「能生本音」的字作切上字，「能收本韻」的字作切下字，這樣只要把反切上、下字連讀，就可以讀出新的音節來了。

李光地還大大精簡了反切用字的數量，「凡字之同母者，其韻部雖異而呼法開合相同，則翻切但換下一字而上一字不換……凡字之同韻者，其字母雖異而平仄清濁相同，則翻切但換上一字而下一字不換。」如：

公姑翁切　　關姑彎切
歸姑威切　　光姑汪切

公、關、歸、光諸字聲母相同，又都是同「呼」，所以切上字索性用一個「姑」字。

堅基煙切　　牽欺煙切
天梯煙切　　邊卑煙切

堅、牽、天、邊同韻、同等呼，聲調相同，所以切下字同用一個「煙」字。

李光地對反切的改良，使反切達到了十分高級的程度，拼讀起來不但比宋代以前的古反切容易，比清代以前的反切也順暢多了。

但是漢字注音的固有弱點使反切不論怎樣改良，也不能達到得心應手、準確記音的程度，這主要表現在：

(1)由於語言的變化，使一些原來同音的字，變得不同音了，使一些原來不同音的字，後來變得同音了，這給後人通過反切了解字音帶來了困難。如：

即略切→雀　　　方向切→奮

胡覺切→學　　　房吻切→憤

⑵連讀合聲的拼讀是以切上字的開韻尾，又與被切字同呼，切下字的零聲母爲條件的。這些字是很有限的，不可能完全滿足反切上、下字的需要，在不得已的情況下，《音韻闡微》的作者不得不採用通變的方法完成注音任務。如：

蓬蒲紅切　　　洪胡籠切

紅、籠都是有輔音聲母的字，這是不得已而爲之。

⑶漢字記音不能完全迴避以難注易的問題。同韻、同聲的字總是有限的，完全做到用常用的易認字注不常用的冷僻字是不可能的。如：

存徂魂切　　　人日寅切

一衣悉切　　　太鐸艾切

這些問題是用漢字注音不可避免的矛盾，是把表音節的字當作音素使用不可避免的矛盾。聲、韻拼讀原則不可能完全滿足漢字注音的需要，要解決這個矛盾，只有用音素符號去代替漢語的音節符號（字）才行。

3. 反切拼讀的變例

在編制反切的當時，人們確實是遵循著「上字與所切之字雙聲，下字與所切之字疊韻，上字定其清濁，下字定其平、上、去、入」的原則。但是，由於語音的演變，無論在聲母、韻母（包括「呼」），還是在聲調上，都有各種不同的變化。在這種情況下，我們今天再簡單地按照上字取聲，下字取韻和聲調的原則去讀反切，在多數情況下，就不可能讀出正確的讀音來。若想讀出正確的讀音，除了要遵循上述反切拼讀的基本原則以外，還必須遵循古今語言演變規律，只有把這兩者結合起來，才能正確拼讀古書中的反切。

前面我們已經談過《廣韻》音系與現代普通話的差別，並介紹了它們的發展變化關係，這對我們今天認識反切是有益的。根據語音演變規律，我們可以大致總結下列幾種主要拼讀原則，作爲拼讀反切時的補充規則：

(1)確定古全濁聲母今天送氣與否，要以切下字的平、仄爲根據：平聲變爲同部位的送氣清音，仄聲變爲同部位的不送氣淸音。如：

渠記切→忌

「渠」是羣母字，「記」是仄聲，所以被切字應是：

tɕ‘$\boxed{\text{y}}$ + $\boxed{\text{tɕ}}$i^{4}→tɕi^{4}

徒故切→度

「徒」是定母字，「故」是仄聲，所以被切字是：

t$\boxed{\text{u}}$ + $\boxed{\text{k}}$u^{4}→tu^{4}

部迷切→鼙

「部」是並母字，「迷」爲平聲，所以被切字是：

p‘$\boxed{\text{u}}$ + $\boxed{\text{m}}$i^{2}→p‘i^{2}

巨員切→權

「巨」是羣母字，「員」是平聲，所以被切字應是：

tɕ‘$\boxed{\text{y}}$ + $\boxed{\text{o}}$yan^{2}→tɕ‘yan^{2}

(2)古平聲聲調今分爲陰平、陽平：清聲母的平聲字今讀爲陰平；濁聲母的平聲字今讀爲陽平。如：

苦寒切→刊

「苦」是溪母字，爲清聲母，「寒」是平聲，所以被切字應是：

k‘ [u] + [x] an→k‘an[1]

息林切→心

「息」是心母字，是清聲母，「林」是平聲，所以被切字應是：

ɕ [i] + [l] iən→ɕiən[1]

徒干切→壇

「徒」是定母字，爲濁聲母，「干」爲平聲，所以被切字應是：

t‘ [u] + [k] an→t‘an[2]

力居切→閭

「力」是來母字，是濁聲母，「居」爲平聲，所以被切字應是：

l [i] + [tɕ] y→ly[2]

(3)見、溪、羣、曉、匣細字作反切上字，被切字的聲母由切下字的洪、細決定：切下字是洪音的，分別發 k、k‘、x，切下字是細音的，分別發 tɕ、tɕ‘、ɕ。如：

居追切→龜

「居」是見母字，「追」是洪音，被切字應是：

k＋uəi[1]→kuəi[1]

求位切→匱

「求」是羣母字，「位」是洪音仄聲字，被切字應是：

k‘＋uəi⁴→k‘uəi⁴

丘愧切→喟

「丘」是溪母字，「愧」是洪音，被切字應是：

k‘＋uəi⁴→k‘uəi⁴

許歸切→輝

「許」是曉母字，「歸」是洪音，被切字應是：

x＋uəi¹→xuəi¹

下紺切→憾

「下」是匣母字，「紺」爲洪音仄聲字，被切字應是：

x＋an⁴→xan⁴

古銜切→監

「古」是見母字，「銜」是細音平聲，被切字應是：

tɕ＋ian→tɕian¹

口交切→敲

「口」是溪母字，「交」是細音平聲，被切字是：

tɕ‘，＋iao→tɕ‘iao

巨淹切→黔

「巨」是羣母字，「淹」是平聲細音，被切字應是：

tɕ‘＋ian→tɕ‘ian²

戶監切→銜

「戶」是匣母字，「監」是細音平聲，被切字應是：

ɕ＋ian→ɕian²

呼典切→顯

「呼」是曉母字，「典」是細音，被切字應是：

ɕ＋ian³→ɕian³

⑷精、淸、從、心、邪紐字作切上字，被切字的聲母由切下字的洪、細決定：切下字如果是洪音，被切字的聲母則分別爲 ts、ts‘、s；切下字如果是細音，被切字的聲母則分別是 tɕ、tɕ‘、ɕ。如：

則古切→祖

「則」是精母字，「古」是洪音，被切字是：

ts＋u³→tsu³

借官切→鑽

「借」是精母字，「官」是洪音，被切字是：

ts＋uan¹→tsuan¹

此尊切→村

「此」是淸母字，「尊」是洪音，被切字是：

ts‘＋uən¹→ts‘uən¹

千剛切→倉

「千」是淸母字，「剛」是洪音，被切字是：

ts‘＋aŋ‘→ts‘aŋ¹

蘇貫切→算

「蘇」是心母字，「貫」是洪音，被切字是：

s＋uan^{4}→suan^{4}

息郎切→桑

「息」是心母字，「郎」是洪音，所以被切字是：

s＋an→san^{1}

徂紅切→叢

「徂」是從母字，「紅」是洪音平聲，被切字是：

ts‘＋uŋ→ts‘uŋ^{2}

昨甘切→蠶

「昨」是從母字，「甘」是洪音平聲，被切字是：

ts‘＋an→ts‘an^{2}

子仙切→煎

「子」是精母字，切下字「仙」是細音，被切字是：

tɕ＋ian→tɕian^{1}

即兩切→獎

「即」是精母字，「兩」是細音，被切字是：

tɕ＋iaŋ^{3}→tɕiaŋ^{3}

七林切→侵

「七」是淸母字，「林」是細音，被切字是：

tɕ‘＋iən→tɕ‘iən^{1}

蒼先切→千

「蒼」是淸母字，「先」是細音，被切字是：

tɕ‘＋ian→tɕ‘ian^{1}

許斤切→欣

「許」是心母字，「斤」是細音，被切字是：

ɕ＋iən→ɕiən^{1}

司夜切→卸

「司」是心母字，「夜」是細音，被切字是：

ɕ＋ie^{4}→ɕie^{4}

昨先切→前

「昨」是從母字，「先」是細音平聲，被切字是：

tɕ‘＋ian→tɕ‘ian^{2}

慈夜切→藉

「慈」是從母字，「夜」是細音仄聲，被切字是：

tɕ＋iə^{4}→tɕiə^{4}

似由切→囚

「似」是邪母字，「由」是細音平聲，被切字是：

tɕ‘＋iou→tɕiou^{2}

辭夜切→謝

「辭」是邪母字，「夜」是細音仄聲，被切字是：

ɕ＋iə^{4}→ɕiə^{4}

(5)「微」紐字為反切上字，不論切下字是什麼等呼，被切字一律為合口：

無沸切→未

「無」是微母字，「沸」是開口去聲，被切字是：

○＋əi⁴→uəi⁴

亡遇切→務

「亡」是微母字，「遇」是撮口去聲，被切字是：

○＋y⁴→u⁴

(6)切上字今是捲舌聲母，切下字如果是齊齒呼，被切字則變為開口呼；切下字如果是撮口呼，被切字則變為合口呼：

直利切→滯

「直」今為捲舌聲母，「利」是齊齒呼，被切字應為：

tʂ＋i⁴→tʂʅ⁴

楚居切→初

「楚」是初母字，今是捲舌聲母，「居」是撮口呼，被切字應為：

tʂʻ＋y→tʂʻu¹

(7)切下字今是捲舌聲母，並且為開口呼的字，被切字變成齊齒呼；如是合口呼字，被切字變成撮口呼：

力至切→利

「至」今是捲舌開口字，「力」是來母字，被切字是：

l＋ʅ→li⁴

以然切→延

「然」今是捲舌開口字，「以」是喻母字，被切字應是：

○＋an→ian^2

舉朱切→拘

「朱」今是捲舌合口字，「舉」是見母字，被切字是：

$tɕ+u^1 \rightarrow tɕy^1$

渠篆切→圈

「渠」是羣母字，「篆」今是捲舌合口仄聲字，被切字是：

$tɕ+uan^4 \rightarrow tɕyan^4$

(8)反切上下字都是唇音，被切字聲母，以切下字的輕重定輕重：

補靡切→彼

「補」是重唇音幫母、「靡」也是重唇音明母，被切字是：

$p+i^3 \rightarrow pi^3$

普班切→攀

「普」是重唇音滂母，「班」是重唇音幫母，被切字是：

$p'+an^1 \rightarrow p'an^1$

薄報切→暴

「薄」是重唇並母，「報」是重唇幫母仄聲字，被切字是：

$p+ao^4 \rightarrow pao^4$

莫袍切→毛

「莫」是重唇明母字，「袍」是重唇並母平聲字，被切字是：

m＋ao→mao^2

方賣切→拜

「方」是輕唇非母，「賣」是重唇明母字，被切字是：

f＋ai^4→pai^4

孚武切→撫

「孚」是輕唇敷母字，「武」是輕唇微母字，被切字是：

f＋u^3→fu^3

扶富切→復

「扶」是輕唇奉母字，「富」是輕唇非母字，被切字是：

f＋u^4→fu^4

無販切→蔓

「無」是輕唇微母字，「販」是輕唇非母字，被切字是：

○＋a^4→uan^4

(9)反切下字是古入聲，切上字爲全濁聲母的，被切字應變爲陽平；切上字爲次濁聲母的，被切字應變爲去聲。

胡葛切→曷

「胡」是匣母字，「葛」爲古入聲，被切字應是：

x＋$ə^4$→$xə^2$

似足切→俗

「似」是邪母字，「足」是入聲燭韻字，被切字應是：

$s + u^4 \rightarrow su^2$

弋雪切→悅

「弋」是喻母字，「雪」是入聲薛韻字，被切字應是：

$○ + yə^4 \rightarrow yə^4$

人質切→日

「人」是日母字，「質」是古入聲，被切字應是：

$z + l^4 \rightarrow zl^4$

⑽切上字是全濁聲母，切下字是上聲的，被切字應爲去聲字。

時掌切→上

「時」是禪母字，「掌」是上聲養韻字，被切字應是：

$ʂ + aŋ^3 \rightarrow ʂaŋ^4$

徒管切→斷

「徒」是定母字，「管」是上聲緩韻字，被切字是：

$d + uan^3 \rightarrow duan^4$

上述反切的拼讀變例，是根據《廣韻》的聲、韻、調系統和現代普通話的聲、韻、調系統對照，據其演變規律歸納、整理的，就其發展規律來說應該包括所有反切。但語音的發展和所有事物發展一樣，既有很强的規律性，又有個別的例外，加上入聲韻的消失、變化比較複雜，使我們今天讀反切時，有時發生例外的情況。但是例外只是極少數，利用我們上面介紹的規則去讀反切，是可以解決絕大部分反切讀音問題的。

七、古書的讀音

㈠詞義與詞的讀音

我國的古代文獻絕大多數是用漢字記錄下來的，今天的讀者在接觸古代文獻時，都是通過漢字去了解文獻的內容。漢字的表義特點給人們造成一種假象，好像只要通過文字符號，就可以了解古代的書面語言，和語音似乎沒有多大的關係。這種認識是十分片面的。

我們所說的古代書面語言，是在先秦、兩漢口語的基礎上形成的，它與古代口語並非毫無聯繫。只是隨著歷史的發展，人們口頭上的語言不斷發展變化，使古代口語和古代書面語出現了越來越大的距離。所以古代書面語言並不是完全與古代口語無關的。任何語言都是有聲語言，作爲以先秦、兩漢的口語爲基礎的古代書面語言，不可能脫離先秦、兩漢的語音而存在。

語音是語言的物質形式，詞義和語音總是緊密地結合在一起的。詞義的變化往往要通過語音的變化表現出來，如《禮記・樂記》：「金石絲竹，樂之器也」句中的「樂」是名詞，讀作 yuè，是「音樂」的意思；而在陶淵明《桃花源記》：「黃髮垂髫，並怡然自樂」中的「樂」是形容詞，讀作 lè，是「快樂」的意思。兩種不同的讀音，表示兩個不同的意義。所以，書面語言即使是在使用表義漢字的情況下，也不能完全脫離語音；了解詞（字）的讀音對準確地理解詞義是密不可分的。

我們重視古文中的讀音問題，並不是提倡讓人們用作者當時的口語語音或先秦古音去讀古代作品，因爲這既沒有必要，也沒有可能。就是在讀古代詩歌這樣音律感極强的作品，我們也主張用現代普通話去讀。我們重視古文的讀音問題，是爲了更好地理解古代詞語的意義。

從詞義與語音關係的角度看古書讀音問題，下面的問題應該注意：

1. 由於「通假」造成的讀音問題

古書中的「通假」現象是常見的。就具體漢字來說，在發生「通假」關係的當時、當地，借、貸雙方應該是聲音相同（或十分接近）的。由於語音的演變，有「通假」關係的借、貸雙方並沒有隨著歷史發生同步變化，原來同音的雙方，變得不同甚至相距甚遠了，結果出現了讀音上的差異。如：

胡騎得（李）廣，廣時傷病，置兩馬間，絡而盛臥廣，行十餘里，廣詳死。（《史記・李將軍列傳》）

孤不度德量力，欲信大義於天下。（《三國志・蜀志・諸葛亮傳》）

爲淵敺魚者，獺也；爲叢敺爵者，鸇也。（《孟子・離婁》）

第一個例句中的「詳」是「佯」的借字；第二個例句中的「信」是「伸」的借字；第三個例句中的「爵」是「雀」的借字。現在看，「詳」和「佯」，「信」和「伸」，「爵」和「雀」都不同音，今天在讀這樣的字時，是按借方的讀音讀，還是按貸方的讀音讀呢？語音是用來表現詞的，字只是記錄語言中詞的符號，當遇到上面所列的「通假」現象時，應從「詞」出發確定讀音，而不應從符號（字）出發確定讀音。從「詞」出發確定讀音，就是要按照構成「通假」關係的借方所寫詞的讀音去讀。所以「廣詳死」中的「詳」，應讀作 yáng（佯），而不應讀作 xiáng；「欲信大義於天下」中的「信」，應讀作 shen（伸），而不應讀作 xìn；「爲叢毆爵」中的「爵」應讀作 què（雀），而不應讀作 jué。否則，就會造成文義的混亂，乃至錯解了文義。

2. 由於「假借」寫詞法造成的讀音問題

漢字的造字基礎是描摩客觀事物，即所謂「畫成其物」。但是有許多抽象的事物卻無法用畫畫的辦法來表現。對這一類詞，人們從聲音的角度給它們尋找符號，這就是許慎所說的「本無其事，依聲托事」的「假借」。如「女」本爲婦女的女，假借爲表示第二人稱代詞；「其」本爲簸箕的箕，借作表示代詞、語氣助詞。

「假借」和「通假」雖然都是字形的借用現象，但是「假借」是本無其字，不借用字形，就無法在書面語言中表示這個詞；而「通假」則是棄本字不用，臨時用一個和它同音或音近的字來替代。

「假借」是以聲音爲條件，用借用同音字的方法寫詞。在借、貸活動發生時，借、貸雙方是同音的，隨著時間變化或其它原因，後來變得不同音了。如：

莫春者，春服既成。（《論語・先進》）

諫而不入，則莫之繼也。（《左傳・宣公二年》）

「莫春」是春天將盡之時，這個意義後來寫作「暮」，晚的意思，讀作 mù。「莫之繼」中的「莫」是沒有誰的意思，讀作 mò。當我們去讀古書的時候，同樣一個「莫」字，由於存在被表示否定的代詞、副詞借用的情況，造成了兩種不同的讀音。這種由於「假借」造成的讀音問題，在古書中也是常見的：

子曰：「由！誨女知之乎！知之爲知之，不知爲不知，是知也。」（《論語・爲政》）

出其東門，有女如雲。（《詩經・鄭風・出其東門》）

「誨女」的「女」指第二人稱代詞，是「你」的意思，讀作 rŭ，「有女如雲」的「女」是名詞，女子、女人的意思，讀作 nǚ。

既見君子，我心寫兮。（《詩經・小雅・蓼蕭》）

書三寫，魚成魯，虛成虎。（《抱朴子・遐覽》）

「我寫兮」的「寫」是宣泄的意思，讀作 xiè；「書三寫」的「寫」，是書寫的意思，讀作 xiě。

士無反北之心。（《戰國策・齊策》）

思念北邊之未安。（《鹽鐵論・利議》）

「反北」的「北」是動詞，背叛的意思，讀作 bèi；「北邊」的

「北」是表示方位的名詞，是表示方向的，讀作 běi。

3. 由於詞義分化創造新詞造成的讀音問題

詞是概念和語音的結合物，詞義是語音表達出的概念。概念的概括性與靈活性決定了詞往往是多義的。在語言交際過程中，由於種種原因和各種各樣的條件，詞義被突出了某個側面，使詞義發生了引申。當詞的各個引申義過分紛繁時，某些使用頻率較高的引申義，就逐步取得獨立性，從而創造出新詞。爲了避免出現同音詞過多，影響語言交際的精密準確，人們常把從引申義獨立出來的新詞的語音在原根詞語音的基礎上作某些變化，以示區別。如「長」，古字作 [illegible]，像一個人長了很長的頭髮，它既有「由短到長」、「由小到大」的長大、生長的意思，又有「距離遠」的意思。後來，人們逐漸認識到長大、生長又和距離遠是有不同的，在具體語言中，總是有所側重的，所以索性把這兩個意義分開各自成詞，爲了便於區分這兩個詞，人們把生長的意思讀作 zhǎng，把距離遠的意思讀作 cháng，在聲母和聲調上略作變化。這種由於詞的分化創造新詞而造成的一個字有幾個讀音的現象，常會給讀書造成一定的障礙，所以古人在閱讀的時候對這種現象格外小心，他們在研究、注釋古書的時候，總要特別標誌清楚。如：《禮記·大學》：「如惡惡臭，如好好色。」陸德明《經典釋文》特別注出「惡惡，上烏路反，下如字。」「好好，上呼報反，下如字。」讀音和意義是一致的，把讀音弄錯往往影響到對意義的正確理解。因爲「字」雖然是一個，它所寫的「詞」卻是兩個，讀錯了音實際上就是認錯了詞。這種用改變字的讀音來區別不同意義的方法，傳統上也叫做「破讀」或「讀破」。一般來說，兩種讀音總是有先有後的，原來的讀音叫「本音」，也叫「如字」，後出現的讀音叫「破讀」或「讀破」。上面所學《經典釋文》的注音，前一個「惡」的「烏路反（wù）」是「破讀」音，後一個「惡」就是「本音」（讀 è），前一個「好」的「呼報反（hào）」是「破讀」音，後一個「好」是「本音」（讀 hǎo）。這種現象在古書是十分常見的：

故百王之法不同。（《荀子・王霸》）

保民而王，莫之能禦也。（《孟子・梁惠王》）

前句中的「王」是名詞，讀作 wáng；後一句中的「王」是動詞，稱王、統治天下的意思，讀作 wàng。

衆叛親離，難以濟矣。（《左傳・隱公四年）

君子以儉德辟難。（《易・否》）

前句中的「難」是形容詞，不容易，艱難的意思，讀作 nán；後句中的「難」是災難，不幸的遭遇的意思，讀作 nàn。

良馬難乘。（《墨子・親士》）

命子封帥車二百乘以伐京。（《左傳・隱公元年》）

前句的「乘」是動詞，驅馬拉車的意思，讀作 chéng；後一句的「乘」是量詞，古代指一車四匹馬，讀作 shèng。

「破讀」和假借關係帶來的不同讀音，雖然都是指一個字寫兩個詞，因而有兩個不同的讀音，但是它們之間有本質的差別：

假借字的借、貸雙方除了聲音相同或相近以外，意義上並沒有聯繫；而「讀破」所表示的意義和「本音」所表示的意義之間有著種種關聯，原因是「讀破」所表示的意義和「本音」所表示的意義，從歷史上看，多數是本義和引申義的關係。

在分化造詞當中，有一些詞不但在聲音上與原根詞有區別，爲了增强書面語的清晰，還在字形上出現變化。如「閒」，《說文》釋作「隙也」，從實際運用中看，它包涵了這樣幾個主要的意思：

一動一靜，天地之閒也。（《禮記・樂記》）

后妃有關雎之德，是幽閒貞專之善女。（《詩經毛傳》）

石碏曰：「遠閒親，新閒舊。」（《左傳・隱公三年》）

這裡邊「天地之閒」中的「閒」是指事、物之間的「隙」，讀作jiān；「幽閒」中的「閒」，是指靜而無所動的意思，這是時間、動作的「隙」，讀作 xián，「遠閒親，新閒舊」中的「閒」，是「使之出隙」的意思，讀作 jiàn。今天的讀者讀古書，就出現了一個「閒」字作三種不同讀音的現象。和前面我們所說的「破讀」不同的是，這種分化造詞的新詞出現之後，其中某些新分化出的詞又另造了相應的新字形：閑、間。這種由於分化造詞引起另造新字的，叫作「分化字」，這種「分化字」從歷史上考察是有先有後的，所以又叫「古今字」。而沒有引起另造新字形的，如「天地之間」和「遠閒親，新閒舊」中的「閒」，則與前面談的「破讀」相同。

「破讀」容易引起閱讀中的誤讀，古書中的「破讀」現象又相當普遍，爲了便於參考，我們把常見的「破讀」和「本音」對比著製成一個表附於文後。

㈡古籍中的特殊讀音

我們主張用現代普通話語音去讀古代典籍。因爲語言是人類社會的交際工具，脫離當代口語語音去擬古，一定不會被人們理解，不能達到交際的目的。

古代典籍中，確有一些詞有特殊的讀音。這些特殊讀音可能保留了這些詞的古代讀法的某些特點，但不就是這些詞的「古音」本身。所以它們只是不同於今音的「特殊讀音」。

這些有特殊讀音的詞，有的已經轉爲現代漢語詞，如「大夫」（dài fū）、「參差」（cēn ci）等，這些詞的讀音雖然不能再說它「特殊」，但也容易造成讀音上的錯誤，所以也要特別注意。至於沒有轉爲現代漢語詞的有特殊讀音的詞，就更要注意才不至違反人們的習慣。

分析流傳至今的特殊讀音，大致有這樣幾種來源，有的反映了古漢語語音的某些特點，如「句讀」讀作 jù dòu，「番禺」讀作 pān yǔ；有的則是用漢語對譯少數民族語的譯音，如「龜茲」讀作 qiū qí，「冒頓」讀作 mò dú；有的也可能保留了某些古代方音，如「麗水」讀作 lǐ shuǐ。這些特殊的讀音通過古書的注釋一代代傳到現在，有一些在人們中間還有一定影響，人們一般還沿襲著傳統的讀音去讀。下面把一些常見的分類介紹於後：

1. 關於人名的

曾參 zēngshēn	孔子弟子
皋陶 gàoyáo	東夷族的首領
逢蒙 pángmén	夏時的神箭手

孟賁 mèngbēn	戰國勇士
審食其 shěnyìjī	劉邦舍人
樊於期 fanwuqī	秦國大將
曹大家 cáodàigū	班固妹名班昭嫁曹世叔為妻
查繼左 zhājìzuǒ	明末舉人
伍員 wūyùn	春秋吳國大夫名子胥。
祭仲 zhàizhòng	春秋鄭國大夫

2. 關於地名的

且蘭 Jūlán	西晋時縣名
臨硎 línkēng	三國時吳國的宮門
烏氏 wūzhī	古縣名
朱提 shúshí	古縣名
并州 bīngzhōu	古九州之一
令居 liánjū	漢代縣名
令狐 línghú	晋地名
會稽 guìjì	山名
句町 qútǐng	古縣名
縣度 xuándù	古山名
昆邪 kūnyé	匈奴部落名
墊江 diéjiāng	古水名
苦縣 gǔxiàn	古縣名
柞水 zhàshuǐ	古縣名
月氏 yuèzhī	唐羈縻都府名
歙州 shèzhōu	唐州名
焉耆 yanpéng	古西域國名
斜水 yéshuǐ	水名，在陝中

卷縣 quánxiàn	縣名，戰國魏邑
番吾 pówǔ	古地名，戰國趙地
番禺 pānyǔ	縣名
龜茲 qiūcí	古西域國名
角里 lùlǐ	古地名，在江蘇吳縣
身毒 yuándú	印度的又一譯法
吐蕃 tǔbó	古國名
無句 wúgōu	古縣名
華不柱 huáfǔzhù	山名

3. 其他名稱

井幹 jǐnghán	井欄圈
長物志 zhàngwùzhì	明代長洲文靄亨著造園文獻
烏號 wūháo	古弓名
古兒汗 gǔerhán	西遼時蒙古族對最高統治者的稱呼
冒頓 mòdú	匈奴對最高統治者的稱呼
反反 fànfàn	愼重的樣子
陶陶 yáoyáo	和樂的樣子
參宿 shenxiù	星宿名
蓑蓑 sāisāi	下垂的樣子
莫邪 mòyé	寶劍名
大蠟 dàzhà	古祭祀名
大腸俞 dàchángshù	穴位名
樊纓 pányìng	馬飾
搶攘 chēngráng	紛亂
扶盧 púlú	古雜技
提提 shíshí	安舒的樣子

沈沈 tántán	深邃的樣子
告朔 gùsù	古天子頒發曆書的儀式
騈枝 piànqí	比喻多餘的東西
幼眇 yàomiào	微妙
雜措 zácì	混雜
機辟 jībì	捕捉鳥獸的機關
火齊 huǒjì	火候
洗馬 xiānmǎ	官職名
趨趨 cùcù	小步急行的樣子
盈縮 yíngsù	增減
竹肉 zhúrù	竹子上生的菌
解庫 jièkù	當鋪
番番 pópó	白髮蒼蒼的樣子
一暴十寒 yípùshíhán	比喻時勤時怠，沒常性。
心廣體胖 xīnguǎngtǐpán	心情舒暢，身體健壯

（閻玉山）

4 語法

一、古代漢語語法舉要

說明：這裡編寫的不是古代漢語的系統語法，只是古今語法有顯著差別的幾個問題。爲便於使用，想使它「一目了然」，我們採取了表解形式。

(一)名詞作狀語

類別		對譯	例句
普通名詞作狀語	表示動作的狀態	「像……似地」或「像……那樣」	猬縮蠖屈，蛇盤龜息，以聽命先生。（馬中錫《中山狼傳》）
	表示對人的態度	「像對待……似地」	楚田仲以俠聞，喜劍，父事朱家。（《史記・游俠列傳》）
	表示動作的憑借、方式	「以……」或「用……」	叩石墾壤，箕畚運於渤海之尾。（《列子・湯問》）
	表示動作的處所	「在……」或「當……」等	夫以秦王之威，而相如廷斥之。（《史記・廉頗藺相如列傳》）
方位名詞作狀語	表示動作的趨向	「向……」或「往……」	江東已定，急引兵西擊秦。（《史記・項羽本紀》）
	表示動作的方位	「在……」或「從……」等	昔繆公求士，西取由余於戎，東得百里奚於宛。（李斯《諫逐客書》）

時間名詞作狀語	「日」作狀語	每天、一天一天地	君子博學而日參省乎已，則智明而行無過矣。（《荀子・勸學》） 服事者簡其業，而游學者日衆。（《韓非子・五蠹》）
	「月」作狀語	每月	族庖月更刀，折也。（《莊子・養生主》）
	「歲」作狀語	每年	其始，太醫以王命聚之，歲賦其二。（柳宗元《捕蛇者說》）

㈡活用作動詞

類別		例句	活用的條件
名詞用作動詞	普通名詞用作動詞	⑴遂王天下。（《韓非子・五蠹》） ⑵曹子手劍而從之。（《公羊傳・莊公十三年》） ⑶子謂公冶長：「可妻也……」。（《論語・公冶長》）	名詞、形容詞、數詞或數量詞，在下列條件下，一般活用作動詞： 1. 在句中作謂語。如例⑸； 2. 後邊帶有賓語。如例⑴⑵⑹； 3. 前邊有能願動詞或副詞修飾。如例⑶⑷、⑺⑻⑼。
	方位名詞用作動詞	⑷聞陳嬰已下東陽，使使欲與連和俱西。（史記・項羽本紀》） ⑸方其破荊州，下江陵，順流而東也。（蘇軾《前赤壁賦》）	
形容詞用作動詞		⑹卒使上官大夫短屈原於頃襄王。（《史記・屈原列傳》） ⑺自上觀之，至於子胥、比干，皆不足貴也。（《莊子・盜跖》）	
數量詞用作動詞	數詞用作動詞	⑻循道而不貳，則天不能禍。（《荀子・天論》）	
	數量詞用作動詞	⑼食馬者，不知其能千里而食也。（韓愈《伯樂》）	

(三)使動用法、意動用法

類別		例句	備註
使動用法	動詞的使動用法	焉用亡鄭以陪鄰？（《左傳·僖公三十年》） 操軍方連船艦，首尾相接，可燒而走也。（司馬光《資治通鑒·漢紀》）	所謂使動用法，是動詞具有「使賓語怎麼樣」的意思，如「亡鄭」就是「使鄭亡」。動詞的使動用法多爲不及物動詞，有時其賓語可省略。
	形容詞的使動用法	恃王國之大，兵之精銳，而攻邯鄲，以廣地尊名。（《戰國策·魏策》）	形容詞用作使動是使賓語所代表的人或事物具有這個形容詞的性質或狀態。
	名詞的使動用法	縱江東父兄憐而王我，我何而目見之？（《史記·項羽本紀》）	名詞用作使動，是使賓語所代表的人或事物成爲這個名詞所代表的人或事物。
意動用法	形容詞的意動用法	是故明君貴五穀而賤金玉。（晁錯《論貴粟疏》）	形容詞用作意動，是主語在主觀上認爲後面的賓語具有這個形容詞的性質或狀態。如「貴五穀」即「認爲五穀貴重」。
	名詞的意動用法	不如吾聞而藥之也。（《左傳·襄公三十一年》）	名詞用爲意動，是把後面的賓語所代表的人或事物看作或當作這個名詞所代表的人或事物。如「藥之」即「把它當作艮藥」。

㈣賓語前置

類別		句式標誌詞	例句
疑問代詞作賓語，賓語一般放在動詞前。	作動詞的賓語	誰、孰、何、安、等	今已服矣，又何求焉？（《國語·越語》）
	作介詞的賓語	何以、奚以、胡以、何爲、奚爲等	許子奚爲不自織？（《孟子·滕文公上》）
否定句，代詞作賓語，賓語一般在動詞之前。	以副詞表否定	未、不、毋、勿	楚軍之患，未之敢忘。（《左傳·僖公二十八年》） 今鄭人貪賴其田，而不我與。我若求之，其與我乎？（《左傳·昭公十二年》） 毋吾以也。（《論語·先進》）
	以無指代詞表否定	莫	吾有老父，身死，莫之養也。（《韓非子·五蠹》）
强調前置賓語，在賓語和動詞間加結構助詞「之」、「是」等做賓語前置的標誌。		之、是	宋何罪之有？（《墨子·公輸》） 戎狄是膺，荊舒是懲。（《詩經·魯頌·閟宮》）
	爲突出前置賓語的單一性其前面再加一「唯」字。	唯……之…… 唯……是……	當臣之臨河持竿，心無雜慮，唯魚之求。（《列子·湯問》） 率師以來，唯敵是求。（《左傳·宣公十二年》）

(五)判斷句

<table>
<tr><th colspan="3">類別</th><th>例句</th><th>備註</th></tr>
<tr><td rowspan="4">判斷句的幾種基本形式</td><td colspan="2">主語＋者，謂語＋也。</td><td>南冥者，天池也。（《莊子・逍遙遊》）
此五者，知勝之本也。（《孫子・謀攻》）</td><td rowspan="4">用語氣助詞「者」表提頓，用語氣助詞「也」煞尾，這種句式常見。在判斷句中，有的「者」字是代詞，不是助詞，需注意區別。</td></tr>
<tr><td colspan="2">主語，謂語＋（者）也。</td><td>張騫，漢中人也。（《漢書・張騫傳》）
神農、倉頡，聖人者也。（賈思勰《齊民要術序》）</td></tr>
<tr><td colspan="2">主語＋者，謂語。</td><td>天下者，高祖天下。（《史記・魏其武安侯列傳》）
當立者，乃公子扶蘇。（《史記・陳涉世家》）</td></tr>
<tr><td colspan="2">主語，謂語。</td><td>秦，虎狼之國。（《史記・屈原列傳》）</td></tr>
<tr><td rowspan="4">判斷句裡幾個需區別的詞</td><td colspan="2">非</td><td>惠子曰：「子非魚，安知魚之樂？」莊子曰：「子非我，安知我不知魚之樂？」（《莊子・秋水》）</td><td>用「非」字表示否定判斷。「非」是副詞，在句中做狀語。</td></tr>
<tr><td colspan="2">乃、必、即、亦、皆等</td><td>吾乃梁人也。（《戰國策・趙策》）
吾翁即乃翁。（《史記・項羽本紀》）</td><td>「乃」、「即」等是副詞，作狀語，起加强肯定語氣作用。</td></tr>
<tr><td rowspan="2">是</td><td>秦以前原爲指示代詞</td><td>今急而求子，是寡人之過也。（《左傳・僖公三十年》）</td><td rowspan="2">漢以後「是」雖有用作判斷動詞用的現象，但一般文言文仍不用判斷動詞。</td></tr>
<tr><td>漢以後有用作判斷動詞的。</td><td>襄子曰：「此必是豫讓也。」（《史記・刺客列傳》）</td></tr>
<tr><td>主語省略</td><td colspan="2">謂語＋也</td><td>旋見一白酋督印度卒約百人，〔 〕英將也。（徐珂《清稗類鈔》）</td><td>一定條件下，判斷句主語可省略。在這種情況下，句末「也」字一般不可少。</td></tr>
</table>

㈥被動句

<table>
<tr><th colspan="2">類　　別</th><th>例　　　句</th><th>備　　註</th></tr>
<tr><td colspan="2">在動詞前後沒有特殊標誌的被動句</td><td>文王拘而演《周易》，仲尼厄而作《春秋》。
（司馬遷《報任安書》）</td><td>這種被動句，動詞前後沒有表示被動的詞，只靠動詞用於被動意義，需依據上下文理解。</td></tr>
<tr><td rowspan="6">在動詞前後有結構標誌的被動句</td><td>「于」（於）字式</td><td>兵破于陳涉，地奪于劉氏。（《漢書・賈山傳》）</td><td>用介詞「于」引進行爲主動者。</td></tr>
<tr><td>「爲」字式</td><td>兔不可復得，而身爲宋國笑。（《韓非子・五蠹》）</td><td>用介詞「爲」引進行爲主動者。</td></tr>
<tr><td>「見」字式</td><td>欲予秦，秦城恐不可得，徒見欺。（《史記・廉頗藺相如列傳》）</td><td>謂語動詞前加助詞「見」字，表被動。</td></tr>
<tr><td>「爲……所」式</td><td>其後楚日以削，數十年，竟爲秦所滅。（《史記・屈原列傳》）</td><td>用介詞「爲」引進主動者後，動詞前再加一助詞「所」字加强被動</td></tr>
<tr><td>「見……于」式</td><td>吾長見笑于大李之家。（《莊子・秋水》）</td><td>用助詞「見」表被動，又在動詞後用介詞「于」引進主動者。</td></tr>
<tr><td>「被」字式</td><td>亮子被蘇峻害。（《世說新語・李正》）</td><td>用介詞「被」表被動。</td></tr>
</table>

(七)省略

類別		例句	備註
主語的省略	承前省	永州之野產異蛇，〔 〕黑質而白章，觸草木，〔 〕盡死，以嚙人，〔 〕無御之者。（柳宗元《捕蛇者說》）	分別承前省略主語「蛇」「草木」，「人」。
	蒙後省	七月〔 〕在野，八月〔 〕在宇，九月〔 〕在戶，十月蟋蟀入我牀下。（《詩經・豳風・七月》）	蒙後省略主語「蟋蟀」。
	對話省	公曰：「小大之獄，雖不能察，必以情。」對曰：「〔 〕忠之屬也，〔 〕可以一戰，〔 〕戰則〔 〕請從。」（《左傳・莊公十年》）	對話中，分別省略主語「此」，「公」，「公」，「我」。
謂語動詞的省略		老臣今者殊不欲食，乃自强步，日〔 〕三四里。（《戰國策・趙策》）	省略謂語動詞「行」。
賓語的省略		噲即帶劍擁盾入軍門。交戟之衞士欲止不內〔 〕，樊噲側其盾以撞〔 〕，衞士仆地，噲遂入。（《史記・項羽本紀》）	分別省略賓語「之」，前者指代樊噲，後者指代衞士。
兼語的省略		安帝雅聞衡善術學，公車特徵，拜郎中，再遷〔 〕爲太史令。（《後漢書・張衡傳》）	省略兼語「之」，指代張衡。
介詞及其賓語的省略	介詞的省略	晉軍〔 〕函陵，秦軍〔 〕氾南。（《左傳・僖公三十年》）	省略介詞「于」。
	介詞賓語的省略	燕有田光先生，其爲人智深而勇沈，可與〔 〕謀。（《史記・刺客列傳》）	省略介詞賓語「之」，指田光。

二、文言虛詞

說明：下面收錄的文言虛詞，以筆劃序排列。某些詞的實詞用法，也一併編入。

【一（壹）】

副詞

(1)表示所述事實的範圍，可譯為「都」、「完全」。《史記・呂太后本紀》：「太子繼位為帝，號令一出太后。」

(2)表示所述事實程度很重，有「實在」的意思。《禮記・檀弓下》：「子之哭也，壹似重有憂者。」

(3)表示所述的事實是一種假設，可譯為「萬一」。《史記・滑稽列傳》：「此鳥不飛則已，一飛沖天；不鳴則已，一鳴驚人。」《戰國策・趙策四》：「一旦山陵崩，長安君何以自托於趙？」

(4)表示動作行為發生後隨即產生的結果，可譯為「剛一」。《史記・平原君列傳》：「毛先生一至楚，而使趙重於九鼎大呂。」

【亡】

1. 動詞

「亡」作動詞，讀ㄨㄤˊ，有「死」、「逃亡」等意思。《論語・雍也》：「亡之，命矣夫！」《戰國策・楚策四》：「亡羊而補牢，未為遲也。」

2. 副詞

(1)「亡」作副詞，讀ㄨˊ。表示否定，可譯為「不」、

「沒」。賈誼《治安策》：「夫百人作之不能衣一人，欲天下亡寒，胡可得也！」《漢書・食貨志上》：「常苦枯旱，亡有平歲，穀賈翔貴。」

(2)表禁止，可譯爲「不要」。《漢書・景帝紀》：「亡令廉士久失職，貪夫長利。」

3. 連詞

連接分句，表示無條件，可譯爲「不論」。《漢書・張馮汲鄭傳》：「當時爲大吏，戒門下：『客至，亡貴賤亡留門者。』」

【云】

1. 動詞

「云」作動詞，意思是「說」。《韓非子・外儲說左上》：「郢人有遺燕相國書者，夜書，火不明，因謂持燭者曰：『舉燭。』云而過書『舉燭』。」

2. 代詞

指代上文已經出現過的內容，可譯爲「如此」。韓愈《師說》：「士大夫之族，曰師曰弟子云者，則羣聚而笑之。」

3. 助詞

助詞「云」，用於句首、句中或句末，可譯爲「又」、「已經」、「等等」。《詩經・鄭風・風雨》：「既見君子，云胡不喜？」杜甫《歲晏行》：「歲云暮矣多北風，瀟湘洞庭白雪中。」《史記・滑稽列傳補》：「民人俗語曰：『即不爲河伯娶婦，水來漂沒，溺其人民』云。」

【已】

1. 副詞

(1)表示動作行爲已成爲過去，可譯爲「已經」。《史記・高祖本紀》：「老父已去，高祖適從旁舍來。」

⑵表示後一件事緊接前一件事發生，可譯爲「隨即」、「不久」等，有時「已而」連用，意思不變。《史記・項羽本紀》：「韓王成無軍功，項王不使之國，與俱至彭城，廢以爲侯；已又殺之。」《史記・衞將軍驃騎列傳》：「嘗亡入匈奴，已而歸漢。」

⑶表示達到一定程度，可譯爲「太」、「過於」。《論語・陽貨》：「三年之喪，期已久矣。」

2. 語氣助詞

⑴用在句末，表感嘆，可譯爲「啊」。李陵《答蘇武書》：「長爲蠻夷之域，傷已。」

⑵加强肯定語氣，可譯爲「了」。賈誼《治安策》：「失今不治，必爲錮疾，後雖有扁鵲，不能爲已。」

【乃】

用作代詞、副詞、連詞，或寫作「迺」。

1. 代詞

用作第二人稱代詞，表示「你（的）」或「你們（的）」等意思。《漢書・項羽傳》：「必欲烹乃翁，幸分我一杯羹。」

2. 副詞

⑴表示順承相因，可譯爲「就」、「於是」、「才」等。《論衡・案書》：「兩刄相割，利鈍乃知；二論相訂，是非乃見。」

⑵表示逆轉相背，可譯爲「卻」、「竟然」等。陶淵明《桃花源記》：「問今是何世，乃不知有漢，無論魏晋。」

⑶表示肯定，可譯爲「是」、「實在是」、「原來是」等。《漢書・項籍傳》：「漢王使間問之，乃羽也。」

3. 連詞

表示轉折或前後銜接，可譯爲「而」、「然而」、「於是」等。《史記・刺客列傳》：「非獨政能也，乃其姐亦烈也。」

【凡】

1. 形容詞

用作形容詞，有「平凡」、「平庸」等意。《新唐書・孫逖傳》：「援筆成篇，理趣不凡。」《晉書・陶侃傳》：「此人非凡器也。」

2. 副詞

(1)表示事物的動量或數量的總和，可譯爲「總共」、「共約」、「共有」等。《三國志・諸葛亮傳》：「由是先主遂詣亮，凡三往，乃見。」司馬遷《報任安書》：「上計軒轅，下至於茲，爲十表，本紀十二，書八章，世家三十，列傳七十，凡百三十篇。」

(2)表示概括，可譯爲「凡是」、「任何」、「不論」、「不管」等。《後漢書・朱浮傳》：「凡舉事無爲親厚者所痛，而爲見仇者所快。」

(3)表示一般的情形，可譯爲「大致」、「大都」、「大概」、「一般地說」等。《三國志・華佗傳》：「佗之絕技，凡此類也。」

【也】

1. 語氣助詞

(1)用於句末

A　用於判斷句末，表判斷的語氣。常見的格式有「……者……也」、「……也」、「……者也」。翻譯成現代漢語時都要加上判斷詞「是」。《史記・項羽本紀》：「業父者，范增也。」《戰國策・齊策》：「孟嘗君怪之曰：『此誰也？』」《晏子春秋・內篇雜下》：「晏嬰，齊之習辭者也。」

B　用於陳述句末，表陳述或解釋的語氣，可譯爲「……是……的」。《韓非子・顯學》：「愚巫之學，雜反之行，明主弗受也。」韓愈《師說》：「師者，所以傳道授業解惑也。」

C　用在祈使句末，表示命令、請求、阻止等語氣，可譯爲「吧」、「啊」等。《左傳・僖公二十八年》：「子犯曰：『戰也！戰而捷，必得諸侯。」陶淵明《桃花源記》：「此中人語云：『不足爲外人道也！』」《戰國策・楚策》：「狐曰：『子無敢食我也！天帝使我長百獸，今子食我，是逆天帝命也！』」

D　用於疑問句末，表疑問，可疑爲「呢」、「嗎」。《史記・淮南衡山列傳》：「公以爲吳興兵是邪非也？」《孟子・公孫丑下》：「齊人無以仁義與王言者，豈以仁義爲不美也？」

⑵**用於句中**

A　用在並列句子之後，表停頓，「也」可不譯出。《呂氏春秋・孟春紀・去私》：「天無私覆也，地無私載也，日月無私燭也，四時無私行也，行其德而萬物得遂長焉」。《史記・屈原列傳》：「屈平疾王聽之不聰也，讒諂之蔽明也，邪曲之害公也，方正之不容也，故憂愁幽思而作《離騷》。」

B　用在表時間的詞語之後，表停頓，「也」一般可不譯。《論語・雍也》：「有顏回者好學，不遷怒，不貳過。不幸短命死矣。今也則亡！」

C　用在主語或狀語後，表停頓，「也」一般可不譯出。《論語・先進》：「子貢問：『師與商也孰賢？』」子曰：『師也過，商也不及。』」《論語・顏淵》：「聽訟，吾猶人也，必也使無訟乎！」

【方】

1. 副詞

⑴表示事情正在進行，可譯爲「正」、「正在」等。《青溪寇軌》：「民方苦於侵漁。」

⑵表示動作行爲發生在某種情況之後，可譯爲「才」。《資治通鑑．唐紀》：「向見雷將軍，方知足下軍令矣。」

⑶表示事情發生不久，可譯爲「剛」、「剛剛」等。《資治通鑑．漢紀》：「操軍方連船艦，首尾相接，可燒而走也。」

⑷表示事情將要實現，可譯爲「將要」、「正要」等。枚乘《諫吳王書》：「馬方駭，鼓而驚之；繫方絕，又重鎮之。」

2. 介詞

作表示時間的介詞，可譯爲「當」、「正當」、「在」等。《韓非子．難一》：「方此時也，堯安在？」

【尤】

1. 動詞

責備、歸罪。《論語．憲問》：「不怨天，不尤人。」

2. 副詞

表示程度極深，可譯爲「更」、「特別」等。歐陽修《醉翁亭記》：「環滁皆山也，而西南諸峯，林壑尤美。」李密《陳情表》：「況臣孤苦，特爲尤甚。」

【之】

1. 動詞

動詞「之」，是「到」、「往」的意思。《史記．項羽本紀》：「項伯乃夜馳之沛公軍。」

2. 代詞

⑴代詞「之」可以代人，也可以代事物。可譯爲「他」、「他們」、「它」。《史記‧淮陰侯列傳》：「信數與蕭何語，何奇之。」《史記‧項羽本紀》：「縱江東父兄憐而王我，我何面目見之。」《後漢書‧張衡傳》：「如有地動，尊則振龍，機發吐丸，而蟾蜍銜之。」

⑵代詞「之」所稱代的對象，有的可譯爲「我」、「你」。柳宗元《捕蛇者說》：「蔣氏大戚，汪然出涕曰：『君將哀而生之乎？」《韓非子‧難一》：「微君言，臣固將謁之。」

⑶「之」用在名詞前，可譯爲「這」。《呂氏春秋‧舉難》：「之歌者非常人也。」《莊子‧則陽》：「之二人何足識之。」

⑷代詞「之」在句中作賓語。《左傳‧莊公十年》：「彼竭我盈，故克之。」《左傳‧隱公元年》：「公語之故，且告之悔。」《戰國策‧趙策四》：「媼之送燕后也，持其踵爲之泣，念悲其遠也。」《三國志‧蜀書‧諸葛亮傳》：「每自比於管仲、樂毅，時人莫之許也。」

3. 助詞

助詞「之」，不單獨作句子成分。

⑴用在定語和中心詞之間，構成修飾、限制關係，可譯爲「的」。《孟子‧離婁上》：「人之患在好爲人師。」《資治通鑑‧漢紀》：「今將軍外托服從之名而內懷猶豫之計，事急而不斷，禍至無日矣！」

⑵用在主語和謂語之間，使原來的主謂結構變成半獨立的分句或不獨立的主謂詞組。「之」一般可不譯出。《列子‧湯問》：「雖我之死，有子存焉。」《戰國策‧楚策一》：「子以我爲不信，吾爲子先行，子隨我後，觀百獸之見我而敢不走乎？」

⑶用在前置賓語和謂語之間，標誌賓語前置，「之」一般可不譯出。《左傳‧隱公元年》：「姜氏何厭之有？」

(4)用在表示時間的副詞之後，可根據文義譯出。《史記・陳涉世家》：「陳涉少時，嘗與人佣耕，輟耕之壟上，悵恨久之，……。」《史記・孫子吳起列傳》：「居頃之，其母死，起終不歸。」

【不】

副詞

(1)作否定副詞，譯文仍作「不」，有時可譯爲「沒有」。《荀子・勸學》：「故不登高山，不知天之高也。」《孫臏兵法・威王問》：「善哉言！兵勢不窮。」

(2)用於句末，表疑問，同「否」。《史記・廉頗藺相如列傳》：「秦軍以十五城請易寡人之璧，可予不？」

【无（無）】

1. 動詞

「无」作動詞，可帶賓語，可譯爲「沒有」。《孫子・虛實篇》：「故兵無常勢，水无常形。」

2. 副詞

(1)表否定，可譯作「沒」、「沒有」等。《韓非子・顯學》：「自直之箭，自圓之木，百世无有一。」

(2)表禁止，可譯作「不」、「不要」。《詩經・魏風・碩鼠》：「碩鼠碩鼠，无食我苗。」

(3)「无」用在句末，表疑問。可譯爲「嗎」。白居易《問劉十九》詩：「晚來天欲雪，能飲一杯无？」

(4)「无」和其他詞構成一些較固定的詞組：

A「无慮」，表估計揣測的數量，可譯爲「大概」。《清稗類鈔・馮婉貞勝英人於謝莊》：「日暮，所擊殺者无慮百十人。」

B「无乃」，對動作行爲的估計揣測，常用於反詰句中，可譯爲「恐怕」。《國語・越語》：「今君王既棲於會稽之上，然後乃求謀臣，无乃後乎？」

C「无庸」，表示禁止、勸阻，可譯爲「不用」。《左傳・隱公元年》：「公曰：『无庸，將自及。』」

D「无以」，可譯爲「不能」。《荀子・勸學》：「故不積跬步，无以至千里；不積小流，无以成江海。」

E「无所」，可譯爲「沒有……的」。《論語・陽貨》：「子曰：『飽食終日，无所用心，難矣哉！』」

【孔】

副詞

表示程度之深，可譯爲「非常」、「很」等。《搜神記・紫玉》：「意欲從君，讒言孔多。」

【及】

1. 動詞

有「趕上」、「追趕上」、「到」等意義。《史記・孫子吳起列傳》：「自以爲能不及孫臏。」

2. 介詞

⑴引進時間，可譯爲「當……時候」、「等到……時候」、「趁……時候」等。《清稗類鈔・馮婉貞》：「及敵槍再擊，砦中人又蠶伏矣。」《史記・宋世家》：「彼衆我寡，及其未濟，擊之！」

⑵引進對象，譯爲「跟」、「同」等。《左傳・僖公二十四年》：「狐偃及秦、晉大夫盟於郇。」

(3)表示達到一定限度或地點，可譯作「到」。《左傳・隱公元年》：「若闕地及泉，隧而相見，其誰曰不然？」

3. 連詞

連接詞或詞組，可譯作「和」、「與」等。《左傳・隱公元年》：「生莊公及共叔段。」

【夫】

1. 代詞

(1)用於人稱代詞，代第三身，譯爲「他」、「人家」等。《左傳・昭公十六年》：「我皆有禮，夫猶鄙我。」

(2)用於指示代詞，表遠指，可譯爲「那」、「那個」。馬中錫《中山狼傳》：「且鄙人雖愚，獨不知夫狼乎？」

2. 語氣助詞

(1)用於句首，表示對某一事物要發起議論，不能對譯。《左傳・莊公十年》：「夫戰，勇氣也。一鼓作氣，再而衰，三而竭」。

(2)用於句尾，表示感嘆或疑問語氣，可譯爲「啊」、「呀」、「嗎」、「吧」等。《論語・子罕》：「子在川上曰：逝者如斯夫！」《史記・孔子世家》：「吾歌，可夫？」

【比】

1. 形容詞

可譯爲「每」、「連」。《漢書・食貨志》：「永始二年，梁國平原郡，比年傷水災。」

2. 副詞

(1)表示動作的連續或時間的相接，可譯爲「連續」、「接連」。《史記・呂太后本紀》：「孝惠崩，高后用事，春秋高，聽諸呂，擅廢帝更立，又比殺三趙王。」

(2)表示範圍，可譯爲「都」。《戰國策・齊策》：「夫中山，千乘之國也，而敵萬乘之國二，再戰比勝。」

3. 介詞

(1)介紹比較對象，可譯爲「比起」，或仍作「比」。柳宗元《捕蛇者說》：「今雖死乎此，比我鄉鄰之死，則已後矣。」

(2)介紹終極時間、地點。可譯爲「等」、「等到」。《晏子春秋・內篇諫下》：「晏子使於魯，比其返也，景公使國人起大臺之役。」

(3)介紹動作涉及的對象，可譯爲「爲」、「替」等。《孟子・梁惠王上》：「寡人恥之，願比死者一洒之，如之何則可？」

【止】

1. 動詞

動詞「止」是「停止」的意思。《孟子・梁惠王上》：「或百步而後止，或五十步而後止。」

2. 副詞

副詞「止」，表示範圍，可譯爲「僅」、「只」等。柳宗元《鈷鉧潭西小丘記》：「問其價，曰：『止四百。』余憐而售之。」杜甫《無家別》：「內顧無所攜，近行止一身。」

3. 語氣助詞

語氣助詞「止」，可靈活譯出。《詩經・小雅・采薇》：「采薇采薇，薇亦作止。」

【少】

副詞

(1)表示時間短暫，可譯爲「一會兒」。蒲松齡《聊齋誌異・狼》：「少時，一狼徑去。」

「少」常和「焉」、「頃」等結合，構成「少焉」、「少頃」等，可譯爲「一會兒」、「不久」。

(2)表示程度不深，可譯爲「稍微」、「稍稍」。《戰國策・趙策四》：「太后之色少解。」《戰國策・秦策一》：「願大王少留意焉，臣請奏其效。」

【毋】

1. 動詞

「毋」作動詞，常常帶有賓語，這個賓語往往是名詞性的，可譯爲「沒有」。《史記・呂后本紀》：「辟强曰：『帝毋壯子，太后畏君等。』」

2. 副詞

(1)表命令或勸阻，可譯爲「不要」、「不」。《左傳・襄公十九年》：「大毋侵小。」

(2)表否定，可譯爲「不」。《論語・先進》：「以吾一日長乎爾，毋吾以也。」

【兮】

語氣助詞

(1)用在句中，起舒緩語氣的作用，可譯爲「啊」、「呀」等。《老子・五十八章》：「禍兮福之所倚，福兮禍之所伏。」屈原《國殤》：「操吳戈兮披犀甲，車錯轂兮短兵接。」

(2)用在句末，可譯爲「啊」、「呀」等。《詩經・魏風・伐檀》：「坎坎伐檀兮，寘之河之干兮。」陶淵明《歸去來辭》：「歸去來兮，田園將蕪胡不歸？」

【勿】

副詞

(1)用在祈使句中，表示禁止或命令，可譯爲「不要」。《史記・陳涉世家》：「告軍吏曰：『武平君年少，不知兵事，勿聽！』」《史記・刺客列傳》：「丹所報，先生所言者，國之大事也，願先生勿泄。」

(2)用在陳述句中，表示對動作行爲的否定，可譯爲「不」。《史記・曹相國世家》：「蕭何爲法，斠若畫一，曹參代之，守而勿失。」

【必】

1. 動詞

作謂語，可譯爲「肯定」，「必定」等。《鹽鐵論・西域》：「主思臣謀，其往必矣。」

2. 副詞

(1)表示事理上或態度上的確定不移，可譯爲「必定」或「一定」。《韓非子・顯學》：「故明主之吏，宰相必起於州部，猛將必發於卒伍。」《史記・游俠列傳》：「王即不聽用鞅，必殺之，無令出境。」

(2)表示某種必要性，可譯爲「必須」。《墨子・尚賢》：「王公大人有一罷馬不能治，必索良醫，有一危弓不能張，必索良工。」

【立】

副詞

表示時間的急迫，可譯爲「立刻」、「馬上」等。《史記·項羽本紀》：「沛公至軍，立誅殺曹無傷。」

【叵】

副詞

(1)表示否定，是「不可」的意思。《後漢書·呂布傳》：「大耳兒最叵信。」

(2)表示程度較甚，可譯爲「很」、「完全」等。《後漢書·隗囂傳》：「帝知其終不爲用，叵欲討之。」

【可】

1. 動詞

可以、行。《論語·里仁》：「朝聞道，夕死可矣！」

2. 能願動詞

表示可能或應該怎樣，可譯爲「可以」、「應該」等。《史記·陳平世家》：「及平長，可娶妻，富人莫肯與者。」

3. 副詞

(1)表示轉折，可譯爲「可是」、「卻」等。《諸葛亮集·答李嚴書》：「吾與足下相知久矣，可不復相解。」

(2)表示約計，可譯爲「大約」、「約計」等。《漢書·王章列傳》：「章小女，年可十二。」

【弗】

副詞

否定副詞，跟「不」的用法基本相同。《戰國策·趙策》：

「已行，非弗思也，祭祀必祝之。」《史記・魏其武安侯列傳》：「長安中諸公莫弗稱之。」

【未】

副詞

⑴用在動詞、形容詞前，表示事情還沒有實現，可譯為「沒有」、「不」。《左傳・宣公二年》：「宣子未出山而復。」《世說新語・言語》：「小時了了，大未必佳。」

⑵用在句末，表疑問。《漢書・外戚傳》：「太后獨有帝，今哭而不悲，君知其解未？」

⑶「未嘗」連用，否定過去。《莊子・養生主》：「三年之後，未嘗見全牛也。」

【且】

1. 副詞

⑴表示行為將要發生，可譯為「將要」、「快要」、「馬上」等。《史記・魏公子列傳》：「吾攻趙，旦暮且下。」

⑵表示行為的暫時性，可譯為「暫且」、「姑且」等。《史記・淮陰侯列傳》：「先生且休矣，我將念之。」

⑶表示數量的接近，可譯為「將近」、「約」等。《列子・湯問》：「北山愚公者，年且九十，面山而居。」

2. 連詞

⑴表示並列關係，可譯為「而且」、「又」、「一面……一面……」等。《孫子兵法・謀攻》：「三軍既惑且疑，則諸侯之難至矣，是謂亂軍引勝。」

⑵表示進層關係，可譯為「況且」、「再說」等。《列子・湯問》：「以君之力，曾不能損魁父之丘，如太形、王屋何？且

焉置土石？」

⑶表示選擇關係，可譯爲「還是」、「或者」等。《戰國策·齊策》：「王以天下爲尊秦乎？且尊齊乎？」

【以】

1. 動詞

動詞「以」可譯爲「認爲」、「用」等。《戰國策·趙策四》：「老臣以媼爲長安君計短也。」《論語·子路》：「如有政，雖不吾以，吾其與聞之。」

2. 介詞

介詞「以」與名詞、代詞或名詞性詞組組成介賓詞組，經常用作狀語或補語，表示方式、憑借、原因、處置、時間，可譯爲「用」、「拿」、「憑」、「因」、「把」……。

⑴用作狀語。《孟子·梁惠王上》：「何可廢也？以羊易之。」《史記·范睢蔡澤列傳》：「以太后故，私家富重於王室。」《戰國策·趙策三》：「王又以虞卿之言告樓緩。」韓愈《柳子厚墓誌銘》：「子厚以元和十四年十一月八日卒。」

⑵用作補語。《孟子·梁惠王上》：「我非愛其財而易之以羊也：」《三國志·蜀書·諸葛亮傳》：「先帝知臣謹愼，故臨終寄臣以大事也。」《孟子·盡心上》：「食之以時，用之以禮，財不可勝用也。」《左傳·襄公二十六年》：「賞以春夏，刑以秋冬。」

3. 連詞

連詞「以」可以連接詞與詞，詞組與詞組，句與句。常見用法有三種：

⑴用於因果復句，可譯爲「因爲」。《左傳·僖公三十年》：「晉侯秦伯圍鄭，以其無禮於晉，且貳於楚也。」《史記·淮陰

侯列傳》：「誠令成安君聽足下計，若信者亦已爲禽矣；以不用足下，故信得侍耳。」

⑵用於連動詞組的動詞之間表示關聯，也用於形容詞之間表關聯，可譯爲「本來」、「而」等。《左傳・隱公元年》：「命子封帥東二百乘以伐京。」《史記・孫子吳起列傳》：「齊因乘勝盡破其軍，虜魏太子申以歸。」《史記・張儀列傳》：「秦地半天下，……主明以嚴，將智以武。」

⑶用於「來」、「往」、「上」、「下」、「東」、「西」、「南」、「北」等詞之前，表時間、方位、範圍，可譯爲「以」、「往」。《史記・貨殖列傳》：「夫神農以前，吾不知已。」《史記・廉頗藺相如列傳》：「指從此以往十五都予趙。」王安石《游褒禪山記》：「由山以上五、六里，有穴窈然。」

【只】

1. 副詞

副詞「只」表示範圍，可譯爲「只」、「僅僅」。杜甫《贈花卿》：「此曲只應天上有，人間能得幾回聞？」

2. 語氣助詞

語氣助詞「只」，表停頓或感嘆，可靈活譯出。《詩經・周南・樛木》：「樂只君子，福履將之。」《詩經・鄘風・柏舟》「母也天只，不諒人只！」

【令】

1. 動詞

⑴命令。《論語・子路》：「其身正，不令而行；其身不正，雖令不從。」

⑵使、讓。《戰國策・趙策》：「有復言令長安君爲質者，老

婦必唾其面。」

2. 形容詞

善的，好的。《周書・蕭瓛傳》：「幼有令譽。」

3. 連詞

表假設，可譯為「假如」。《史記・魏其武安侯列傳》：「令我百歲後，皆魚肉之矣。」

【用】

1. 動詞

使用、應用。《左傳・宣公二年》：「棄人用犬，雖猛何為？」

2. 介詞

(1)介紹出動作行為所依賴的對象，譯為「依靠」、「用」等。《史記・貨殖列傳》：「清，寡婦也，能守其業，用財自衞，不見侵犯。」《孟子・滕文公上》：「吾聞用夏變夷者，未聞變於夷者也。」

(2)介紹出動作行為所以產生的原因，可譯為「因為」。《漢書・李廣傳》：「用善射，殺首虜多，為郎，騎常侍。」

【乎】

1. 介詞

用作介詞，同「於」的用法基本相同，或譯作「在」、「於」、「比」等，或譯不出。韓愈《師說》：「生乎我前，其聞道也必先乎吾，吾從而師之。」

2. 語氣助詞

(1)疑問時用之，相當於「嗎」。《史記・項羽本紀》：「壯士，能復飲乎？」

⑵反問時用之，也相當於「嗎」。《呂氏春秋・察今》：「舟已行矣，而劍不行，求劍若此，不亦惑乎？」

⑶特指時用之，相當於「呢」。《資治通鑒・漢紀》：「然豫州新敗之後，安能抗此難乎？」

⑷推測時用之，相當於「吧」。徐珂《清稗類鈔》：「莫如以吾所長，攻敵所短，操刀挾盾，猱進鷙擊，或能免乎？」

⑸感嘆時用之，相當於「啊」。《史記・陳涉世家》：「嗟乎！燕雀安知鴻鵠之志哉？」

【亦】

副詞

⑴表示同類關係，可譯爲「也」。《史記・廉頗藺相如列傳》：「秦亦不以城予趙，趙亦終不予秦璧。」

⑵表示行爲僅局限於某一方面，可譯爲「只不過」、「只」等。《戰國策・齊策》：「王亦不好事也？何患無士？」《孟子・滕文公上》：「堯舜之治天下，豈無所用其心哉？亦不用於耕耳。」

⑶用在判斷句謂語前，加强判斷，可譯爲「也」。《史記・孫子吳起列傳》：「臏亦孫武之後世子孫也。」

⑷由「亦」組成的固定格式「不亦……乎」，表示反問語氣，可譯爲「不也……嗎」。《論語・學而》：「學而時習之，不亦說乎？有朋自遠方來，不亦樂乎？人不知而不慍，不亦君子乎？」

【並（幷、竝）】

1. 動詞

「並」作動詞，有「兼併」、「平列」等意思。《史記・河渠書》：「秦以富彊，卒並諸侯，因命曰鄭國渠。」《莊子・馬蹄》：「族與萬物並。」

2. 副詞

(1)表示動作狀態，可譯爲「並排」等。《詩經・秦風・車鄰》：「既見君子，並坐鼓瑟。」

(2)表示動作範圍，可譯爲「全都」，「一道」，「一起」等。《後漢書・盧植傳》：「與諫議大夫馬日磾、議郎蔡邕、楊彪、韓說等並在東觀。」《孟子・滕文公上》：「賢者與民並耕而食。」

3. 連詞

連接兩分句，表示進一層意思，可譯爲「並且」等。《史記・趙世家》：「昔下宮之難，屠岸賈爲之，矯以君命，並命羣臣。」

【安】

1. 疑問代詞

(1)作狀語時，一般表示反詰或感嘆，可譯爲「怎麼」、「哪裡」。《史記・陳涉世家》：「燕雀安知鴻鵠之志哉！」

(2)作賓語時，一般用來詢問處所，可譯爲「哪裡」、「哪兒」。《史記・項羽本紀》：「沛公安在？」

2. 連詞

常用於連接分句，可譯爲「就」、「於是」。《戰國策・魏策》：「因久坐，安從容談三國之相怨。」

【至】

1. 動詞

動詞「至」是「到」的意思。《左傳・隱公元年》：「大叔又收貳以爲己邑，至於廩延。」

2. 副詞

副詞「至」，表最高的程度，可譯爲「最」、「過分」等。賈誼《論積貯疏》：「古之治天下也，至孅至悉也。」東方朔《答客難》：「水至清則無魚，人至察則無徒。」

3. 介詞

介詞「至」與表時間、處所或數量的詞構成介詞詞組，表時間、處所、數量的限度，在句中作狀語或補語。「至」可譯爲「到」。《戰國策・齊策四》：「（葉陽子）何以至今不業也？」《戰國策・秦策一》：「（蘇秦）讀書欲睡，引錐自刺其股，血流至踵。」《漢書・文三王傳》：「（劉）立一日至十一犯法，臣下愁苦，莫敢親近，不可諫止。」

4. 連詞

連詞「至」，多用於句首，承接前文，轉而另提一件事，可譯爲「至於」。有時「至如」、「至若」、「至於」連用，可譯爲「至如像……」、「至於」。《史記・大宛列傳》：「故言九州山川，《尚書》近之矣。至《禹本紀》、《山海經》所有怪物，余不敢言之也。」《史記・淮陰侯列傳》：「諸將易得耳。至如信者，國士無雙。」范仲淹《岳陽樓記》：「至若春和景明，波瀾不驚，上下天光，一碧萬頃……」《史記・周勃世家》：「曩者霸上、棘門軍，若兒戲耳，其將固可襲而虜也。至於亞夫，可得而犯邪？」

【再】

副詞

表示動作行爲的數量，可譯爲「再次」、「第二次」。「再三」、「……再……三」表示同一動作行爲的多次重覆，可譯爲「多次」、「許多次」。《左傳・僖公五年》：「晋不可啓，寇不可翫（放鬆警惕），一之謂甚，其可再乎？」《左傳・莊公十年》：「一鼓作氣，再而衰，三而竭。」《漢樂府・古詩十九首》：「一彈再三嘆，慷慨有餘哀。」《孫子兵法・作戰》：「善用兵者，不再籍，糧不三載。」

【耳】

語氣助詞

(1)表限止的語氣，可譯爲「而已」、「罷了」等。《史記・項羽本紀》：「從此道至吾軍不過二十里耳。」

(2)表肯定的語氣，可譯爲「啊」或「了」，有時也譯不出。《史記・陳涉世家》：「陳勝、吳廣喜，念鬼，曰：『此教我先威衆耳。』」

【有】

1. 動詞

動詞「有」，即今「有無」的「有」。《詩經・小雅・鹿鳴》：「呦呦鹿鳴，食野之苹，我有嘉賓，鼓瑟吹笙。」

2. 連詞

連詞「有」，連接整數和零數，一般可以不必譯出。《論語・爲政》：「吾十有五而志於學，……。」

3. 副詞

表示在意思上更進一層，可譯爲「又」。《莊子・徐無鬼》：「我將勞君，君有何勞於我？」

4. 助詞

用在某些名詞、形容詞之前，沒有實在意思，不譯。也有的著作把這種用法的「有」叫作「詞頭」。《莊子・大宗師》：「上及有虞，下及五伯。」《詩經・邶風・擊鼓》：「不我以歸，憂心有仲。」

【而】

1. 代詞

作第二人稱代詞用，可譯作「你」、「你（們）的」。《國語・楚語下》：「王使謂之曰：『成臼之役，而棄不穀，今而敢來，何也？』」《史記・孫子吳起列傳》：「汝知而心與左右手、背乎？」

2. 連詞

⑴連接詞和詞、詞組和詞組、句子和句子，有時表示順接，有時表示轉接。表順接時，可譯爲「並且」、「而且」、「就」、「才」等。《左傳・僖公三十一年》：「秦師輕而無禮，必敗。」表轉接時，可譯爲「卻」、「可是」、「但是」等。《國語・晋語》：「華而不實，恥也。」

⑵連接主語和謂語，有時含有「假設」的意思，可譯爲「如果」。《論語・爲政》：「人而無信，不知其可也。」

⑶連接狀語和謂語，表示「而」前面部分是「而」後面行爲的目的、原因、方式、情態、時間等，一般譯不出。《戰國策・趙策》：「老婦恃輦而行。」柳宗元《捕蛇者說》：「吾恂恂而起，視其缶，而吾蛇尚存，則弛然而臥。」

3. 語氣助詞

用於句末、表示感嘆語氣，可譯爲「啊」等。《論語・子罕》：「唐棣之華，偏其反而！」

【因】

1. 動詞

「因」作動詞，有「依靠」、「因襲」的意思。《左傳・僖公三十年》：「因人之力而敝之，不仁。」《論語．爲政》：「殷因於夏禮，所損益可知也。」

2. 介詞

「因」作介紹，主要有三種作用：

(1)介紹動作行爲發生的原因，譯爲「因爲」。《史記．蒙恬列傳》：「始皇二十六年，蒙恬因家世得爲秦將。」

(2)介紹動作行爲發生的條件，可譯爲「憑借」、「趁著」等。晁錯《論貴粟疏》：「商賈……因其富貴交通王侯，力過吏勢，以利相傾。」《戰國策．燕策》：「齊因孤國之亂，而襲破燕。」

(3)介紹動作行爲旁及的對象，可譯爲「通過」。《史記．廉頗藺相如列傳》：「廉頗聞之，肉袒負荊，因賓客至藺相如門謝罪。」

【此】

1. 代詞

(1)作人稱代詞，代人代物，可譯爲「這」、「這個」、「這些」。《左傳．成公二年》：「余姑翦滅此而後朝食。」

(2)作指示代詞，常作定語，譯爲「這」、「這樣」。《史記．酷吏列傳》：「天子聞之，曰：『非此母不能生此子。」

2. 副詞

在句中作狀語，起承接作用。可譯爲「這才」、「這就」。《禮記．大學》：「有德此有人，有人此有土，有土此有財，有財此有用。」《後漢書．黃瓊傳》：「自生民以來，善政少而亂俗多。必待堯舜之君，此爲志士終無時矣。」

【同】

1. 形容詞

形容詞「同」，是「相同」、「一樣」的意思。《晏子春秋・內篇雜下》：「橘生淮南則為橘，生於淮北則為枳，葉徒相似，其實味不同。」

2. 副詞

施動者共同發出某一動作或共處同一範圍之中，可譯為「共同」、「一同」、「都」等。《史記・項羽本紀》：「臣請入，與之同命。」王勃《杜少府之任蜀州》：「與君離別意，同是宦游人。」

【如】

1. 動詞

往，到。《左傳・昭公三年》：「山木如市，弗加於山。」《史記・孫子吳起列傳》：「齊使者如梁。」

2. 連詞

⑴表示順承，可譯為「而」、「就」等。《鹽鐵論・世務》：「見利如前，乘便而起。」

⑵表示假設，可譯為「假如」、「如果」等。《論語・述而》：「富而可求也，雖執鞭之士，吾亦為之；如不可求，從吾所好。」

⑶表示選擇，可譯為「或者」、「還是」等。《論語・先進》：「方六七十，如五六十，求也為之，比及三年，可使足民。」

⑷形容詞詞尾，表示「……的樣子」。《論語・鄉黨》：「朝，與下大夫言，侃侃如也；與上大夫言，誾誾如也。」

【全】

1. 動詞

保全。《後漢書・崔駰列傳》：「漢興以後，迄於哀、平，外家二十，保族全身，四人而已。」

2. 副詞

表示全部，可譯爲「完全」、「徹底」等。《荀子・儒效》：「塗之人百姓，積善而全盡，謂之聖人。」

【自】

1. 代詞

「自」作代詞，可譯爲「自己」。《左傳・隱公元年》：「多行不義，必自斃。」《左傳・成公二年》：「其自爲謀也，則過矣。」

2. 副詞

表示事實本來就是如此或動作行爲的發生是合乎規律的，可譯爲「本來」、「自然」。司馬遷《報任安書》：「然僕觀其爲人，自奇士。」《荀子・正論》：「風俗之美，男女自不取於塗，而百姓羞拾遺。」

3. 介詞

「自」作介詞，表示時間的起點或表處所，可譯爲「從」、「在」等。《左傳・成公二年》：「自今無有代其君任患者，有一於此，將爲戮乎？」《水經注・江水》：「自三峽七百里中，兩岸連山，略無闕處。」

4. 連詞

(1)表讓步，可譯爲「即使」。《漢書・周昌傳》：「昌爲人強力，敢直言，自蕭、曹等皆卑下之。」

(2)表假設，可譯爲「如果」、「自非」連用，可譯爲「如果不是」。《水經注・江水》：「自非亭午夜分，不見曦月。」

【向】

1. 名詞

朝北的窗。《詩經・豳風・七月》：「塞向墐戶。」

2. 動詞

「向」作動詞，有「朝向」、「前著」、「趨向」、「奔向」的意思。賈誼《治安策》：「細民向善。」李斯《諫逐客書》：「使天下之士，退而不敢西向，裹足不入秦，此所謂『藉寇兵而賫盜糧』者也。」

3. 副詞

(1)表示動作行爲已經過去，可譯爲「當初」。《左傳・僖公二十八年》：「向役之三月，鄭伯如楚致其師。」《資治通鑒・漢紀・獻帝建安十三年》：「向察衆人之議，專欲誤將軍，不足與圖大事。」

(2)「向」與「者」連用，組成「向者」仍是「剛才」的意思。《史記・高祖本紀》：「向者夫人嬰兒皆似君。」

4. 連詞

表示假設，可譯爲「如果」、「當初」。柳宗元《捕蛇者說》：「向吾不爲斯役，則久已病矣。」

5. 介詞

介紹出方位或時間。《說苑・貴德》：「今有滿堂飲酒者，有一人獨索然向隅而泣，則一堂之人皆不樂矣。」李商隱《登樂遊原》詩：「向晚意不適，驅車登古原。」

【伊】

1. 代詞

(1)指示代詞，可譯爲「這個」，「那個」。《詩經・小雅・小明》：「心之憂矣，自詒伊戚。」《詩經・秦風・蒹葭》：「所謂伊人，在水一方。」

(2)人稱代詞，可譯爲「他」。《世說新語・方正》：「羊、鄧是世婚，江家我顧伊，庾家伊顧我，不能復與謝裒兒婚。」

2. 助詞

(1)用於句首，加强語氣，有「還是」的意思。《詩經・豳風・東山》：「不可畏也，伊可懷也。」

(2)「匪……伊……」相配表選擇，可譯爲「不（是）……就（是）……」。「豈伊」連用表反詰，有「難道僅僅」的意思。《詩經・小雅・蓼莪》：「蓼蓼者莪，匪莪伊蒿。」《資治通鑑・唐紀・高祖武德元年》：「興亡之效，豈伊人力！」

【行】

1. 名詞

道路。《詩經・豳風・七月》：「遵彼微行。」

2. 動詞

行走。《論語・述而》：「三人行，必有我師焉。」

3. 副詞

表時間，可譯爲「將要」、「即將」等。《詩經・魏風・十畝之間》：「桑者閑閑兮，行與子還兮。」

【況】

1. 動詞

比擬，比方。《漢書・高惠高后文功臣表序》：「以往況今。」

2. 連詞

表示遞進，可譯爲「何況」等。《左傳・隱公元年》：「蔓草猶不可除，況君之寵弟乎？」

【初】

副詞

⑴用在句子的開頭，表示對往事的追溯，可譯爲「先前」、「當初」。《左傳・隱公元年》：「初，鄭武公娶於申，曰武姜。」

⑵表示事情第一次發生的時間，可譯爲「第一次」、「開始」。《公羊傳・宣公十五年》：「初稅畝。初者何？始也。稅畝者何？履畝而稅也。」

⑶表示事物的緣起，可譯爲「最初」、「乍」、「才」。陶淵明《桃花源記》：「初極狹，才通人。復行數十步，豁然開朗。」《資治通鑑・赤壁之戰》：「初一交戰，操軍不利，引次江北。」

【良】

1. 形容詞

好的。《說苑・正諫》：「良藥苦於口，利於病；忠言逆於耳，利於行。」

2. 副詞

⑴表示程度之深，可譯爲「甚」、「很」等。《史記・淮陰侯列傳》：「趙開壁擊之，大戰良久。」

⑵表示肯定，可譯爲「確實」「眞正」等。《史記・趙世家》：「諸將皆以爲趙氏孤兒良已死。」

【即】

1. 動詞

走近、投向、靠近、挨上等意義。《左傳・成公二年》：「擐甲執兵，固即死也。」《誠意伯集・登臥龍山寫懷二十八韻》：「白雲在青天，可望不可即。」

2. 介詞

介紹行爲的時間、地點、條件等，可譯爲「就在」、「當」等。《史記・項羽本紀》：「項羽晨朝上將軍宋義，即其帳中斬宋義頭。」

3. 連詞

(1)常表假設，可譯爲「倘若」、「如果」等。《史記・晉世家》：「子即反國，何以報寡人？」

(2)表讓步，可譯爲「即使」、「縱使」等。《史記・魏公子列傳》：「公子即合符，而晉鄙不授公子兵而復請之，事必危矣。」

4. 副詞

(1)表示相接，可譯爲「就」、「便」等。《史記・項羽本紀》：「公徐行即免死，疾行則及禍。」

(2)用於判斷，可譯爲「就是」。《左傳・襄公八年》：「民死亡者，非其父兄，即其子弟。」

【邪（耶）】

語氣助詞

主要表示反問或疑問的語氣。字也寫作「耶」。

(1)表示反問，可譯爲「呢」、「嗎」等。柳宗元《捕蛇者說》：「今雖死乎此，比吾鄉鄰之死則已後矣。又安敢毒邪？」

(2)表示疑問，也譯爲「呢」、「嗎」等。《荀子・天論》：

「治亂天邪？」

【抑】

1. 動詞

「抑」作動詞，可譯爲「治理」、「壓抑」。《史記・河渠書》：「禹抑洪水十三年，過家不入門。」歐陽修《梅聖俞詩集序》：「累舉進士，輒抑於有司。」

2. 連詞

⑴連接分句，表選擇，可譯爲「還是」。《孟子・滕文公下》：「仲子所居之室，伯夷之所築與？抑亦盜跖之所築與？」

⑵連接分句，表轉折，可譯爲「不過」。《論語・述而》：「若聖與仁，則吾豈敢！抑爲之不厭，誨人不倦，則可謂云爾已矣。」

⑶連接分句，表假設，可譯爲「如果」。《左傳・昭公十三年》：「晉侯使叔向告劉獻公曰：抑齊人不盟，若之何？」

【見】

1. 動詞

看見。《呂氏春秋・察今》：「有道之士，貴以近知遠，以今知古，以所見知所未見。」

2. 副詞

放在動詞前面，有稱代第一身的作用。李密《陳情表》：「生孩六月，慈父見背。」

3. 助詞

表被動，可譯爲「被」。《史記・屈原列傳》：「信而見疑，忠而被謗，能無怨乎？」

【更】

1. 動詞

作動詞讀ㄍㄥ，有「改」，「更換」等意思。《史記・秦始皇本紀》：「更名河曰德水。」《莊子・養生主》：「良庖歲更刀，割也；族庖月更刀，折也。」

2. 副詞

⑴表示施動者輪流交替，讀ㄍㄥ，可譯爲「交替」、「相繼」等。《漢書・張騫傳》：「外國使更來更去。」

⑵表示動作行爲的重複，讀ㄍㄥˋ，可譯爲「又」、「再」等。《曹操集・讓縣自明本志令》：「故汴水之戰數千，後還到揚州更募，亦復不過三千人。」

⑶表示程度的加深、讀ㄍㄥˋ，可譯爲「更加」、「尤其」等。《資治通鑑・赤壁之戰》：「曹公豺虎也，挾天子以征四方，動以朝廷爲辭，今日拒之，事更不順。」

【足】

1. 能願動詞

「足」作助動詞，有「値得」、「能夠」、「可以」等意思。《史記・項羽本紀》：「劍，一人敵，不足學，學萬人敵。」《資治通鑑・漢紀・獻帝建安十三年》：「向察衆人之議，專欲誤將軍，不足與圖大事。」

2. 副詞

副詞「足」，表示程度，可譯爲「足夠」、「足足」等。《韓非子・五蠹》：「古者丈夫不耕，草木之實足食也；婦人不織，禽獸之皮足衣也。」

【每】

副詞

表示某一種情況經常發生，可譯爲「每逢」、「往往」、「常常」等。《後漢書・鄧禹傳》：「每與羌戰，常以少制多。」

【矣】

語氣助詞

用於句末或句中，敍述動態事物，表示情況的發展變化。

⑴用在句末，表示動作、事態已成事實，可譯爲「了」、「啦」。《史記・韓非列傳》：「秦王後悔之，使人赦之，非已死矣。」《孟子・公孫丑上》：「其子趨而往視之，苗則槁矣。」

⑵用在句末，表示事情將要實現，譯爲「了」。《論語・陽貨》：「孔子曰：『諾，吾將仕矣。』」

⑶用在句末，表示請求、命令語氣，可譯爲「吧」、「啦」等。《史記・滑稽列傳》：「須臾，豹曰：『廷掾起矣。』」《史記・淮陰侯列傳》：「先生且休矣！」

⑷同語氣詞「哉」、「乎」等運用，加重感嘆語氣。《孟子・梁惠王上》：「寡人之於國也，盡心焉耳矣！」

【但】

1. 副詞

⑴表示限制，可譯爲「只」、「僅」等。《三國志・張飛傳》：「我州但有斷頭將軍，無有降將軍也。」

⑵表示命令，可譯爲「只管」、「儘管」等。《世說新語・賢媛》：「汝但出外留客！吾自爲計。」

2. 連詞

表示轉折，可譯爲「只是」、「不過」等。《三國志・方技傳》：「人體欲得勞動，但不當使極爾。」

【何】

疑問代詞

(1)做賓語時，包括做介詞的賓語，可譯爲「什麼」，「哪裡」等。《論語・子張》：「子夏云何？」《左傳・莊公十年》：「何以戰？」

(2)做謂語時，可譯爲「爲什麼」、「怎麼回事」、「什麼意思」等。《韓非子・說難》：「胡，兄弟之國也，子言伐之，何也？」

(3)做狀語時，可譯爲「怎麼」、「爲什麼」、「哪裡」等。《孟子・滕文公上》：「彼，丈夫也；我，丈夫也。吾何畏彼哉！」

(4)做定語時，可譯爲「什麼」、「什麼樣的」、「哪種」等。《左傳・僖公四年》：「以此攻城，何城不克？」

【攸】

助詞

用在動詞前，可譯爲「所」。《易經・坤卦》：「君子有攸往。」

【於（于）】

介詞

(1)介紹出動作行爲發生的時間、處所，可譯爲「在」、「到」。《論語・述而》：「子於是日哭，則不歌。」《史記・孫子吳起列傳》：「龐涓死於此樹之下。」

(2)在被動句中，介紹出行爲主動者，譯爲「被」。《史記・

屈原賈生列傳》：「故內惑於鄭袖，外欺於張儀。」

⑶介紹動作行爲的對象，可譯爲「向」。《左傳・僖公五年》：「晉侯復假道於虞以伐虢。」

⑷用在形容詞後，介紹比較的對象。《後漢書・張衡傳》：「雖才高於世，而無驕尙之情。」

【宜】

副詞

⑴表示肯定的語氣，可譯爲「應當」。《三國志・蜀書・諸葛亮傳》：「此人可就見，不可屈致也，將軍宜枉駕顧之。」

⑵表示對某種情況的推測，可譯爲「一定」、「或許」、「大概」。《史記・陳涉世家》：「今誠以吾衆詐自稱公子扶蘇、項燕，爲天下唱，宜多應者。」

⑶「宜乎」連用，可譯爲「怪不得」。《孟子・梁惠王上》：「宜乎百姓之謂我愛也。」

【卒】

1. 名詞

「卒」作名詞，有「步兵」、「士兵」的意思。《左傳・隱公元年》：「大叔完聚，繕甲兵，具卒乘，將襲鄭。」

2. 動詞

「卒」作動詞，有「死亡」的意思。《左傳・僖公三十二年》：「冬，晉文公卒。」

3. 副詞

「卒」作副詞，表事情的終結，可譯爲「最後」、「終於」等。《史記・周本紀》：「管仲卒受下卿之禮而還。」柳宗元《三戒・黔之驢》：「向不出其技，虎雖猛，疑畏，卒不敢取。」

【定】

副詞

表示肯定，可譯爲「的確」、「到底」等。《史記・項羽本紀》：「項梁聞陳王定死，召諸別將會薛計事。」陶潛《擬古》：「君情定如何？」

【其】

1. 代詞

(1)作人稱代詞，常稱代第三身，代人或代物，可譯爲「他（們）」「它（們）」、「他（們）的」、「它（們）的」等。《列子・湯問》：「操蛇之神聞之，懼其不已也，告之於帝。」《史記・孫子吳起列傳》：「孫臏以此名顯天下，世傳其兵法。」

(2)作指示代詞，可譯爲「那」、「這」、「其中」等。《戰國策・燕策》：「荊軻有所待，欲與俱，其人居遠，未來，而爲留待。」

2. 語氣助詞

(1)加強測度、擬議的語氣，可譯爲「大概」、「恐怕」等。《史記・李將軍列傳》：「傳曰：『其身正，不令而行；其身不正，雖令不從。』其李將軍之謂也。」

(2)加強命令、勸勉的語氣，可譯爲「可」、「該」、「還是」等。《新五代史・伶官傳序》：「爾其無忘乃父之志！」

(3)加強疑問或反詰語氣，可譯爲「究竟」、「到底」、「難道」等。《列子・湯問》：「以殘年餘力，曾不能毀山之一毛，其如土石何？」

【或】

1. 動詞

作動詞用，就是「有」。《書·五子之歌》：「有一於此，未或不亡。」

2. 代詞

做無定代詞，可譯爲「有的」、「有的人」、「有的事物」等。《史記·陳涉世家》：「項燕爲楚將，數有功，愛士卒，楚人憐之。或以爲死，或以爲亡。」《孟子·滕文公上》：「夫物之不齊，物之情也：或相倍蓰，或相什百，或相千萬。」

3. 副詞

⑴表示不肯定，可譯爲「或許」、「大概」、「可能」等。《清稗類鈔·馮婉貞》：「莫如以吾所長、攻敵所短，……或能免乎？」

⑵表示行爲交替發生或同時存在，可譯爲「有時」、「或者」等。《史記·扁鵲列傳》：「爲醫或在齊，或在趙，在趙者名扁鵲。」

【居】

1. 動詞

居住、處。《論語·八佾》：「居上不寬，爲禮不敬，臨喪不哀，吾何以觀之哉？」

2. 語氣助詞

表疑問語氣，可譯爲「啊」、「呢」等。《左傳·襄公二十三年》：「國有人焉！誰居？其孟椒乎？」

【昔】

副詞

常用在句首，表時間，可譯爲「從前」、「往日」等。《詩經・小雅・采薇》：「昔我往矣，楊柳依依；今我來思，雨雪霏霏。」

「昔者」連用，意思不變。《禮記・檀弓下》：「昔者吾舅死於虎，吾夫又死焉，今吾子又死焉。」

【者】

1. 代詞

「者」字用作代詞，不能單獨使用，放在動詞（或動詞性詞組）、形容詞（或形容詞性詞組）、數詞、個別代詞之後，構成「者字詞組」，整個詞組具有名詞性，在句中充當一個成分。「者」字可斟酌情況，譯爲「的」、「的人」、「的東西」等。

(1)「者」用在動詞或動詞性詞組之後。《史記・陳涉世家》：「傭者笑而應之。」《荀子・勸學》：「假輿馬者，非利足也，而致千里；假舟楫者，非能水也，而絕江河。」

(2)「者」用在形容詞或形容詞詞組之後。《漢書・高帝紀》：「大者王，小者侯。」柳宗元《捕蛇者說》：「孰知賦斂之毒，有甚是蛇者乎？」

(3)「者」用在數詞後。《論語・子路》：「必不得已而去，於斯三者何先？」《孫子・謀攻》：「此五者，知勝之道也。」

(4)「者」放在個別代詞之後。《史記・廉頗藺相如列傳》：「於是趙王乃齋戒五日，使臣奉璧，拜送書於庭。何者？嚴大國之威以修敬也。」

2. 助詞

(1)用於主語謂語之間或用於「有」的賓語之後，提示語氣，不能譯出。《史記・陳涉世家》：「陳勝者，陽城人也，字涉。」柳宗元《捕蛇者說》：「有蔣氏者，專其利三世矣。」

(2)用於句末，有突出前文的作用。《韓非子・外儲說左上》：「戰士怠於行陳者，則兵弱也；農夫惰於田者，則國貧也。」

(3)用在時間後，表停頓，不譯。《韓非子・五蠹》：「古者，丈夫不耕，草木之實足食也。」

【枉】

1. 動詞

使委屈，歪曲的。《三國志・蜀書・諸葛亮傳》：「將軍宜枉駕顧之。」《宋史紀事本末・收兵權》：「五代諸侯跋扈，有枉法殺人者，朝廷置而不問。」

2. 副詞

表示動作行爲徒勞，沒有收到效果。可譯爲「白白地」、「徒然」。杜甫《歲晏行》：「楚人重魚不重鳥，汝休枉殺南飛鴻。」

【直】

1. 形容詞

形容詞「直」，意思是「不彎曲」，跟「曲」相對。《荀子・勸學》：「木直中繩，輮以爲輪，其曲中規，雖有槁暴，不復挺者，輮使之然也。」

2. 副詞

(1)用在動詞前，表動作行爲的範圍，可譯爲「只」、「只是」。《孟子・梁惠王上》：「直不百步耳，是亦走也。」《史記・叔孫通列傳》：「高帝曰：『公罷矣，吾直戲耳。』」

(2)表示動作行爲是有意的。可譯爲「特意」、「故意」。

《漢書・張良傳》:「良嘗閑從容步游下邳圯上,有一老父,衣褐,至良所,直墮其履圯下,顧謂良曰:『孺子下取履!』」

⑶表示動作行爲的情態,可譯爲「簡直」、「徑直」等。林升《題臨安邸》:「山外青山樓外樓,西湖歌舞幾時休!暖風吹得游人醉,直把杭州作汴州。」《史記・魏公子列傳》:「侯生攝敝衣冠,直上載公子上坐,不讓。」

【尙】

1. 動詞

「尊敬」、「崇尙」。《荀子・成相》:「堯舜尙賢身辭讓。」

2. 副詞

⑴作狀語,表示動作、行爲、狀態沒有變化,可譯爲「還」、「還是」、「依然」等。《史記・張儀列傳》:「視吾舌尙在不?」柳宗元《捕蛇者說》:「視其缶,而吾蛇尙存。」

⑵表示對動作、行爲的揣測或推論,可譯爲「尙且」、「大概」。《史記・廉頗藺相如列傳》:「且庸人尙羞之,況於將相乎?」《禮記・大學》:「寔(同「實」)能容之,以能保我子孫黎民,尙亦有利哉!」

⑶表示希望,可譯爲「希望」。柳宗元《爲韋京兆祭太常崔少卿文》:「嗚呼哀哉,伏惟尙饗!」

【固】

1. 形容詞

有「堅固」、「頑固」等意思,《呂氏春秋・達郁》:「筋骨欲其固也。」《列子・湯問》:「汝心之固,固不可徹。」

2. 副詞

⑴表示態度堅決肯定，可譯爲「堅決」、「肯定」等。《史記・廉頗藺相如列傳》：「藺相如固止之曰：『公之視廉將軍孰與秦王？』」

⑵表示本來如此，可譯爲「本來」、「原來」、「固然」等。《史記・孫子吳起列傳》：「我固知齊軍怯。」

【罔】

1. 動詞

「罔」作動詞用，有「沒有」的意思，有時「罔不」連用。《詩經・魏風・氓》：「世也罔極，二三其德。」《史記・秦始皇本紀》：「二十有六年，初併天下，罔不賓服。」

2. 副詞

⑴表否定，可譯爲「不」。《尚書・酒誥》：「罔敢湎於酒。不唯不敢，亦不暇。」

⑵表禁戒，可譯爲「不要」。《尚書・大禹謨》：「罔違道以干百姓之譽，罔咈百姓以從己之欲。」

【果】

1. 名詞

果實，結果。《柳河東集・東海若》：「無因無果。」

2. 副詞

⑴表示行爲變化的結果，可譯爲「果然」、「果眞」、「終於」等。《史記・陳涉世家》：「廣故數言欲亡，忿恚尉，令辱之，以激怒其衆。尉果笞廣。」

⑵表示情況的確實，可譯爲「的確」、「果眞」等。《閱微草堂筆記》：「如其言，果得於數里外。」

⑶表示假設，可譯爲「如果」、「如果眞的」等。《左傳・

宣公十二年》：「果遇必敗。」

【忽】

1. 動詞

用作動詞，是「忽視」或「輕視」的意思。《後漢書・崔駰傳》：「公愛班固而忽崔駰。」

2. 副詞

(1)表示時間的短促，可譯爲「很快（地）」等。《文選・重贈盧諶》：「功業未及建，夕陽忽西流。時哉不我與，去乎若雲浮。」

(2)表示事情發生的突然，可譯爲「忽然」、「突然」等。《世說新語・尤悔》：「大兒年未弱冠，忽被篤疾。」

【非】

副詞

(1)用在動詞、形容詞謂語前，表示對動作行爲或某種性質、狀態的否定，可譯爲「不」。《水經注・渭水中》：「以是推之，知二證之非實也。」

(2)用在判斷句謂語前，可譯爲「不是」。《莊子・秋水》：「子非魚，安知魚之樂？」

(3)用於句末，構成「是」或「非」的疑問句，可譯爲「不是」。《史記・伯夷列傳》：「若伯夷、叔齊，可謂善人者非邪？」

【姑】

副詞

表示時間的短暫或行爲措施的暫時性，可譯爲「暫且」、

「姑且」等。《左傳・隱公元年》:「多行不義,必自斃,子姑待之。」宗臣《報劉一丈書》:「亡奈何矣,姑容我入。」

【始】

副詞

(1)表示動作、行爲的開頭,可譯爲「開始」。陶淵明《歸去來辭》:「木欣欣以向榮,泉涓涓而始流。」

(2)追述往事,可譯爲「當初」、「起初」。《論語・公冶長》:「始吾於人也,聽其言而信其行;今吾於人也,聽其言而觀其行。」

(3)動作行爲正在進行或剛剛完成,可譯爲「剛剛」。蒲松齡《聊齋誌異・促織》:「後歲餘,成子精神復歸,自言身化促織,輕捷善鬥,今始蘇耳。」

【矧】

連詞

多用於複句的下一分句,表示更進一層的意思,可譯爲「況且」、「何況」。孫樵《書何易於》:「益昌不征茶,百姓尚不可活,矧厚其賦以毒民乎?」歐陽修《瀧岡阡表》:「求其生而不得,則死者與我皆無恨也,矧求而有得耶?」

【所】

1. 名詞

名詞「所」,是「地方」、「處所」的意思。《史記・陳涉世家》:「又間令吳廣之次所旁叢祠中。」

2. 代詞

代詞「所」,起輔助作用,在句子裡不能獨立作句子成分,必須放在動詞或介詞的前面，組成「所」字結構，整個結構在句中充當一個成分。「所」字在有的語法著作中稱爲「特別指示代詞」，也有人稱爲「助詞」。

「所」的常見用法有：

(1)「所」放在動詞之前，和動詞組成「所」字結構，「所」稱代的是動作的對象，這對象可以是人、事、物、處所。《左傳・昭公二年》：「民無所依」。「所依」是指「依靠的人」。《論語・子路》：「君子於其所不知，蓋闕如也。」「所不知」是指「不知道的事情」。《莊子・養生主》：「始臣之解牛之時，所見無非牛者。」「所見」指「看見的東西」。韓愈《師說》：「道之所存，師之所存也。」「所存」指「存在的地方」。

(2)「所」字結構之後加「者」字，構成「所……者」的格式，「者」字代替中心詞，這時所字具有了指示作用。《戰國策・齊策四》：「孟嘗君曰：『視吾家所寡有者』。」「所寡有者」指「寡有的東西」。

(3)「所」字結構之前用定語修飾，這個定語是行爲的主動者。定語和「所」字結構之間，一般要加「之」字。《史記・張儀列傳》：「今齊王甚憎儀，儀之所在，必興師伐之。」

(4)「所」字結構後加名詞，具體舉出人或事物的名稱，明確其指代對象，這時「所」字結構作定語修飾這個名詞，「所」字結構和名詞之間，有的可加「之」字，有的不加。《戰國策・燕策三》：「光不敢以乏國事也，所善荊軻可使也。」「所善」是荊軻的定語，「所善」指的就是荊軻。王安石《答司馬諫議書》：「竊以爲與君實游處相好之日久，而議事每不合，所操之術多異故也。」

(5)「所」字與介詞「以」結合，再與動詞結合。「所以……」在古漢語中有兩種意思：①表示比較具體意義，可譯爲

「用來……的方法」、「憑它……」《墨子·公輸》:「吾知所以距子矣,吾不言。」韓愈《師說》:「所以傳道授業解惑也。」②表示原因,可譯爲「導致……原因」。諸葛亮《出師表》:「親賢臣,遠小人,此先漢之所以興隆也。」

「所」除與介詞「以」結合外,還可與介詞「從」、「由」、「與」、「自」、「爲」等結合,這裡不舉例。

3. 助詞

助詞「所」與「爲」相呼應,構成「爲……所……」格式,表示被動。《漢書·霍光傳》:「衛太子爲江充所敗。」

【彼】

代詞

(1)作人稱代詞,可譯爲「他(的)」、「他們(的)」等。《資治通鑒·漢紀》:「彼所將中國人不過十五六萬。」《史記·孫子吳起列傳》:「今以君之下駟與彼上駟,取君上駟與彼中駟,取君中駟與彼下駟。」

(2)作指示代詞,可譯爲「那」、「那裡」、「那樣」等。《詩經·伐檀》:「彼君子兮,不素餐兮。」《三國志·武帝紀》:「卿老母在彼,可去。」

【使】

1. 動詞

動詞「使」,可譯爲派遣。《史記·絳侯周勃世家》:「上乃使使詔將軍。」

2. 名詞

名詞「使」,可譯爲「使者」、「使臣」。《戰國策·齊策四》:「千金,重幣也;百乘,顯使也。」

3. 連詞

表假設，常用在假設條件複句前一分句之首，可譯爲「如果」、「假如」等。《戰國策・趙策三》：「梁未睹秦稱帝之害故也；使梁睹秦稱帝之害，則必助趙矣。」

【茲】

1. 代詞

「茲」作指示代詞，表近指，可譯爲「這」、「這裡」、「這個」。柳宗元《鈷鉧潭西小丘記》：「書於石，所以賀茲丘之遭也。」《論語・子罕》：「文王既沒，文不在茲乎！」柳宗元《鈷鉧潭記》：「孰使予樂居夷而忘故土者，非茲潭也歟！」

2. 副詞

作狀語，表示程度，可譯爲「更加」、「更」等。《墨子・非攻上》：「以虧人愈多，其不仁茲甚，罪益厚。」

【爲】

1. 動詞

「爲」作動詞，讀ㄨㄟˊ。「爲」作動詞有許多意義，可根據上下文靈活翻譯，有「做」、「是」、「算作」……等意思。《論語・先進》：「爲國以禮。」《論語・爲政》：「知之爲知之，不知爲不知，是知也。」賈誼《過秦論》：「斬木爲兵，揭竿爲旗。」

2. 介詞

介紹動作行爲產生的原因，可譯爲「因爲」。《荀子・天論》：「天行有常，不爲堯存，不爲桀亡。」

⑵介紹動作行爲涉及的對象，可譯爲「給」、「替」、「向」等。《莊子・養生主》：「庖丁爲文惠君解牛。」《鹽鐵

論・伐功》：「蒙公（蒙恬）爲秦王走匈奴，若鷙鳥之追羣雀。」陶淵明《桃花源記》：「不足爲外人道也。」

⑶介紹動作行爲的目的，可譯爲「爲了」。白居易《與元九書》：「始知文章合爲時而著，歌詩合爲事而作。」

⑷用在被動句中，介紹動作行爲的主動者，可譯爲「被」。《戰國策・燕策三》：「父母宗族，皆爲戮沒。」

3. 連詞

用在複合句的前一分句，表示假設，可譯爲「如果」。《韓非子・五蠹》：「然則無功而受事，無爵而顯榮，爲有政如此，則國必亂，主必危矣。」

4. 語氣助詞

用在句末，表疑問語氣。《莊子・逍遙遊》：「奚以之九萬里而南爲？」

【惡】

1. 動詞

「惡」作動詞，讀ㄨˋ，「憎恨」的意思。《左傳・隱公元年》：「莊公寤生，驚姜氏，故名曰寤生，遂惡之。」

2. 形容詞

「惡」作形容詞，讀ㄜˋ，可譯爲「醜」、「壞」。《老子》：「天下皆知美之爲美，斯惡已。」（如果天下的人都知道美好的東西是美的，就顯露出醜來了。）《孟子・公孫丑上》：「無嚴諸侯，惡聲至，必反之。」

3. 疑問代詞

「惡」作疑問代詞，指代處所，可譯作「哪裡」，在句中作賓語和狀語。

⑴作賓語。《孟子・梁惠王上》：「爲民父母，行政，不免於

率獸而食人，惡在其爲民父母也？」

(2)作狀語。《戰國策・趙策三》：「先生又惡能使秦王烹醢梁王？」

【咸】

副詞

表總括，可譯爲「全」、「都」。《三國志・蜀書・諸葛亮傳》：「政事無巨細，咸決於亮。」《史記・淮陰侯列傳》：「於諸侯之約，大王當王關中，關中民咸知之。」

【哉】

語氣助詞

表示感嘆、反問或疑問語氣，可譯爲「啊」、「吧」、「嗎」等。《孟子・滕文公上》：「大哉！堯之爲君。」《左傳・僖公五年》：「晉，吾宗也，豈害我哉！」蘇軾《石鐘山記》：「石之鏗然有聲者，所在皆是也，而此獨以鐘名，何哉？」

【亟】

副詞

(1)表示動作時間的急促，讀ㄐㄧˊ，可譯爲「迅速」、「趕快」等。《左傳・隱公十一年》：「我死，乃亟去之！」

(2)表示動作行爲的多次重複，讀ㄑㄧˋ，可譯爲「屢次」、「頻繁地」等。《左傳・隱公元年》：「愛公叔段，欲立之，亟請於武公，公弗許。」

【胡】

1. 名詞

⑴獸頷下下垂的肉。《詩經・豳風・狼跋》：「狼跋其胡。」

⑵匈奴。賈誼《過秦論上》：「胡人不敢南下而牧馬。」

⑶泛指北方和西方外族。《洛陽伽藍記・城南》：「獅子者，波斯國胡王所獻也。」

2. 疑問代詞

⑴做介詞的賓語，可譯爲「什麼」。《漢書・英布傳》：「胡爲廢上計而出下計？」

⑵做狀語，可譯爲「爲什麼」、「怎麼」、「哪能」等。《呂氏春秋・察今》：「上胡不法先王之法？」

⑶做定語時，譯爲「什麼」等。《漢書・王褒傳》：「其得意如此，則胡禁不止？曷令不行？」

【相】

1. 動詞

「相」作動詞，有「看」的意思。《詩經・大雅・公劉》：「相其陰陽，觀其流泉。」

2. 副詞

⑴表示彼此間的關係，可譯爲「互相」、「相互」。《左傳・僖公五年》：「諺所謂『輔車相依，唇亡齒寒』者，其虞虢之謂也！」

⑵表示遞相承接，有「接續」的意思。《史記・魏其武安侯列傳》：「天下者，高祖天下，父子相傳，此漢之約也。」

⑶表示動作行爲偏指一方，「相」有指代賓語的作用，翻譯時可補出指代的對象。賀知章《回鄉偶書》詩：「兒童相見不相識，笑問客從何處來。」

⑷表示雙方進行比較，可譯爲「相差」。《孟子・滕文公上》：「夫物之不齊，物之情也：或相倍蓰，或相什百，或相千萬。」

【殆】

副詞

⑴表示推測或不肯定，可譯爲「大概」、「恐怕」等。《史記・趙世家》：「吾嘗見一子於路，殆君之子也。」《左傳・昭公十一年》：「國不忌君，君不顧親，能無卑乎？殆其失國！」

⑵表示相差不多，可譯爲「幾乎」、「差點」等。諸葛亮《後出師表》：「幾敗北山，殆死潼關。」

【既】

1. 動詞

用作動詞，有「完了」、「結束」等意思。孫樵《書褒城驛壁》：「語未既，有老氓笑於旁。」

2. 副詞

⑴表示過去時間，可譯爲「已經」。《左傳・莊公十年》：「既克，公問其故。」

⑵表示兩事相距短暫時間，可譯爲「不久」、「一會兒」等。《國語・周語上》：「榮公若用，周必敗。既榮公爲卿士，諸侯不享。」

⑶表示數量的全部，可譯爲「盡」、「全」等。《左傳・僖公二十二年》：「楚人未既濟。」

⑷表示關聯，可譯爲「既」，「既然」等。《孫子・謀攻》：「三軍既惑且疑，則諸侯之難至也。」馬中錫《中山狼傳》：「先生既墨者，摩頂放踵，思一利天下，又何吝一軀啖我而全微命

乎？」

【甚】

1. 形容詞

形容詞「甚」，表示程度，可譯爲「厲害」、「嚴重」等。《資治通鑒・唐紀》：「夜半雪愈甚。」《戰國策・趙策四》：「太后曰：『丈夫亦愛憐其少子乎？』對曰：『甚於婦人。』」

2. 副詞

表示程度很高，可譯爲「很」、「非常」。在句中作狀語或補語。

(1)作狀語。《史記・項羽本紀》：「樊噲曰：『今日之事何如？』良曰：『甚急！』⋯⋯」

(2)作補語：《戰國策・齊策一》：「君美甚，徐公何能及君也！」

【故】

1. 名詞

緣故，事故。《左傳・莊公十年》：「既克，公問其故。」《國語・鄭語》：「王室多故。」

2. 副詞

(1)表示行爲發生在過去，可譯爲「過去」、「從前」等。《史記・刺客列傳》：「燕太子丹者，故嘗質於趙。」

(2)表示事實原來就是這樣，可譯爲「原來」、「本來」等。《聊齋誌異・促織》：「此物故非西產。」

(3)表示故意去做某件事，可譯爲「故意」、「特地」等。《史記・陳涉世家》：「廣故數言欲亡，忿恚尉，令辱之，以激怒其衆。」

3. 連詞

作因果連詞，可譯爲「所以」、「因此」等。《左傳・莊公十年》：「彼竭我盈，故克之。」

【苟】

1. 副詞

(1)表示行爲的隨隨便便，可譯爲「苟且」、「隨便」等。《禮記・典禮》：「臨財毋苟得，臨難毋苟免。」

(2)表示某種事情只好暫時這樣做，可譯爲「姑且」、「暫且」等。馬中錫《中山狼傳》：「今日之事，何不使我得早處囊中，以苟延殘喘乎？」

2. 連詞

用在複句中表示假設或條件，可譯爲「如果」、「假若」、「只要」等。《史記・陳涉世家》：「苟富貴，無相忘！」《左傳・成公二年》：「自始合，苟有險，余必下推車。」

【曷】

疑問代詞

(1)做賓語時，包括做介詞賓語，可譯爲「什麼」。《晏子春秋・內篇》：「縛者曷爲者也？」

(2)做狀語時，可譯爲「怎麼」、「爲什麼」。《史記・游俠列傳》：「此盜跖居民間者耳，曷足道哉！」

(3)做定語時，可譯爲「什麼」。《詩經・王風・揚之水》：「曷月予還歸哉？」

【皆】

副詞

表示人或事物的整體，無一例外，可譯為「都」、「都是」等。《後漢書・皇甫嵩傳》：「角等知事已露，晨夜馳勑諸方，一時俱起。皆著黃巾為標幟，時人謂之『黃巾』。」

【若】

1. 動詞

像、如、比得上。柳宗元《捕蛇者說》：「則吾斯役之不幸，未若復吾賦不幸之甚也。」

2. 代詞

(1)你、你們。《孟子・梁惠王上》：「以若所為，求若所欲，猶緣木而求魚也。」

(2)你的、你們的。柳宗元《捕蛇者說》：「更若役，復若賦，則何如？」

(3)起指示作用，可譯為「這個」、「這些」等。《論語・憲問》：「君子哉若人！尚德哉若人！」

3. 介詞

介紹情況，可譯為「像」。《呂氏春秋・察今》：「舟已行矣，而劍不行；求劍若此，不亦惑乎？」

4. 連詞

(1)表示假設，可譯為「假設」、「如果」等。《左傳・隱公元年》：「若闕地及泉，隧而相見，其誰曰不然？」

(2)表示選擇，可譯為「或者」。《漢書・惠帝紀》：「民年七十以上若不滿十歲有罪當刑者，皆免之。」

5. 形容詞詞尾

表示「……的樣子」。《詩經・衛風・氓》：「桑之未落，其葉沃若。」

【則】

連詞

⑴表示兩事在時間上相承，譯爲「就」。《左傳・莊公十年》：「戰則請從。」

⑵用在複句裡，表示因果關係，譯爲「就」《莊子・逍遙遊》：「風之積也不厚，則其負大翼也無力。」

⑶用在複句中表示對比關係。《荀子・天論》：「天行有常，不爲堯存，不爲桀亡。應之以治則吉，應之以亂則凶。」

⑷表示假設，可譯爲「如果」、「假如」。《莊子・逍遙遊》：「時則不至，而控於地而已矣。」

⑸表示讓步，可譯爲「雖然」、「倒是」。《國語・吳語》：「善則善矣，未可以戰也。」

⑹新情況的出現，不是第一件事情的施事者所預想到的，「則」可譯爲「卻」、「原來已經」。《列子・黃帝》：「子出，而被發行歌，吾以子爲鬼，察子則人也。」《孟子・公孫丑上》：「其子趨而往見之，苗則槁矣。」

⑺「然則」連用，「然」是指示代詞，「則」是連詞，可譯爲「如此，就……」、「這樣就」、「那麼」。《左傳・成公三年》：「對曰：『……臣實不才，又誰敢怨？』王曰：『然則德我乎？』」《晏子春秋・內篇雜下》：「晏子對曰：『臨淄三百閭，張袂成陰，揮汗成雨，比肩繼踵而在，何爲無人？』王曰：『然則子何爲使乎？』」

【是】

1. 代詞

代詞「是」在句中可以用作主語、謂語、賓語和定語，它所指代的對象一般在上文已出現或包含在上文的文意中，可譯爲「這」。

⑴作主語，指代人，譯作「這人」。《左傳・昭公十二年》：「左史倚相趨過，王曰：『是良史也，子善視之！……』」

⑵作謂語。《韓非子・十過》：「夫虞之有虢也，如車之有輔，輔依車，車亦依輔，虞、虢之勢正是也。」

⑶作賓語。《孟子・梁惠王上》：「王之諸臣，皆足以供之，而王豈爲是哉？」

⑷作定語：《史記・滑稽列傳補》：「（西門）豹視之，顧謂三老、巫祝、父老曰：『是女子不好。』」

2. 助詞

助詞「是」用在動詞和它的賓語之間，作爲賓語提前的標誌，可不必譯出。《左傳・成公十三年》：「余唯利是視。」成語「唯利是圖」、「唯你是問」也是這種用法。

3. 連詞

「是」與「於」、「由」、「以」等詞組成「於是」、「由是」、「是以」等詞組，在分句或句子中起關聯作用，可譯爲「所以」、「因此」。賈誼《過秦論》：「當是時也，商君佐之，內立法度，務耕織，修守戰之具，外連横而鬥諸侯。於是秦人拱手而取西河之外。」《三國志・蜀書・諸葛亮傳》：「庶曰：『此人可就見，不可屈致也。將軍宜枉駕顧之。』由是先主遂詣亮，凡三往，乃見。」《孟子・梁惠王上》：「君子之於禽獸也，見其生不忍見其死；聞其聲不忍食其肉，是以君子遠庖廚也。」

在上古漢語裡，是字一般不是判斷詞，漢代以後，「是」用作判斷詞多起來。但是，由於後代作家仿古，「是」字還是常常被用作指示代詞。「是」作爲動詞，有「認爲正確」的意思。《史記・魏其武安侯列傳》：「主爵都尉汲黯是魏其，內史鄭當時是魏其，後不敢堅對。」「是」作動詞，還可表示判斷。《史記・刺客列傳》：「襄子至橋，馬驚，襄子曰：『此必是豫讓也。』」

【俄】

副詞

表示時間的短促，可譯爲「不久」、「一會兒」、「突然」等。有時「俄而」、「俄頃」連用，意思一樣。《韓非子・內儲說上》：「俄又置一石赤菽東門之外，而令之曰：『有能徙此於西門之外者，賜之如初。』」《漢書・班倢伃傳》：「始爲少使，俄而大幸，爲倢伃。」《聊齋誌異・勞山道士》：「俄頃，月明輝室，光鑒毫毛。」

【爰】

1. 代詞

「爰」作疑問代詞，詢問處所，可譯爲「哪裡」、「何處」等。《詩經・邶風・凱風》：「爰有寒泉？在浚之下。」

2. 介詞

「爰」作介詞，可譯爲「到」、「從」等。《史記・司馬相如列傳》：「文王改制，爰周郅隆。」《漢書・敘傳》：「爰茲發迹，斷蛇奮旅。」

3. 連詞

表示順承，可譯爲「於是」。《詩經・大雅・公劉》：「弓矢斯張，干戈戚揚，爰方啓行。」《詩經・邶風・擊鼓》：「爰居爰處，爰喪其馬。」

【重】

1. 形容詞

重重。《古文觀止・滕王閣序》：「層巒聳翠。上出重霄。」

2. 副詞

表示動作的重複，可譯爲「再次」、「一再」、「又」等。《文選・短歌行》：「時無重至，華不再陽。」《說苑・君道》：「蠻夷重譯而朝者七國。」

【垂】

1. 動詞

流傳，《荀子・王霸》：「名垂乎後世。」

2. 副詞

表示事實將要發生，可譯爲「將要」、「將近」。《資治通鑒・肥水之戰》：「乘累捷之勢，擊垂亡之國，何患不克？」沈括《夢溪筆談》：「凡塞河決，垂合，中間一埽，謂之『合龍門』，功全在此。」

【信】

1. 動詞

守信用。《論語・子路》：「言必信，行必果。」

2. 名詞

使者，送信人。《世說新語・雅量》：「謝公與人圍棋，俄而謝玄淮上信至，看書竟，默然無言。」

3. 副詞

(1)用在敍述句，表示肯定語氣，可譯爲「眞的」、「的確」。《左傳・襄公三十一年》：「蔑（人名）也今而後知吾子之信可事也。」

⑵用在疑問句前一分句，表假設，可譯爲「如果」。《孟子・公孫丑上》：「信能行此五者，則鄰國之民仰之若父母矣。」

【迭】

副詞

表示動作的接連不斷或輪流交替，可譯爲「接連」、「輪流」等。《左傳・昭公十七年》：「使長鬣者三人潛伏於舟側，曰：『我呼余皇則對。』……三呼皆迭對。」《列子・說符》：「宋有蘭子者，……弄七劍，迭而躍之，五劍常在空中。」

【兼】

1. 動詞

作動詞，有「兼併」等意義。《史記・秦始皇本紀》：「秦併海內，兼諸侯。」

2. 副詞

⑴表示動量的加倍，可譯爲「加倍」、「一併」等。《曹操集・收田租令》：「無令强民有所隱藏，而弱民兼賦也。」

⑵表示動作行爲涉及很多方面，可譯爲「同時」、「全都」等。《荀子・解蔽》：「心枝則無知，傾則不精，貳則疑惑。以贊稽之，萬物可兼知也。」

【差】

1. 動詞

有「差錯」、「選擇」等意思。《漢書・東方朔傳》：「失之毫釐，差以千里。」

2. 副詞

作程度副詞，可譯爲「略」、「稍微」等。《後漢書・光武紀》：「今軍士屯田，糧儲差積。」《三國志・烏丸鮮卑傳》：「由是邊陲差安，漢南少事。」

【訖】

作介詞、副詞用時，或寫作「迄」。

1. 介詞

介紹時間地點，可譯爲「到」。《漢書・成帝紀》：「訖今不改。」

2. 副詞

表示終極，可譯爲「最終」、「終究」等。《漢書・王莽傳》：「莽以錢幣訖不行，復下書。」

【益】

1. 動詞

水漫出來。這一意義後來都寫作「溢」，先秦許多古籍寫作「益」。《呂氏春秋・察今》：「澭水暴益，荊人弗知。」

2. 副詞

表示程度的逐步深化，可譯爲「更加」、「漸漸」等。《史記・高祖本紀》：「人又益喜，唯恐沛公不爲秦王。」《史記・李將軍列傳》：「而廣身自以大黃射其裨將，殺數人，胡虜益解。」

【被】

1. 動詞

(1)蒙受、遭受。《漢書・趙充國傳》：「身被二十餘創。」

(2)音ㄆㄧ，後寫作「披」，披掛。《楚辭・國殤》：「操吳戈兮，被犀甲。」

2. 介詞

表被動，現仍作「被」。《史記・屈原列傳》：「信而見疑，忠而被謗。」

【盍】

副詞

(1)表示反詰，相當於「何不」。《論語・公冶長》：「盍各言爾志。」

(2)表示疑問，可譯爲「爲什麼」。《管子・戒篇》：「盍不起爲寡人壽乎？」

【殊】

1. 形容詞

形容詞「殊」，有「不同」、「特殊」的意思。范縝《神滅論》：「名殊而體一也。」諸葛亮《出師表》：「蓋追先帝之殊遇，欲報之於陛下也。」

2. 副詞

表程度，常用在動詞或形容詞之前，作狀語，可譯作「很」、「竭盡」、「極其」、「非常」。有時用在否定副詞「不」、「無」之前，加强否定的程度。

(1)用在形容詞前。《史記・廉頗藺相如列傳》：「今君與廉頗同列，廉君宣惡言，而君畏匿之，恐懼殊甚。」

⑵用在動詞前。《三國志・魏書・武帝紀》：「士卒皆殊死戰。」

⑶用在「不」、「無」等否定副詞之前。《戰國策・趙策四》：「老臣今者殊不欲食。」《史記・魏其武安侯列傳》：「丞相特前戲許灌夫，殊無意往。」

【時】

1. 名詞

名詞「時」是「季節」的意思，指春、夏、秋、冬四季。《孟子・梁惠王上》：「不違農時，穀不可勝食也。」

2. 副詞

⑴表示動作、行為按時發生，可譯為「按時」、「到時候」。《莊子・秋水》：「秋水時至，百川灌河。」

⑵追述往昔發生的動作、行為，可譯為「當時」。《漢書・趙充國傳》：「時充國年七十，上老之。」

⑶表示動作、行為重複發生，可譯為「時常」。歐陽修《釋祕演詩集序》：「一時賢士皆願從其游，予亦時至其家。」

⑷時字有時疊用，可譯為「常常」。《史記・商君列傳》：「孝公既見商鞅，語事良久，孝公時時睡，弗聽。」

【豈】

副詞

⑴表示反問，可譯為「難道」等。《史記・淮陽侯列傳》：「今東鄉爭權天下，豈非項王邪？」

⑵表示測度，可譯為「是不是」、「或許」等。《三國志・諸葛亮傳》：「諸葛孔明者，臥龍也，將軍豈願見之乎？」

【俱】

1. 動詞

相同、在一起。《史記・曹相國世家》：「曹相國參攻城野戰之功所以能多若此者，以與淮陰侯俱。」

2. 副詞

表示同時發出某種動作或具備相同特徵，可譯爲「都」、「一同」等。《史記・項羽本紀》：「赤泉侯人馬俱驚。」

【借】

「借」作介詞、連詞用時，有的古書或寫作「藉」。

1. 介詞

表示「依靠」或「憑藉」。蘇洵《六國論》：「夫韓魏不能獨當秦，而天下之諸侯借之以蔽其西，故莫如厚韓親魏以擯秦。」

2. 連詞

表假設，可譯爲「假使」等。《資治通鑑・後晉紀》：「借有二人坐獄遇赦，則曲者幸免，直者銜冤。」

【能】

1. 能願動詞

能，能夠，可能。《左傳・僖公十五年》：「寡人不佞，能合其衆而不能離也。」

2. 副詞

表轉折或相接，可譯爲「竟」、「且」等。《史記・淮陰侯列傳》：「今韓信兵號數萬，其實不過數千，能千里而襲我，亦以罷極。」

【倘（儻）】

1. 副詞

或許，也許。《史記・淮南衡山列傳》：「如此則民怨，諸侯懼，即使辯武隨而說之，儻可僥幸什得一乎？」

2. 連詞

表假設，「如果」、「倘若」的意思，李白《與韓荊州書》：「倘（儻）急難有用，敢效微軀。」

【特】

1. 名詞

「特」指小獸。《詩經・魏風・伐檀》：「不狩不獵，胡瞻爾庭有懸特兮？」

2. 副詞

⑴表範圍，可譯爲「只」、「僅」等。《戰國策・楚策四》：「今楚國雖小，絕長續短，猶以數千里，豈特百里哉？」

⑵表程度，可譯爲「特別」。李密《陳情表》：「詔書特下，拜臣郎中。」

⑶表動作行爲沒什麼價值，可譯爲「白白地」。《漢書・高帝紀》：「會羽季父左尹項伯素善張良，夜馳見張良，具告其實，欲與俱去，毋特俱死。」

【奚】

1. 疑問代詞

⑴用在動詞或介詞前，作動詞或介詞的賓語，可譯爲「什麼」、「哪裡」。《論語・子路》：「衛君待子而爲政，子將奚先？」《韓非子・外儲說右上》：「大師將奚以教人？」《呂氏春秋・貴直》：「水奚自至？」

(2)用在名詞前作定語，可譯爲「什麼」。《列子・黃帝》：「奚物而謂石？奚物而謂火？」

2. 副詞

副詞「奚」作狀語，可譯爲「怎麼」、「哪裡」。《列子・天瑞》：「知積氣也，知積塊也，奚謂不壞？」《韓非子・難一》：「令朝至暮變，暮至朝變，十日而海內畢矣，奚待朞（一周年）年？」

【徒】

1. 動詞

不憑借任何交通工具，步行。《論語・先進》：「不可徒行也。」

2. 名詞

徒黨、門徒。《左傳・宣公二年》：「倒戟以御公徒。」《論語・微子》：「是孔丘之徒與？」

3. 副詞

(1)表示動作行爲，徒勞無益，可譯爲「空」、「白白」。《左傳・襄公二十五年》：「齊師徒歸。」《史記・廉頗藺相如列傳》：「欲予秦，秦城恐不可得，徒見欺。」

(2)表範圍，可譯爲「僅」、「只」等。《戰國策・魏策四》：「夫韓魏滅亡，而安陵以五十里之地存者，徒以有先生也。」

【孰】

疑問代詞

(1)代人，可譯爲「誰」；代物，可譯爲「什麼」。《論語・微子》：「四體不勤，五穀不分，孰爲夫子？」《論語・八佾》：「八佾舞於庭，是可忍也，孰不可忍也？」

⑵表示抉擇，可譯為「誰」、「哪一個」。《史記・魏其武安侯列傳》：「上問朝臣：『兩人孰是』」。《戰國策・齊策一》：「吾與徐公孰美？」《論語・子張》：「師（顓孫師）與商（卜商）也孰賢？」

⑶「孰」在句子裡作賓語，包括介詞的賓語，一般前置於動詞或介詞之前，譯為「誰」、「什麼」。《荀子・非相》：「聖王有百，吾孰法焉？」《公羊傳・宣公十五年》：「子去我而歸，吾孰與處於此？」

⑷「孰與」、「孰若」，比較人物的高下或事情的得失。《戰國策・齊策一》：「我孰與城北徐公美？」柳宗元《童區寄傳》：「與其殺是童，孰若賣之？與其賣而分，孰若吾得專焉？」

【庶】

1. 形容詞

「庶」作形容詞，是「衆多」的意思。《莊子・漁父》：「且道者，萬物之所由也，庶物失之者死。」

2. 副詞

表示希望和推測，可譯為「但願」、「差不多」。《三國志・蜀書・諸葛亮傳》：「庶竭駑鈍，攘除奸凶，興復漢室，還於舊都。」

「庶幾」連用，意思和「庶」差不多。徐光啓《甘薯疏序》：「庶幾哉！橘逾淮弗為枳矣。」

【烏】

副詞

表反問，意思是「哪裡」、「怎麼」。《史記・司馬相如列傳》：「烏有先生者，烏有此事也。」

【率】

1. 動詞

「率」作動詞，有遵循、沿著、率領的意思。《洛陽伽藍記・王子坊》：「當時四海晏請，八荒率職。」《詩經・大雅・緜》：「古公亶父，來朝走馬，率西水滸，至於岐下。」《孟子・梁惠王上》：「此率獸而食人也。」

2. 副詞

⑴表示對某種情況不能十分肯定，只是一種估計，可譯為「大都」、「大概」等意思。賈誼《治安策》：「進謀者率以為是，固不可解也，亡具甚矣。」

⑵表示範圍，有「一律」、「全部」的意思。韓愈《進學解》：「占小善者率以錄，名一藝者無不庸。」

【許】

1. 動詞

動詞「許」，是「應允」的意思。《左傳・隱公元年》：「亟請於武公，公弗許。」

2. 數詞

數詞「許」，表示約數。吳均《與朱元思書》：「自富陽至桐廬，一百許里。」

3. 代詞

指示代詞「許」，表近指，可譯為「這」。《樂府詩集・子夜歌》：「重簾持自鄣，誰知許厚薄。」

4. 助詞

助詞「許」，無義。《世說新語・賞譽》：「直以真率少許，便足對人多多許。」

【庸】

1. 動詞

動詞「庸」，前面常有「無」字修飾，可譯為「用」。《左傳・隱公元年》：「無庸，將自及。」

2. 副詞

多表反問，可譯為「難道」、「哪裡」等。韓愈《師說》：「吾師道也，夫庸知其年之先後生於吾乎？」

【設】

1. 動詞

安排、擺設。《禮記・禮運》：「以設制度，以立田里。」

2. 連詞

表示假設，可譯為「假如」、「如果」。《史記・魏其武安侯列傳》：「此特帝在，即錄錄（錄錄：隨聲附和，沒有主見）；設百歲後，是屬寧有可信者乎！」徐珂《清稗類鈔・馮婉貞》：「小敵去，大敵來。設以炮至，吾村不齏粉乎？」

【旋】

1. 動詞

旋轉。《莊子・秋水》：「於是焉河伯始旋其面目，望洋向若而嘆。」

2. 副詞

表示後一行為緊接前一行為發生，在句中作狀語，可譯為「隨即」、「立即」等意思。《夢溪筆談・技藝》：「有奇字素無備者，旋刻之，以草火燒，瞬息可成。」

【欲】

1. 動詞、能願動詞

動詞「欲」，可譯爲「要求」、「想要」；能願動詞「欲」，可譯爲「想要」、「打算」。《孟子・告子上》：「魚，我所欲也。」《史記・廉頗藺相如列傳》：「左右欲刃相如，相如張目叱之，左右皆靡。」

2. 副詞

用在動詞前邊，表示某種情況將要發生，可譯爲「將」、「將要」。高適《燕歌行》：「少婦城南欲斷腸，征人薊北空回首。」

【聊】

1. 動詞

依靠、依賴。《漢書・張耳陳餘傳》：「使天下父子不相聊。」

2. 副詞

⑴表示行爲的權宜性，可譯爲「姑且」。《史記・張釋之馮唐列傳》：「張廷尉方今天下名臣，吾故聊辱廷尉，使跪結韤，欲以重之。」

⑵表示輕微程度，可譯爲「略」、「略微」等。《陶淵明集・庚戌歲九月中於西田獲早稻》：「開春理常業，歲功聊可觀。」

【竟】

1. 動詞

終，結束。《史記・高祖本紀》：「及見怪，歲竟，此兩家常折券棄責。」

2. 副詞

(1)表示事情出乎意外，可譯為「竟然」、「卻」等。《史記・伯夷列傳》：「盜跖日殺不辜，肝人之肉，暴戾恣睢，聚黨數千人橫行天下，竟以壽終。」

(2)表示最終結果，可譯為「終於」、「到底」等。《史記・南越列傳》：「於是胡稱病，竟不入見。」

3. 介詞

介紹時間地點，可譯為「直到」、「最後到」等。《史記・酷吏列傳》：「吳楚已破，竟景帝不言兵，天下富貴。」

【將】

1. 動詞

作動詞用，有「扶」、「請」多種意義。《史記・田叔列傳》：「少孤貧，為人將車。」《詩・衛風・氓》：「將子無怒，秋以為期」。

2. 副詞

(1)表示未來，可譯為「將要」、「快要」、「將近」等。《史記・張耳陳餘列傳》：「竊聞公之將死，故弔。」《孟子・滕文公上》：「今滕，絕長補短，將五十里也。」

(2)表示人的意願，可譯為「打算」、「準備」等。《墨子・公輸》：「公輸盤為楚造雲梯之械，成，將以攻宋。」

(3)表示一種推斷，可譯為「必定」、「定會」等。《韓非子・難一》：「聖人明察在上位，將使天下無奸也。」

3. 介詞

作介詞，有「用」等意義。《古詩・上山採蘼蕪》：「將縑來比素，新人不如故。」

4. 連詞

表示選擇，可譯爲「或」、「還是」等。《漢書・龔遂傳》：「今欲臣勝之耶？將安之耶？」

【略】

1. 動詞

掠奪。《漢書・高帝紀》：「攻城略地。」

2. 副詞

表示情況的粗略或簡約，可譯爲「簡單」、「大致」、「概略」等。司馬遷《報任安書》：「請略陳固陋。」

【唯（惟、維）】

1. 副詞

⑴用在句首或謂語前，表範圍，一般譯作「只」。《左傳・襄公十四年》：「雞鳴而駕，塞井夷灶，唯余馬首是瞻。」

⑵應答之詞，有「嗯」、「是」的意思。有時也可疊用。《史記・范睢蔡澤列傳》：「秦王復跽而請曰：『先生何以幸教寡人？』范睢曰：『唯唯』。」《論語・里仁》：「子曰：『參乎！吾道一以貫之。』曾子曰：『唯』。」

2. 連詞

⑴表示原因，可譯爲「因爲」、「只因爲」。《詩經・鄭風・狡童》：「維子之故，使我不能餐兮！」

⑵表讓步，可譯爲「即使」。《史記・淮陰侯列傳》：「信再拜謝曰：『惟信亦以爲大王不如也。……』」

3. 助詞

⑴用在時間詞前引出時間。《尚書・洪範》：「惟十有三祀（祀：年），王訪於箕子。」

⑵用於句首，表示期望，可譯爲「希望」。《戰國策・燕策

三》：「唯荊卿留意焉！」

【畢】

1. 動詞

作謂語，可譯為「完成」、「完了」等。《孟子・滕文公上》：「公事畢然後敢治私事。」

2. 副詞

作範圍副詞，可譯為「都」、「全」、「盡」等。《史記・淮陰侯列傳》：「諸將效首虜，休，畢賀。」《古文觀止・蘭亭集序》：「羣賢畢至，少長咸集。」

【常】

1. 形容詞

不變，固定。《孫子兵法・虛實》：「故兵無常勢，水無常形。」

2. 副詞

作時間副詞，可譯為「時常」、「經常」。《愼子・外篇》：「奢者心常貧，儉者心常富。」《史記・留侯世家》：「良因異之，常習誦讀之。」

【莫】

1. 代詞

表示無定指，可譯為「沒有人」、「沒有什麼」等。《韓非子・五蠹》：「吾有老父，身死，莫之養也。」

2. 副詞

(1)表示否定，可譯為「不」。《史記・陳丞相世家》：「其計祕莫得聞。」

(2)表示勸阻或禁止，可譯爲「別」、「不要」等。《三國志・方技傳》：「君有急病見於面，莫多飲酒。」

【然】

1. 動詞

認爲……對，認爲……是這樣。《史記・淮陰侯列傳》：「於是信然之，從其計，遂渡河。」

2. 代詞

常用來指代上文說的情況，可譯爲「如此」、「這樣」等。《呂氏春秋・用衆》：「物固莫不有長，莫不有短，人亦然。」

3. 連詞

表示轉折，可譯爲「然而」、「可是」等。《史記・項羽本紀》：「然不自意能先入關破秦。」

【得】

1. 動詞

跟「失」相對，是「取得」、「得到」的意思。《孟子・梁惠王上》：「雖不得魚，無後災。」

2. 能願動詞

表示客觀條件的可能，可譯爲「可以」、「能」、「會」等。《鹽鐵論・刺議》：「故布衣皆得風議，何況公卿之史乎！」《三國志・馬超傳》：「寬、衢閉冀城門，超不得入。」

【悉】

副詞

表示人或者事物的全部，可譯爲「都」、「完全」等。《尚書・盤庚上》：「王命衆悉至於庭。」《三國志・蜀書・諸葛亮傳》：「愚以爲宮中之事，事無大小，悉以咨之，然後施行，必能裨補缺漏，有所廣益。」

【脫】

1. 動詞

失去，逃脫。《莊子・胠篋》：「魚不可脫於淵，國之利器不可以示人。」蒲松齡《聊齋誌異・促織》：「百計營謀，不能脫。」

2. 副詞

表揣測，可譯爲「或許」、「或者」。《後漢書・李通傳》：「不如詣闕自歸，事既未然，脫可免禍。」

3. 連詞

表假設，可譯爲「如果」、「假如」等。馬中錫《中山狼傳》：「然墨之道，兼愛爲本，吾終當有以活汝。脫有禍，固所不辭也。」

【第】

1. 副詞

(1)表示僅限於某一範圍，可譯爲「只」、「只有」等。王禹偁《黃岡竹樓記》：「江山之外，第見風帆、沙鳥、煙雲竹樹而已。」

(2)表示任意去做某件事，可譯爲「只管」、「盡管」等。《史記・孫子吳起列傳》：「君第重射，臣能令君勝。」

2. 連詞

(1)表示轉折、可譯爲「但」、「但是」。《徐霞客遊記・滇遊日記》：「海子大可千畝……亦有溪流貫其間，第不可耕藝，以其土不貯水。」

⑵有時跟「藉」、「令」等組成詞組，表示讓步，可譯爲「即使」、「縱使」等。《史記・陳涉世家》：「公等遇雨，皆已失期，失期當斬，藉第令毋斬，而戍死者固十六七。」

【假】

1. 動詞

借，憑借。《左傳・僖公五年》：「晉侯復假道於虞以伐虢。」《荀子・勸學》：「假輿馬者，非利足也，而至千里。」

2. 副詞

表示最小範圍，可譯爲「只」、「僅僅」等。《莊子・德充符》：「奚假魯國，丘將引天下而與從之。」

3. 連詞

表假設，可譯作「如果」、「若是」等。曹操《與王脩書》：「假有斯事，亦庶鐘期不失聽也。」

【從】

1. 動詞

跟隨、從事。《左傳・莊公十年》：「戰則請從。」《論語・雍也》：「仲由可使從政也與？」

2. 介詞

⑴介紹時間、處所。可譯爲「由」、「打」，或仍作「從」。《史記・晏平仲傳》；「晏子爲齊相，出，其御之妻從門閒而闚其夫。」

⑵介紹動作旁及對象，可譯爲「跟隨」、「向」等。《史記・晉世家》：「狐突之子毛及偃從重耳在秦。」《漢書・高帝紀》：「陳餘亦怨羽獨不王已，從田榮藉助兵，以擊常山王張耳。」

3. 連詞

同「縱」、縱令。《左傳・宣公二年》:「從其有皮,丹漆若何?」

【詎】

用作副詞和連詞,有時寫作「巨」。

1. 副詞

表示反問,可譯爲「怎麼」、「難道」等。《公孫龍子・迹府》:「詎士也?見侮而不鬥,辱也。」

2. 連詞

表示假設,可譯爲「如果」等。《國語・晉語六》:「詎非聖人,必偏而後可。」

【曾】

副詞

(1)表示事實發生在過去,可譯爲「曾經」、「已經」。《史記・袁盎鼂錯列傳》:「梁王以此怨盎,曾使人刺盎。」

(2)表示事實出人意外,讀ㄘㄥˊ,可譯爲「竟」、「簡直」等。《戰國策・趙策》:「老臣病足,曾不能疾走。」《古文觀止・蘭亭集序》:「快然自足,曾不知老之將至。」

【遂】

1. 動詞

「遂」作動詞,有「成」、「成功」等意思。《禮記・月令》:「百事乃遂。」

2. 副詞

(1)作狀語,表示動作、行爲已經完成,可譯爲「就」。「從此就」。《左傳・隱公元年》:「莊公寤生,驚姜氏,故名曰『寤生』,遂惡之。」《左傳・襄公四年》:「少康滅澆於過,後杼滅豷於戈,有窮由是遂亡。」

⑵作狀語,表示動作行為的終結,可譯為「終於」、「竟然」等。《史記・孫子吳起列傳》:「龐涓自知智窮兵敗,乃自剄,曰:「遂成豎子之名!」《三國志・蜀書・諸葛亮傳》:「曹操比於袁紹,則名微而眾寡,然操遂能克紹,以弱為強者,非唯天時,抑亦人謀也。」

⑶作狀語,表示動作行為在時間上前後承接,可譯為「就」《左傳・僖公四年》:「齊侯以諸侯之師侵蔡,蔡潰,遂伐楚。」

【尋】

1. 名詞

古代長度單位,八尺為「一尋」,倍尋為「常」。「尋常」連用有「普通」、「一般」的意思。《孟子・滕文公下》:「枉尺而直尋。」辛棄疾《永遇樂・京口北固亭懷古》:「斜陽草樹,尋常巷陌,人道寄奴曾住。」

2. 副詞

表示前後兩事發生的時間相距很短暫,可譯為「隨即」、「不久」等。《三國志・蜀書・龐統傳》:「先主尋悔,請還。」李密《陳情表》:「詔書特下,拜臣郎中,尋蒙國恩,除臣洗馬。」

【焉】

1. 代詞

⑴用在動詞或形容詞之後,相當於「於是」。這裡「於」是介詞,「是」是代詞。翻譯時可選擇相當於「於是」、「於此」

等的現代漢語詞語。《左傳・隱公元年》:「制，巖邑也，虢叔死焉，他邑唯命。」《左傳・宣公二年》:「人誰無過，過而能改，善莫大焉。」

(2)用在動詞之後，作賓語，可代人或物，可譯爲「他」、「它」。《史記・秦始皇本紀》:「二世曰:『先帝後宮非有子者出焉不宜。』」柳宗元《零陵郡復乳穴記》:「石鐘乳，餌之最良者也。楚越之山多產焉。」

(3)用在動詞之前，作狀語，多代處所，可譯爲「在哪裡」、「從哪裡」。《後漢書・班超傳》:「不入虎穴，焉得虎子。」

2. 連詞

用在複合句中，承接上文，可譯爲「就」、「才」等。《墨子・兼愛上》:「必知亂之所自起，焉能治之;不知亂之所自起，則不能治。」

3. 語氣助詞

(1)用在句末，起加强語氣的作用，可譯爲「了」。《晏子春秋・內篇雜下》:「王笑曰:『聖人非所與熙也，寡人反取病焉。』」

(2)用在疑問句末，與句中疑問詞相呼應，「焉」表達疑問語氣，可譯爲「呢」。《孟子・梁惠王上》:「王若隱其無罪而就死地，則牛羊何擇焉?」

(3)用在句中，表假定，可不譯出。《管子・七法》:「是故張軍而不能戰;圍邑而不能攻;得地而不能實。三者見一焉，則可破毀也。」

(4)用在句中，起舒緩語氣的作用。韓愈《原性》:「上焉者，善焉而已矣;中焉者，可導而上下也。」

(5)與其他語氣詞連用，可根據具體上下文選擇恰當的語氣詞翻譯。《孟子・梁惠王上》:「寡人之於國也，盡心焉耳矣。」

4. 結構助詞

(1)用在句中，表示賓語前置。《左傳・隱公六年》：「我周之東遷，晉鄭焉依。」

(2)用在形容詞之後，表狀態，相當於「……似的」、「……的」。《荀子・議兵》：「是事小敵脆，則偷可用也；事大敵堅，則渙焉離耳。」《商君書・農戰》：「朝廷之言治也，紛紛焉務相易也。」

【斯】

1. 動詞

動詞「斯」是砍的意思。《詩經・陳風・墓門》：「墓門有棘，斧以斯之。」

2. 代詞

代詞「斯」，表示近指，可譯爲「這」、「這裡」。韓愈《原道》：「斯吾所謂道也。」《水經注・江水》：「江水又東，徑廣溪峽，斯乃三峽之首也。」

3. 連詞

連詞「斯」常用於複句的後一個分句，表示承接或轉折，可譯爲「就」或「卻」。《孟子・滕文公下》：「如知其非義，斯速已矣，何待來年？」《史記・酷吏列傳》：「雖慘酷，斯稱其位矣。」

【敢】

1. 能願動詞

同現代漢語用法基本相同，仍作「敢」，或譯爲「敢於」等。《史記・信陵君列傳》：「吾攻趙，旦暮且下，而諸侯敢救者，已拔趙，必移兵先擊之。」

2. 副詞

表示尊敬，無實際意義。《孟子・公孫丑上》：「敢問夫子惡乎長？」

【極】

副詞

表示最大限度，可譯爲「很」、「最」、「深」、「非常」、「遠遠」等。《史記・游俠列傳》：「自是之後，爲俠者極衆。」《史記・燕召公世家》：「孤極知燕小力少，不足以報。」

【等】

1. 動詞

相同，一樣。《淮南子・主術》：「有法者而不用，與無法等。」

2. 副詞

表示行爲變化的相同或相等，可譯爲「同」、「同樣」。《史記・陳涉世家》：「今亡亦死，舉大計亦死，等死，死國可乎？」

【幾】

1. 動詞

有「希望」、「接近」等意思，《史記・陳丞相世家》：「噲見吾病，乃幾我死也。」韓愈《答李翊書》：「雖如是，其敢自謂幾於成乎？」

2. 數詞

表問數，讀ㄐㄧ，可譯作「多少」。《孟子・離婁上》：「子來幾日矣？」

3. 副詞

(1)表近似，可譯作「幾乎」、「差不多」、「將近」等。《史記．劉敬叔孫通列傳》：「我幾不脫於虎口。」

(2)表反詰，可譯作「豈」、「難道」等。《史記．黥布列傳》：「人相我當刑而王，幾是乎？」

【須】

1. 名詞

鬍鬚。《漢書．霍光傳》：「疏眉目，美須髯。」

2. 副詞

可譯為「必須」、「應該」。「須臾」連用表時間短暫，可譯為「一會兒」。杜甫《聞官軍收河南河北》詩：「白日放歌須縱酒，青春作伴好還鄉。」《荀子．勸學》：「吾嘗終日而思矣，不如須臾之所學也。」

【徧（遍）】

副詞

範圍副詞，在句中或作狀語，或作補語，可譯為「全部」、「到處」、「普遍地」等。《漢書．李陵傳》：「范蠡徧遊天下。」《石湖居士詩集．冬至日銅壺閣落成》：「走徧人間行路難，異鄉風物雜悲歡。」

【猶】

1. 動詞

「猶」作動詞，可譯為「好像」、「如同」等。《三國志．蜀書．諸葛亮傳》：「孤之有孔明，猶魚之有水也。」

2. 副詞

⑴表示事物既成狀態的持續，沒有發生變化，可譯爲「還」、「仍然」等。白居易《琵琶行》：「千呼萬喚始出來，猶抱琵琶半遮面。」陶淵明《歸去來辭》：「三徑就荒，松菊猶存。」

⑵用於複句句末，常有「乎」字相呼應，表示話沒有說完或進一層的意思。可譯爲「尚且」、「還」等。《左傳・隱公元年》：「蔓草猶不可除，況君之崇弟乎？」《戰國策・趙策四》：「人主之子也，骨肉之親也，猶不能恃無功之尊，無勞之奉，而守金玉之重也，而況人臣乎！」

【稍】

副詞

⑴表示程度不深，輕微，可譯爲「略微」、「稍微」。方苞《獄中雜記》：「邇年獄訟，情稍重，京兆五城即不敢專決。」

⑵動作行爲是逐步實現，一點一點變化的，可譯爲「逐步」、「漸漸」等。《史記・項羽本紀》：「項羽乃疑范增與漢有私，稍奪之權。」

【勝】

1. 動詞

動詞「勝」，有「承受」、「禁得住」的意思。《韓非子・五蠹》：「上古之世，人民少而禽獸衆，人民不勝禽獸蟲蛇。」

2. 副詞

副詞「勝」，表示範圍，可譯爲「盡」。《孟子・梁惠王上》：「不違農時，穀不可勝食也。」

【備】

1. 動詞

完備、齊全。《荀子・天論》：「養備而動時，則天不能病。」

2. 副詞

可譯爲「全」、「盡」。《左傳・僖公二十八年》：「險阻艱難，備嘗之矣。」

【復】

1. 動詞

作動詞用，有「重複」、「回來」、「回去」等意思。《史記・秦始皇本紀》：「五帝不相復，三代不相襲。」《左傳・僖公四年》：「昭王南征而不復」。

2. 副詞

⑴表示事物或行爲的重複再現，可譯爲「又」、「再」、「重新」等。《史記・滑稽列傳補》：「有頃，曰：『弟子何久也？』復使一人趣之！復投一弟子河中。」

⑵表示某種情況的繼續或加深，可譯爲「又」、「進一步」、「更加」等。《論衡・問孔》：「皋陶陳道帝舜之前，淺略未極；禹問難之，淺言復深，略指復分。」

【試】

1. 動詞

「試」作動詞，可譯爲「試試」、「用」等。蒲松齡《聊齋誌異・促織》：「又試之雞。」諸葛亮《出師表》：「將軍向寵，性行淑均，曉暢軍事，試用於昔日，先帝稱之曰能。」

2. 副詞

表示所敍述情況帶有嘗試性，有時對交談對方表示尊敬或表示一種委婉的語氣，可譯爲「試著」。《史記・孫子吳起列傳》：「兵既整齊，王可試下觀之。」賈誼《治安策》：「臣請試言其親者。」

【頓】

副詞

⑴表示行爲或事物的突變，可譯爲「立刻」等。《列子・天瑞》：「一形不頓虧。」

⑵表示時間的短暫，可譯爲「忽然」等。《三國志・諸葛亮傳注》：「亮尚不以延爲萬人別統，豈得如沖言，頓使將重兵在前，而以輕弱自守乎？」

【業】

1. 名詞

事業、學業的意思。司馬遷《報任安書》：「僕賴先人緒業，得待罪輦轂下，二十餘年矣。」韓愈《進學解》：「業精於勤，荒於嬉，行成於思，毀於隨。」

2. 副詞

表示動作行爲已經完成，可譯爲「已經」。《史記・留侯世家》：「良業爲取履，因長跪履之。」

【當】

1. 動詞

「當」作爲動詞，有「相當」、「抵擋」、「遮擋」等意思。《孟子・公孫丑上》：「大王何可當？」《孟子・梁惠王下》：「彼惡敢當我哉？」《後漢書・張綱傳》：「豺狼當路，安問狐狸？」

2. 介詞

介紹行爲的時間或處所，可譯爲「當……時」、「在……地方」等。《史記．項羽本紀》：「當是時，楚軍冠諸侯。」《柳河東集．鈷鉧潭西小丘記》：「潭西二十五步，當湍而浚者，爲魚梁。」

3. 連詞

表示假設，可譯爲「如果」、「假使」等。《荀子．君子》：「先祖當賢，後子孫必顯。」《韓非子．人主》：「虎豹之所以能勝人、執百獸者，以其爪牙也，當使虎豹失其爪牙，則人必制之矣。」

【愈】

副詞

用在動詞或形容詞之前，表示程度。柳宗元《捕蛇者說》：「余聞而愈悲。」王安石《游褒禪山記》：「入之愈深，其進愈難，而其見愈奇。」

【會】

1. 動詞

有「會見」、「聚會」等意思。《左傳．桓公十五年》：「公會齊侯於艾。」

2. 副詞

表示恰好遇到某種情況，可譯爲「恰巧」、「正趕上」等。《史記．匈奴列傳》：「會冬大寒雨雪，卒之墮指者十二三，於是冒頓佯敗走，誘漢兵。」

【僅】

副詞

⑴表示限定某一範圍，可譯爲「才」、「只」等。《史記·樂毅列傳》：「輕卒銳兵，長驅至國，齊王遁而走莒，僅以身免。」

⑵表示接近某種數量，可譯爲「近」、「差不多」等。杜甫《泊岳陽城下》：「江國踰千里，山城僅百層。」

【粵】

粵，有時也寫作「越」。

1. 介詞

介紹動作行爲發生的時間，可譯爲「到」。《漢書·律曆志》：「粵六日庚戌，武王燎於周廟。」范仲淹《岳陽樓記》：「越明年，正通人和，百廢俱興。」

2. 助詞

常用在句首，可不必譯出。《漢書·敍傳》：「粵蹈秦郊，嬰（秦王子嬰）來稽首。」《尚書·盤庚上》：「不服田畝，越其罔有黍稷。」

【微】

1. 動詞

「微」作動詞，可譯爲「隱藏」、「暗藏」。《左傳·哀公十六年》：「白公奔山而縊，其徒微之。」

2. 副詞

表程度，可譯爲「稍微」。曹丕《與吳質書》：「孔璋（漢末陳琳的字）章表殊健，微爲繁富。」

⑵表否定，可譯爲「不」。《戰國策·趙策四》：「微獨趙，

諸侯有在者乎！」

(3)表示動作行爲是隱蔽的。《史記・項羽本紀》：「諸將微聞其計，以告項羽。」

3. 連詞

用在複合句前一個分句的開頭，表示否定的假設或條件。《左傳・僖公三十年》：「微夫人之力不及此。」《論語・憲問》：「微管仲，吾其被髮左衽矣。」

【誠】

1. 形容詞

眞實，確實。《齊民要術・序》：「千金、尺玉至貴，而不若一食、短褐之惡者，物時有所急也。誠哉言乎！」

2. 副詞

(1)肯定性副詞，可譯爲「實在」、「確實」等。《史記・孟子荀卿列傳》：「嗟呼！利誠亂之始也。」

(2)有時用於複句中，含有「假如」意，可譯爲「如果確實」、「假如眞的」等。《史記・蘇秦列傳》：「大王誠能聽臣計，即歸燕之十城。燕無故而得十城，必喜。」

【實】

1. 名詞

果實。《晏子春秋・內篇・雜下》：「嬰聞之，橘生淮南則爲橘，生於淮北則爲枳，葉徒相似，其實味不同。」

2. 副詞

用在動詞或形容詞前，表示肯定的語氣，可譯爲「眞的」、「實在」。《左傳・襄公十一年》：「小人實不才。」《史記・魏其武安侯列傳》：「已而武安聞魏其、灌夫實怒不予田，亦怒。」

3. 助詞

用在動詞的賓語和動詞之間，是賓語提前的標誌，可不必譯出。《左傳・僖公五年》：「鬼神非人實親，唯德是依。」

【漸】

1. 動詞

作動詞用，有「浸泡」、「疏導」等意義。《荀子・勸學》：「蘭槐之根是爲芷，其漸之滫。」《史記・越王勾踐世家》：「禹之功大矣，漸九川，定九州，至於今諸夏艾安。」

2. 副詞

表示事物程度的逐漸變化，可譯爲「逐漸」、「漸漸」、「越來越」等。《漢書・李廣利傳》：「宛小國而不能下，則大夏之屬漸輕漢。」

【寧】

副詞

⑴表示在選擇或取捨之間，堅持某一方面，可譯爲「寧願」、「寧肯」、「寧可」等。《史記・廉頗藺相如列傳》：「趙予璧而秦不予趙城，曲在秦。均之二策，寧許以負秦曲。」

⑵表示反問，可譯爲「難道」、「怎麼」等。《史記・酈生陸賈列傳》：「居馬上得之，寧可以馬上治之乎？」

【漫】

1. 動詞

漫溢、滿。《劍南詩篇・自嘲》：「荒園無佳花，牽牛漫疏籬。」

2. 副詞

表示行爲的隨意性，可譯爲「隨便」、「隨意」、「無拘無束」等。杜甫《聞官軍收河南河北》：「漫卷詩書喜欲狂。」

【爾】

1. 代詞

(1)用作第二人稱代詞，可譯作「你（們）」、「你（們）的」等。《左傳・成公元年》：「爾無我詐，我無爾虞。」《孟子・萬章下》：「由射於百步之外也，其至，爾力也，其中，非爾力也。」

(2)用作指示代詞，可譯作「這」、「那」等。《文選・奏彈劉整》：「范喚問何意打我兒，整母子爾時便同出中庭，隔箔與范相罵。」《世說新語・賞譽》：「爾夜風恬月朗」。

2. 語氣助詞

用於句末，和「耳」的意義相近，可譯爲「了」、「罷了」等。柳宗元《捕蛇者說》：「非死則徙爾。」《荀子・非相》：「葉公子高入據楚，誅白公，定楚國，如反手爾。」

【頗】

副詞

(1)表示程度輕微或數量較少，可譯爲「略」、「稍」、「少量」等。《漢書・高帝紀》：「頗取山南太原之地益屬代，代之雲中以西爲雲中郡，則代受邊寇益少矣。」

(2)表示程度較甚，可譯爲「很」、「特別」、「完全」等。《史記・袁盎鼂錯列傳》：「絳侯得釋，盎頗有力。」

【蓋】

副詞

⑴表示委婉的判斷或推測，可譯爲「大約」、「大概」等。徐珂《清稗類鈔》：「未幾，敵果舁炮至，蓋五六百人也。」

⑵表示對原由的解釋，可譯爲「原來」、「本來」等。《鴉片戰爭文學集・粵各鄉居民示諭英夷》：「其所以隱忍未發者，蓋由於倉促之際，衆志未聯。」

⑶通「盍」，意爲「何不」。《禮記・檀弓》：「子蓋言子之志於公乎？」

【盡】

1. 動詞

沒有，用盡。《史記・淮陰侯列傳》：「高鳥盡，良弓藏。」《孟子・梁惠王上》：「寡人之於國也，盡心焉耳矣。」

2. 副詞

表示大的範圍，可譯爲「全部」，「完全」等。《史記・司馬相如列傳》：「相如與俱之臨邛，盡賣其車騎。」

3. 介詞

介紹時間或地點，可譯爲「到……」等。《漢書・王溫舒傳》：「盡十二月，都中無犬吠之盜。」

【輒】

副詞，用在動詞前作狀語

⑴表示動作行爲的重複，可譯爲「常常」、「總是」等。《史記・李將軍列傳》：「廣廉，得賞賜輒分其麾下，飲食與士共之。」《史記・陳涉世家》：「其所不善者，弗下吏，輒自治之。」

(2)表示前後的動作行爲在時間上緊相連接，可譯爲「就」、「立刻」等。歐陽修《醉翁亭記》：「太守與客來飲於此，飲少輒醉。」《史記・高祖本紀》：「去輒燒絕棧道，以備諸侯盜兵襲之。」

【驟】

副詞

(1)表同一動作進行多次，可譯爲「多次」。《左傳・宣公二年》：「宣子驟諫。」

(2)表動作行爲的時間，可譯爲「急忙」、「突然」。《左傳・成公十八年》：「杞伯於是驟朝於晋，而請爲昏。」蘇軾《前赤壁賦》：「知不可乎驟得，托遺響於悲風。」

【嘗】

1. 動詞

試試，嘗試。《左傳・襄公十八年》：「諸侯方睦於晋，臣請嘗之。若可，君而繼之；不可，收師而退，可以無害。」

2. 副詞

作時間副詞，可譯爲「曾經」。《史記・李將軍列傳》：「吾嘗爲隴西守，羌嘗反，吾誘而降，降者八百餘人，吾詐而同日殺之。」

【與】

1. 動詞

動詞「與」，有「給予」、「參與」等意思。《戰國策・趙策三》：「不與，則是棄前資而挑秦禍也；與之，則無地而給之。」《左傳・僖公三十二年》：「蹇叔之子與師。」

2. 介詞

⑴介紹行為所涉及的對象，可譯為「和」、「同」、「跟」。《左傳・僖公三十年》：「秦伯說，與鄭人盟。」《左傳・莊公十年》：「公與之乘，戰於長勺。」

⑵介紹出比較的對象，可譯為「跟」、「同」。《荀子・天論》：「受時與治世同，而殃禍與治世異。」

⑶介紹出動作的受益者，可譯為「替」、「為」。《孟子・離婁上》：「得其心有道：所欲與之聚之，所惡勿施，爾也。」

3. 連詞

⑴連接詞或詞組，表並列關係，可譯為「和」。《資治通鑑・漢紀》：「老賊欲廢漢自立久矣，徒忌二袁、呂布、劉表與孤耳。」《孟子・梁惠王上》：「不為者與不能者之形，何以異？」

⑵連接分句與分句，表示選擇，常與「不如」相互應。可譯為「與其……不如……」。《韓非子・難二》：「簡子曰：『與吾得革車千乘，不如聞行人燭過之一言也。」

【諸】

1. 形容詞

表示多數，在句中作定語，可譯為「各位」、「許多」等。《孟子・梁惠王下》：「諸大夫皆曰賢，未可也。」《史記・陳涉世家》：「諸陳王故人皆自引去，由是無親陳王者。」

2. 代詞

代詞「諸」，在句中作賓語，等於「之」，可譯為「他」、「他們」等。《左傳・文公元年》：「潘崇曰：『能事諸乎？』」《左傳・僖公十三年》：「冬，晉荐饑，使乞糴於秦。秦伯謂子桑：「與諸乎？」

3. 介詞

「諸」用在句中動詞之後，是「之於」的合音，其中「之」是代詞，作動詞的賓語，「於」是介詞。《左傳・宣公二年》：「而爲之簞食與肉，置諸橐以與之。」

4. 助詞

「諸」用在句末，可理解爲「之乎」的合音，其中「之」是代詞，「乎」是語氣詞。《左傳・襄公十一年》：「穆子曰：『然則盟諸？』」

【請】

1. 動詞

請求，要求。《左傳・隱公元年》：「爲之請制。」《論語・雍也》：「冉子爲其母請粟。」

2. 副詞

(1)表尊敬，譯爲「請你」。《左傳・隱公元年》：「若弗與，則請除之。」

(2)譯爲「請允許我」。《孟子・梁惠王上》：「王好戰，請以戰喻。」

(3)只表尊敬，可不譯出。《墨子・公輸》：「吾請無攻宋矣。」

【誰】

「誰」是疑問代詞，在句子中可以作主語、賓語、定語，用以指人。

(1)作主語。《左傳・僖公四年》：「君若以德綏諸侯，誰敢不服？」

(2)作賓語，一般置於動詞之前。《左傳・成公三年》：「臣實不才，又誰敢怨。」

(3)作定語。《論語・季氏》：「虎兕出於柙，龜玉毀於櫝中，是誰之過矣。」

【適】

1. 動詞

到……去。《孟子・滕文公上》：「雖使五尺之童適市，莫之或欺。」

2. 副詞

(1)動作行為發生在不久以前，可譯為「剛剛」、「剛才」等。《史記・扁鵲倉公列傳》：「所以別之者，臣意所受師方適成，師死，……」

(2)表示範圍，可譯為「止」、「僅僅」。《戰國策・秦策二》：「疑臣者不適三人。」

(3)表示動作與某事巧合，可譯為「正好」、「恰巧」。《戰國策・趙策三》：「此時魯仲連適遊趙，會秦圍趙。」

3. 連詞

表示假設，可譯為「如果」。《韓非子・外儲說左下》：「封人因竊謂仲曰：『適幸，及齊不死而用齊，將何以報我。」

【暴】

1. 動詞

當「晒」講，音ㄆㄨˋ，後寫作「曝」。《孟子・滕文公上》：「秋陽以暴之。」又引申為「暴露」、「顯露」意。司馬遷《報任安書》：「功亦足以暴於天下矣。」

2. 形容詞

(1)強大、猛急。《詩經・邶風・終風》：「終風且暴。」

(2)凶惡、殘暴。《六國論》：「暴秦之欲無厭。」

3. 副詞

可譯爲「突然」。《漢書‧霍光傳》：「第中鼠暴多，與人相觸，以尾畫地。」

【數】

1. 名詞

名詞「數」，讀ㄕㄨˋ，有「技藝」的意思。《孟子‧告子上》：「今夫奕之爲數，小數也；不專心致志，則不得也。」

2. 動詞

動詞「數」，讀ㄕㄨˇ，有「責問」的意思。《左傳‧昭公二年》：「使吏數之。」

3. 形容詞

形容詞「數」，讀ㄕㄨˋ，密，與「疏」相對。《孟子‧梁惠王上》：「數罟不入洿池，魚鱉不可勝食也。」

4. 副詞

副詞「數」，讀ㄕㄨㄛˋ，表示動作行爲出現或產生的頻率，可譯爲「經常」、「多次」等。《史記‧陳涉世家》：「廣故數言欲亡，忿恚尉。」《史記‧項羽本紀》：「范增數目項王，舉所佩玉玦以示之者三，項王默然不應。」

【緣】

1. 動詞

動詞「緣」，是「攀緣」的意思。《孟子‧梁惠王上》：「以若所爲，求若所欲，猶緣木而求魚也。」

2. 介詞

(1)介紹出與動作行爲有關的方面，可譯爲「沿」。陶淵明

《桃花源記》：「緣溪行，忘路之遠近。」

⑵介紹動作、行爲的原因，可譯爲「因爲」。杜甫《客至》：「花徑不曾緣客掃，蓬門今始爲君開。」

【獨】

副詞

⑴表示行爲的獨一無二，可譯爲「獨自」、「單獨」、「唯獨」等。《左傳・宣公十一年》：「諸侯縣公皆慶寡人，汝獨不慶寡人，何故？」

⑵表示僅限某種範圍，可譯爲「只有」、「僅僅」、「偏偏」等。《史記・呂太后本紀》：「太尉起，拜賀朱虛侯曰：『所患獨呂產。今已誅，天下定矣。』」

⑶表示事物的特別，可譯爲「特殊」、「獨特」等。《論衡・實知》：「有獨見之明，獨聽之聰。」

⑷表示反詰，可譯爲「難道」、「怎麼」、「竟」等。《資治通鑒》：「王景略一時英傑，陛下常比之諸葛武侯，獨不記其臨沒之言乎？」

【彌】

1. 動詞

填補、充滿。《左傳・僖公二十六年》：「彌縫其闕。」

2. 副詞

表示程度的加深，可譯爲「越發」、「更」等。《三國志・陸凱傳》：「樂民者，其樂彌長；樂身者，不樂而亡。」

【雖】

連詞

連接兩個分句，表示對某一事實的承認，或所承認的事實是一種假設。《孟子・公孫丑上》：「雖有智慧，不如乘勢，雖有鎡基，不如待時。」《孟子・告子上》：「雖有天下易生之物也，一日暴之，十日寒之，未有能生者也。」

「雖」「然」連用組成詞組「雖然」，它和現代漢語「雖然」一詞不同。雖，連詞；然，代詞。《莊子・養生主》：「雖然，每至於族，吾見其難爲，怵然爲戒，視爲止，行爲遲。」

【遽】

1. 形容詞

迅速，急促。《晏子春秋・內篇諫上》：「夫子何爲遽？國家得無有故乎？」

2. 副詞

⑴表示行爲的急速或迫不及待，可譯爲「急促」、「趕快」等。《後漢書・光武帝紀》：「諸將遽相謂曰：『更請劉將軍計之。』」

⑵表示自然如此，可譯爲「就」。《呂氏春秋・察今》：「其父雖善遊，其子豈遽善遊哉？」

【歟（與）】

語氣助詞

語氣助詞「歟」，字也寫作「與」。

⑴表示疑問語氣，可譯爲「嗎」、「吧」。《史記・屈原賈生列傳》：「子非三閭大夫歟？何故而至此？」《論語・學而》：「孝弟也者，其爲仁之本歟？」

(2)表示反問語氣，可譯為「嗎」。蘇軾《教戰守策》：「利害之際，豈不亦甚明歟？」

(3)用在選擇問句，可譯為「呢」。《莊子・秋水》：「不知論之不及歟？知之弗若歟？」

(4)用在句末，表感嘆語氣，譯為「啊」。《莊子・秋水》：「吾樂歟！……夫子奚不時來入觀乎？」

(5)用在句中，表停頓，可不譯。《論語・公冶長》：「於予歟何誅？」

【還】

副詞

(1)表轉折，可譯為「反」、「反而」等。《魏志・曹植傳注》：「譬畫虎不成還為狗者也。」

(2)表相接，讀ㄏㄨㄢˊ，可譯為「隨即」。《荀子・王霸》：「如是則舜禹還至，王業還起。」

【繇】

1. 名詞

(1)讀ㄓㄡˋ，占辭。《左傳・閔公二年》：「成風聞成季之繇，乃事之，而屬僖公焉。」

(2)通「徭」，讀ㄧㄠˊ，徭役。《史記・項羽本紀》：「每吳中有大繇役及喪，項梁常為主辦。」

2. 介詞

通「由」。

(1)表示動作行為發生的起點，可譯為「從」。《漢書・項籍傳》：「羽繇是始為諸侯上將軍，兵皆屬焉。」《爾雅・釋水》：「繇膝以下為揭，繇膝以上為涉，繇帶以上為厲。」

(2)表示動作產生時的依據，可譯爲「憑」。《漢書・游俠傳》：「非明王在上，視之以好惡，齊之以禮法，民曷繇知禁而反正乎？」

【舉】

1. 動詞

推舉，任用。《論語・爲政》：「舉善而教不能，則勸。」

2. 形容詞

全、全部。《范縣署中寄弟墨》：「使天下無農夫，舉世皆餓死矣。」

3. 副詞

表示整個範圍，可譯爲「全」、「都」等。《左傳・哀公六年》：「君舉不信羣臣乎？」

【縱】

1. 動詞

「縱」作動詞，有「放縱」、「發」等意思。《左傳・僖公三十三年》：「一日縱敵，數世之患也。」《史記・項羽本紀》：「諸侯軍救巨鹿下者十餘壁，莫敢縱兵。」

2. 連詞

表示讓步，可譯爲「即使」、「就是」等。《史記・項羽本紀》：「縱江東父兄憐而王我，我何面目見之？縱彼不言，籍獨不愧於心乎！」

【靡】

1. 動詞

倒下。《左傳・莊公十年》：「吾視其轍亂，望其旗靡，故逐之。」

2. 代詞

無指代詞，可譯爲「沒有東西」、「沒有人」等。《史記・孝文本紀》：「朕聞蓋天下萬物之萌生，靡不有死。」

3. 副詞

表示否定，可譯爲「沒」、「不」等。《史記・外戚世家》：「秦以前尚略矣，其詳靡得而記焉。」

【屬】

1. 動詞

「屬」作動詞，「跟隨」的意思，讀ㄕㄨˇ，「連綴」的意思讀ㄓㄨˇ。《史記・項羽本紀》：「項王渡淮，騎能屬者百十人耳。」《史記・屈原列傳》：「懷王使屈原造爲憲令，屈平屬草稿未定。」

2. 副詞

表巧合或時間，可譯爲「恰好」、「剛剛」等。《左傳・成公二年》：「下臣不幸，屬當戎行。」《史記・留侯世家》：「天下屬安定，何故反乎？」

【顧】

1. 動詞

有「回頭去看」、「探望」等含義。《戰國策・楚策四》：「見兔而顧犬，未爲晚也；亡羊而補牢，未爲遲也。」

2. 副詞

表示相反的結果，可譯爲「反而」、「卻」等。《漢書・賈誼傳》：「足反居上，首顧居下，倒懸如此，莫之能解，猶爲國有人乎？」

3. 連詞

表示轉折，可譯爲「不過」、「只是」、「可是」等。《史記・淮陰侯列傳》：「此在兵法，顧諸君不察耳。」

【竊】

副詞

⑴表示自謙，可不必譯出。《史記・蒙恬列傳》：「今蒙氏，秦之大臣謀士也，而主欲一旦棄去之，臣竊以爲不可。」

⑵表示行爲的隱祕，可譯爲「偷偷」、「暗自」、「私自」等。《新序・雜事》：「於是梁亭乃每暮夜竊灌楚亭之瓜，楚亭旦而行瓜，則又皆以灌矣。」

（劉有勝・劉永勝）

5 修辭

所謂修辭，就是如何有效地運用語言手段，把話說得明白而又生動感人。這裡介紹的是古書閱讀中常見的一些修辭方法。所舉的例子中，修辭效果未必都很好，目的僅在於說明問題，使大家了解古漢語的修辭方式。

一、比喻

敍事和說理，往往用淺近而相類的事物作比，這叫比喻，又叫譬喻。比喻有三個組成部分：被比的叫本體，作比的叫喻體，標誌比喻關係的詞叫喻詞。

比喻大體可分三種類型：明喻、暗喻和博喻。

(一)明喻

明喻有喻詞標誌。如：「以若所爲，求若所欲，猶緣木而求魚。」（《孟子・梁惠王上》）又如：「帝乃殂落，百姓如喪考妣。」（《尚書・舜典》）其中「猶」和「如」是喻詞。

古代漢語比喻中的喻詞還有「若」、「譬如」、「譬若」、「譬猶」、「譬之若」、「似」等。

(二)暗喻

沒有喻詞標誌的比喻是暗喻（或叫隱喻）。

1. 無爲在歧路，兒女共霑巾。（王勃《送杜少府之任蜀川》）

2. 公孫丑問曰：「夫子當路於齊，管仲、晏子之功，可復許乎？」（《孟子·公孫丑上》）

3. 白帝城中雲出門，白帝城下雨翻盆。（杜甫《白帝》）

「兒女」，即「像青年男女一樣」。「管仲、晏子（之功）」，是說「像管仲、晏子那樣（的功績）」。「翻盆」，也就是「像傾盆之水」。

4. 禮者，政之挽也。政不以禮，政不行也。（《荀子·大略》）

5. 氣，水也；言，浮物也。水大而物之浮者大小畢現。（韓愈《答李翊書》）

6. 今乃棄黔首以資敵國，卻賓客以業諸侯，使天下之士，退而不敢西向，裹足不入秦，此所謂「藉寇兵而齎盜糧」者也。（李斯《諫逐客書》）

以上三例中的喻體和本體在表面上構成判斷句形式，喻體作判斷句的謂語。「禮者，政之挽也」，意思是「禮就像政治的挽車」。「氣，水也」，意思是「氣（作家的精神修養）就像水」，「言，浮物也」，意思是「言辭就像浮在水上的東西」。「此所謂『藉寇兵而齎盜糧』」，意思是「這種作法就像是借給敵寇兵器，送給強盜食糧一樣」。

7. 人有悲歡離合，月有陰晴圓缺，此事古難全。（蘇軾《水調歌頭》）

8. 水行者表深，表不明則陷；治民者表道，表不明則亂。禮者，表也。（《荀子·天論》）

上兩句中喻體與本體以句子形式並列。「月有陰晴圓缺」喻

「人有悲歡離合」，「水行者表深，表不明則陷」喻「治民者表道，表不明則亂」。

㈢博喻

博喻是並列幾項事情來比喻一個事理。

1. 與人喻道理，辨古今事當否，論人高事下，後當成敗，若河決下流而東注；若駟馬駕輕就熟路，而王良造爲之先後也；若燭照數計而龜卜也。（韓愈《送石洪序》）

2. 鴟梟鳴衡軛，豺狼當路行，蒼蠅間黑白，讒巧令親疏。（曹植《贈白馬王彪》）

例 1. 用三項事比喻言談的才能，例 2. 用三項事比喻奸佞小人借勢離間曹氏兄弟關係的卑鄙行徑。

二、引用

引用就是援引古人的言論和古代的故事來敍事說理。述古論今是古人的風尚。這一修辭方法可以使論說矜重有力，典雅放達。

引用又可分爲引言和引事。

㈠引言

1. 君子謂祁奚於是能舉善矣。稱其讎，不爲諂；立其子，不爲比；舉其偏，不爲黨。《商書》曰：「無偏無黨，王道蕩蕩」，其祁奚之謂矣。（《左傳・襄公三年》）

2. 子貢曰：「貧而無諂，富而無驕，何如？」子曰：「可也。未若貧而樂，富而好禮者也。」子貢曰：「《詩》云：『如切如磋，如琢如磨』，其斯之謂與？」子曰：「賜也始可與言詩矣

，告諸往而知來者。」（《論語·學而》）

例 1. 中，《左傳》引的是《尚書·洪範》中的話，進一步說明祁奚行爲的合理性。例 2. 中子貢引了《詩經·衛風·淇奧》中的語句，來形容他同老師探討學問的行爲，顯得很斯文。

㈡引事

引事又有明引和暗引的不同。明引的是比較容易看出來的。如：

1. 孔子曰：「由不識，吾語女。女以知者必用邪？王子比干不見剖心乎？女以忠者爲必用邪？關龍逄不見刑乎？女以諫者爲必用邪？吳子胥不磔姑蘇東門外乎？夫遇不遇，時也。」（《荀子·有坐》）

2. 古者文王處豐鎬之間，地方百里，行仁義而懷西戎，遂王天下。徐偃王處漢東，地方百里，行仁義，割地而朝者三十有六國；荊文王恐其害己也，舉兵伐徐，遂滅之。故文王行仁義而王天下，偃王行仁義而喪其國，是仁義用於古而不用於今也。（《韓非子·五蠹》）

王子比干、關龍逄、伍子胥分別是殷紂、夏桀、吳王夫差的大臣，都因忠諫而被殺。例 1. 列舉這些史實，是用來說明智者、忠者、諫者不一定被始終信用這一道理。例 2. 中以文王和偃王的或興或亡，說明「仁義用於古而不用於今」的道理。例 1. 例 2. 所引故事，都基本上明白地說出，讀者即使原來不明瞭史實，也不妨礙對原文的理解。

有些引事，是將故事以詞語的形式雜揉在行文中，如果不是嫻熟於典故或翻檢有關資料，是難以理解原文的。如：

3. 騰蛟起鳳，孟學士之詞宗；紫電青霜，王將軍之武庫。

（王勃《滕王閣序》）

「騰蛟起鳳」，據《西京雜記》載：「董仲舒夢蛟龍入懷，乃作《春秋繁露》詞」；「揚雄著《太玄經》，夢吐鳳凰，集《玄》上。」「紫電青霜」，據《古今注》載，孫權有寶劍叫「紫電」；據《西京雜記》載，漢高祖斬白蛇的劍十二年磨一次，像霜雪一般亮，又青女是主霜雪之神，所以稱「青霜」。「孟學士」和「王將軍」，尚不能確指典出何處（疑「孟」和「亡」是「夢」和「無」的諧音雙關）。詩人引用這兩個故事是形容當時宴會上文士多文采，武士都英武有韜略。

4. 怒髮沖冠，憑欄處瀟瀟雨歇。（岳飛詞《滿江紅》）

詞中暗引荊軻刺秦王的故事。《戰國策・燕策三》載：燕太子丹及士人送荊軻至易水邊，向他歌唱道：「風蕭蕭兮易水寒，壯士一去兮不復還！」又奏起慷慨激昂的音樂，「士皆瞋目，髮盡上指冠。於是荊軻遂就車而去，終已不顧。」詩人引此故事，是發古之情而激己之志，表現了詩人抗金救國，義無反顧的凜然之氣。

5. 不知腐鼠成滋味，猜意鵷鶵竟未休。（李商隱《安定城樓》）

《莊子・秋水》：「南方有鳥，其名爲鵷鶵。……夫鵷鶵，發於南海，而飛於北海；非梧桐不止，非練食不食，非醴泉不飲。於是鴟得腐鼠，鵷鶵過之，仰而視之曰：『嚇！』」詩中「鵷鶵」喻代高潔之士，「鴟」喻代小人。詩人引用這則故事，意在表白自己的心志，排解小人對自己的詆毀。

引用不一定照錄原文，也不一定符合原文的本義。如《詩經・齊風・雞鳴》：「東方明矣，朝既昌矣」，《說文・日部》引作「東方昌矣」。《漢書・食貨志上》記載，董仲舒形容當時人民的生活有「故貧民常衣牛馬之衣，而食犬彘之食」，楊衒《洛陽伽藍記》中化用為「鰥寡不聞犬豕之食，䓀獨不見牛馬之衣」。柳宗元《放鷓鴣詞》有「齊王不忍觳觫牛，簡子亦放邯鄲鳩」，暗引《孟子・梁惠王上》中的故事；其實原文中齊王不忍牛觳觫（被殺前的恐懼），是假仁假義，而柳宗元詩中取的是正面意義。

三、借代

不直接使用某事物的本名，而是換一種方式稱呼它，這叫借代。常見的借代方式有以下幾種：

(一)以事物的性質、特徵相代

1.（孟子）曰：「為肥甘不足於口與？輕暖不足於體與？」（《孟子・梁惠王上》）

2. 將軍身披堅執銳。（《史記・陳涉世家》）

3. 今背本而逐末，食者甚衆，是天下之大殘也。（賈誼《論積貯疏》）

4. 肉食者謀之，又何間焉？（《左傳・莊公十年》）

5. 虜救死扶傷不給，旃裘之君咸震怖。（司馬遷《報任安書》）

6. 鐵衣遠戍辛勤久，玉箸應啼別離後。（高適《燕歌行》）

7. 朱門酒肉臭，路有凍死骨。（杜甫《自京赴奉先縣詠懷五百字》）

8. 兄自外至，曰：「是鶃鶃之肉也！」（《孟子・滕文公下》）

例 1. 中「肥甘」指香美的食物，「輕暖」指輕暖的衣物。

例 2. 中「堅」指堅固的鎧甲，「銳」指銳利的兵器。例 3. 中「本」指農業，「末」指工商。例 4. 中「肉食者」指統治者。例 5. 中「旃裘」是以穿用特徵指代匈奴。例 6. 中「鐵衣」是以穿著鎧甲的特徵指代征戍的將士。例 7. 中「朱門」是以門戶的特徵指代富貴之家。例 8. 中「鶂鶂」是以叫聲特徵指代鵝。

㈡以部分代整體

1. 帶長鋏之陸離兮。（屈原《九章・涉江》）

2. 惲家方隆盛時，乘朱輪者十人。（楊惲《報孫會宗書》）

3. 或乃邊郡未知，負羽從軍。（江淹《別賦》）

例 1. 中「鋏」本是劍把，這裡指代劍的整體。例 2. 中用「輪」代車整體。例 3. 中「羽」本爲箭矢的一部分，這裡指代箭矢整體。

㈢以專名代通名

1. 在於王所者，長幼尊卑皆薛居州也，王誰與爲不善？（《孟子・滕文公下》）

2. 天行有常，不爲堯存，不爲桀亡。（《荀子・天論》）

3. 夫山居谷汲者，膢臘相遺以水。（《韓非子・五蠹》）

例 1. 中「薛居州」本是宋國善士，這裡泛指善士。例 2. 中「堯」泛指賢君，「桀」泛指昏君。例 3. 中「膢」本是楚人二月祭祀飲食之神的節日，「臘」本是冬十月祭祀百神的節日，這裡「膢臘」泛指節日。

㈣以具體代抽象

1. 飲食男女，人之大欲存焉。（《禮記・禮運》）

2. 而藺相如徒以口舌爲勞，而位居我上。（史記・廉頗藺相

如列傳》)

3. 乘醉簫鼓，吟賞煙霞。(柳永《望海潮》)

例 1. 中「男女」指男女關係，例 2. 中「口舌」指言談，例 3. 中「煙霞」指山水美景。

(五)以質料、工具相代

1. 故功績銘於金石。(《呂氏春秋・求人》)

2. 人生自古誰無死，留取丹心照汗青。(文天祥《過零丁洋》)

3. 車服不維，刀鋸不加。(司馬遷《報任安書》)

例 1. 中「金石」指鐘鼎和石碑之類，例 2. 中「汗青」指竹簡，這裡代史册。例 3. 中「刀鋸」指刑罰。

(六)比喻借代

1. 誰謂河廣，一葦杭之。(《詩經・衞風・河廣》)

2. 報君黃金臺上意，提攜玉龍爲君死。(李賀《雁門太守行》)

3. 驚濤拍岸，捲起千堆雪。(蘇軾《念奴嬌》)

例 1. 中「葦」是以葦葉喻代小舟。例 2. 中「玉龍」喻代寶劍。例 3. 中「雪」喻代浪花。比喻借代是由比喻造成的借代，比喻中的本體未出現，由喻體取代了本體。

四、委婉

所要表達的意思不是直率地說出來，而是採取曲折、含蓄的方式反映出來，這種修辭方式叫委婉。凡用委婉之處，需要透過表面意思去領會它的深層含義。

委婉修辭方法又可分為下面兩種：

(一)交際辭令

1. 使皇武子辭焉，曰：「吾子淹久於敝邑，唯是脯資餼牽竭矣。為吾子之將行也，鄭之有原圃，猶秦之有具囿也；吾子取其麋鹿，以間敝邑，若何？」（《左傳・僖公三十三年》）

2. 齊王謂孟嘗君曰：「寡人不敢以先王之臣為臣。」孟嘗君就國於薛。（《戰國策・齊策四》）

例 1. 中皇武子所說話的表面意思是：「你們在我國滯留太久了，只是肉乾、食糧、鮮肉、（可殺的）牛羊快沒了。如果你們將要回去的話，鄭國就像秦國有個具囿一樣，我們也有個打獵的原圃，你們可以在其中獵取麋鹿，（供路上食用），讓我們國家鬆口氣，怎麼樣？」這話是說給在鄭國戍守的杞子等秦將聽的。杞子等人當時正準備做侵鄭秦軍的內應。因而，皇武子的這番話的深層意思是：「我們已經察覺了你們的陰謀，不能再禮遇你們了，你們趕快滾蛋吧。」例 2. 中齊王言辭的眞正含義是：「我不能繼續任用你了。」「不能以先王之臣為臣」只是委婉的托辭。此兩例中的言辭雖然委婉，但眞實的意思已經明顯地表達給對方了。

3. 樓緩新從秦來，趙王與樓緩計之，曰：「與秦何如？不與何如？」樓緩辭讓。說：「此非人臣之所敢知也。」（《戰國策・趙策》）

4. 張良入謝曰：「沛公不勝杯杓，不能辭。」（《史記・項羽本紀》）

例 3. 中樓緩說「此非人臣之所敢知也」，這是閃爍其詞。樓緩是秦國派往趙國的間諜，內心時刻在想插手趙國的政治，鼓動趙王割六城給秦國，閃爍其詞的目的是在掩飾自己的險惡用心，而騙取趙王的信任。例 4. 中張良所說「沛公不勝杯杓」，是爲劉邦見危逃脫、不告而辭找藉口。此兩例中的言辭都是用委婉的方式掩飾眞相。

㈡避諱

1. 如今朝廷雖乏人，奈何令刀鋸之餘薦天下之豪俊哉？（司馬遷《報任安書》）

2. 況我墜胡塵，及歸盡華髮。（杜甫《北征》）

3. 權起更衣，肅追於宇下。（《資治通鑑・漢獻帝建安十三年》）

例 1. 中的「刀鋸之餘」是指受過刑的人，對司馬遷來說又是特指受過宮刑的人。例 2. 中的「墜胡塵」指當了胡人的俘虜。例 3. 中的「更衣」指上廁所。受刑、當俘虜、上廁所，在心理上都是有所忌諱的事情，很難說出口，因此就換了個一般的說法。

對於「死」這個詞是最叫人忌諱的，古人遇到死這個詞一般都採取委婉的說法。《禮記・曲禮下》：「天子死曰崩，諸侯曰薨，大夫曰卒，士曰不祿，庶人曰死。」其他如「山陵崩」、「千秋之後」、「殂」、「晏駕」、「棄羣臣」、「不可爲諱」、「見背」、「塡溝壑」等，都是「死」的委婉說法。

五、敬謙

敬謙指交際中表示尊敬和謙卑的詞語。這類詞語又可分兩種：稱謂和附飾語。如：

1. 謹使臣良奉白璧一雙，再拜獻大王足下。（《史記・項羽

本紀》）

2. 今臣亡國賤俘，至微至陋，過蒙拔擢，寵命優渥，豈敢盤桓，有所希冀。（李密《陳情表》）

3. 左師公曰：「老臣賤息舒祺，最少，不肖，而臣衰，竊愛憐之，願令得補黑衣之數，以衞王宮，沒死以聞。（《戰國策・趙策四》）

4. 君家何處住，妾住在橫塘。（崔顥《長干行》）

稱謂有敬稱和謙稱的不同。例句中的「大王」、「足下」、「君」是敬稱，「臣」、「妾」是謙稱。除此之外，敬稱常用的有「陛下」、「殿下」、「閣下」、「公」、「卿」、「先生」、「夫子」、「子」等，謙稱常用的有「寡人」、「不穀」、「寡君」、「僕」、「小人」、「奴」、「愚」等。

例句中的「謹」、「再拜」、「賤」、「微」、「陋」、「蒙」、「敢」、「竊」、「沒（冒）死」是附飾語。其他常用的還有「伏惟」、「惠」、「御」、「聖」、「鄙」、「淺」、「敝」、「忝」、「辱」、「幸」、「請」、「犬馬」等。這類詞大部分是副詞和形容詞，也有一部分是動詞或動詞性詞組。

六、對文

在互相對待的語法結構中，往往用意義相同、相近、相類或相反的詞、詞組對舉，叫作對文。對文使語義迴環往復，互相襯托，是古人常用的修辭手段。

對文又可分爲下面幾種情形。

㈠詞組中的對文

1. 吾聞君子唯獨居思念前世之崇替。（《國語・楚語下》）

俞樾《古書疑義舉例》說：「崇替二字對文。韋（昭）注曰：『崇：終也；替，廢也。』是未達崇字之義。《文選・東京賦》薛綜注曰：崇，猶興也。』然則崇替猶言興廢也。」

2. 故天子不言多少，諸侯不言利害，大夫不言得喪。（《荀子・大略》）

「多」與「少」，「利」與「害」，「得」與「喪」都是反義相對。「多少」、「利害」、「得喪」是詞組。

㈡句中的對文

1. 大行不顧細謹，大禮不辭小讓。（《史記・項羽本紀》）

2. 何故懷瑾握瑜，而自令放爲。（《史記・屈原賈生列傳》）

例 1. 中前句「大行」對「細謹」，其中「大」又與「細」對文，「行」又與「謹」對文。「大」與「細」（小）反義相對，「行」與「謹」（這裡「行」與「謹」均指事情）同義相對。後句同前句結構相同，「禮」與「讓」是同義相對。例 2. 中「懷瑾」與「握瑜」對文，其中「懷」又與「握」對文，「瑾」又與「瑜」對文，都是同義相對。

3. 故絕聖棄知，大盜乃止；擿玉毀珠，小盜不起；焚符破壐，而民樸鄙；掊鬥折衡，而民不爭。（《莊子・胠篋》）

「絕聖」與「棄知」，「擿玉」與「毀珠」，「焚符」與「破壐」，「掊鬥」與與「折衡」，都屬對文，意義上是相近相類而迴環襯托的。

㈢句間的對文

1. 雷霆不作，風雨不興。（《淮南子・覽冥訓》）

2. 世無王，窮賢良，暴人芻豢，仁人糟糠。（《荀子・成相》）

例 1. 中兩句互對，其中又以「雷霆」與「風雨」同義相對，「作」與「興」同義相對。例 2. 中後兩句間互對，其中「暴人」與「仁人」反義相對，「芻豢」與「糟糠」反義相對。

3. 弗問弗仕，勿罔君子；式夷式已，無小人殆。（《詩經・小雅・節南山》）

俞樾《古書疑義舉例》說：「『罔』與『殆』義近，《論語》亦以『罔』『殆』對文可證。今作『無小人殆』，乃倒句也。」按正常順序，「無小人殆」應作「無殆小人」，由於使「殆」與上句「子」押韻，「殆」字便放在了韻腳。

4. 故夫知效一官，行比一鄉，德合一君，而徵一國者，其自視也亦若此矣。（《莊子・逍遙遊》）

「知」、「行」、「德」相類對文，「而徵一國」同上三句句法相同，「而」同「知」、「行」、「德」也應爲同類對文。「而」與「能」音同，「而」在此是「能」的通假字。「能」與「知」、「行」、「德」同類對文是情通理順的。

行文追求對偶，這是古人的風尚。閱讀古書，可以利用對文原則幫助判斷有對文關係的詞語的意義。

七、變文

在行文中，有時需要語義重複，但又要避忌字詞完全雷同而求有所變化，解決這一矛盾的方法就是變文——用同義詞語表達重複的內容。同義詞的對文也就是變文，但對文和變文是從不同角度說的。

1. 流共工於幽州，放驩兜於崇山，竄三苗於三危，殛鯀於羽山。（《尚書・堯典》）

清代王筠《說文句讀》說：「《左傳》曰：『放四凶族』，知《尚書》『流』、『放』、『竄』、『殛』同意。變詞以成文耳。」這樣的例子在古籍中屢屢可見。

2. 上古競於道德，中世逐於智謀，當今爭於氣力。（《韓非子・五蠹》）

3. 上稱帝嚳，下道齊桓，中述湯武。（《史記・屈原賈生列傳》）

4. 下有芍藥之詩，佳人之歌，桑中衞女，上宮陳娥。（江淹《別賦》）

5. 舟遙遙以輕颺，風飄飄而吹衣。（陶淵明《歸去來兮辭》）

6. 不問可否，不問曲直；非秦者去，爲客者逐。（李斯《諫逐客書》）

7. 有席卷天下、包舉宇內、囊括四海之意。（賈誼《過秦論》）

例 2. 中的「競」、「逐」、「爭」都是同義詞。例 3. 中的「稱」、「道」、「述」表達的是同一概念。例 4. 中的「陳娥」也即「衞女」。例 5. 中「以」和「而」是同義虛詞變文。例 6. 中「非秦者」和「爲客者」是指的同一類人，「去」和「逐」也是同義。例 7. 中「席卷天下」、「包舉宇內」和「囊括四海」表達的都是一個意思。以上這些都是爲了照顧對稱，而又避免雷同、單調而產生的變文。

變文不僅限於對文，一般行文中爲避免字眼的重複也有變文的。如：

8. 魏收代史，吳均齊錄，或牢籠一世，或苞舉一家。（劉知幾《史通・敍事篇》）

9. 如是而不退，則商君、白公、吳起、大夫種是也。（《史記・蔡澤列傳》）

例 8. 中「代史」即「魏史」，爲避免與前一魏字重複，

「魏史」寫成「代史」。例 9. 中「白公」即「白起」，爲避免後一「起」字的重複，改「白起」爲「白公」。

八、互文

互文在形式上是對文，但在內容上是前後交錯互補的。如：

1. 每至晴初霜旦，林寒澗肅。（《水經注・江水》）

2. 秦時明月漢時關，萬里長征人未還。（王昌齡《出塞》）

例 1. 中「林寒澗肅」，形式上是兩個主謂結構對文；但從內容上說，並非只是「林」「寒」而「澗」「肅」，而應是「林澗寒肅」，「寒肅」是描述「林澗」的。例 2. 中「秦」與「漢」，「明月」與「關」在意義上也是交錯互補的，意思是「明月和關塞在秦時和漢時都是一樣的」，連繫下句，詩人懷念了秦漢時抗擊外寇的武功和當時的名將，暗中責備唐代邊將的用人不當。此兩句是句中的互文。下面是句間互文的例子。

3. 故言有召禍，行有召辱也。（《荀子・勸學》）

4. 人窮則反本，故勞苦倦極未嘗不呼天也；疾痛慘怛，未嘗不呼父母也。（《史記・屈原賈生列傳》）

5. 朝避猛虎，夕避長蛇，磨牙吮血，殺人如麻。（李白《蜀道難》）

6. 悍吏之來吾鄉，叫囂乎東西，隳突乎南北。（柳宗元《捕蛇者說》）

例 3. 中「言有召禍」和「行有召辱」互文，是說「言行有的會召來禍患恥辱」，並不是說言談只能召來禍患而與恥辱無關，行爲只能召來恥辱而與禍患無關。例 5. 中兩句是說「朝夕（時刻）提防猛虎長蛇之類的危害」。其他兩例類此。

九、割裂

割裂是一種特殊的借代，就是割裂原有的詞語加以借代，有的是截取一部分代替另一部分，有的是截取一部分代替整體。割裂又稱「藏詞」。

1. 一欣侍溫顏，再喜見友于。（陶淵明《庚子歲五月從都還阻風》）

2. 痛心拔腦，有如孔懷。（陸機《與長沙顧母書》）

3. 來儀之鳥，肉魚之獸。（揚雄《劇秦美新》）

例 1. 中「友于」代「兄弟」，《尚書・君陳》有「惟孝友于兄弟」之語，後人取其前兩字代之。例 2. 中「孔懷」也是代「兄弟」，《詩經・小雅・常棣》有「兄弟孔懷」之語，後人取其後兩字代之。例 3. 中「居諸」代「日月」，《詩經・邶風・柏舟》有「日居月諸」之語，後人便取其中「居」「諸」二字連用代「日月」。例 4. 中「來儀」代「鳳凰」，《尚書・益稷》有「鳳凰來儀」之語，後人取其後兩字代之。

5. 佗邑唯命。（《左傳・隱公元年》）

6. 世與我而相違，復駕言兮焉求？（陶淵明《歸去來兮辭》）

7. 夫妻向隅，茅舍無煙。（蒲松齡《聊齋誌異・促織》）

例 5. 中「唯命」是割取「唯命是聽」一部分代替整體。例 6. 中「駕言」是割取「駕言出游」一部分代替整體，原語出於《詩經・邶風・泉水》。例 7. 中「向隅」是割取「向隅而泣」一部分代替整體，原語出於《說苑・貴德》。

8. 古詩之體，今則全取賦名。荀宋表之於前，賈馬繼之於末。（蕭統《文選・序》）

9. 世祖旌賢，建葛亮之胤。（《晉書・王復傳》）

例 8. 中「賈馬」之「馬」，指司馬相如，將複姓「司馬」割取一部分代之。例 9. 中將諸葛亮的複姓「諸葛」割取一字代兩字。

十、倒置

在行文中，為了形式的整齊及音律的和諧，或為了造成某種意境，有時便違反語法或邏輯，臨時變通詞序，這叫倒置。如：

1. 我東曰歸，我心西悲。制彼裳衣，勿士行枚。（《詩經・豳風・東山》）

2. 大風有隧，有空大谷。（《詩經・大雅・桑柔》）

3. 孟嘗高潔，空懷報國之情，阮籍猖狂，豈效窮途之哭。（王勃《滕王閣序》）

4. 雪掩初弦月，香傳小樹花。（《杜甫《遣意》）

5. 使人意奪神駭，心折骨驚。（江淹《別賦》）

6. 春與猿吟兮，秋鶴與飛。（韓愈《柳州羅池廟碑》）

例 1. 中「裳衣」照常情應說為「衣裳」，但為了同「歸」、「悲」、「枚」協韻，便將「衣」與「裳」顛倒了位置。例 2. 中「有空大谷」按對文原則應為「大谷有空」，掉換詞序是為了「谷」與「隧」押韻。例 3. 正常順序應是：「空懷孟嘗高潔報國之情，豈效阮籍猖狂窮途之哭」，因涉於四六文形式，改變了應有的行文順序。例 4.「香傳小樹花」，意思是「小樹花傳香」，為了同前句「雪掩初弦月」對仗，並且合於平仄律，便變更了詞序。例 5.「心折骨驚」應為「心驚骨折」。例 6.「秋鶴與飛」應為「秋與鶴飛」，都是為了同前句參差有致而改變了應有順序的。

十一、並提

並提又稱爲「合敍」或「並列分承」，就是把可以分開說的相關內容分別集在一起說。如：

1. 齊楚遣項它、田巴，將兵隨市救魏。（《漢書・魏豹傳》）

顏師古注：「楚遣項它，齊遣田巴。」《漢書》將「齊」「楚」並提，「項它」與「田巴」並提，後人理解時要分開才能明瞭其意。

2. 封故御史大夫周苛、周昌孫子爲列侯。（《漢書・景帝紀》）

這裡的內容是《漢書》按《史記》改寫的。《史記・孝景本紀》原文是這樣的：「封故御史大夫周苛孫平爲繩侯，故御史大夫周昌子左車爲安陽侯。」《漢書》改寫後將「孫」和「子」並提，「周荷」和「周昌」並提，以「孫子」承「周昌」，反倒使人費解了。

3. 素湍綠潭，回清倒影。（《水經注・三峽》）

4. 飛湍瀑流爭喧豗，砯崖轉石萬壑雷。（李白《蜀道難》）

例3.不是一句話，而是兩句話合敍了，意思是「素湍回清，綠潭倒影」。例4.中「飛湍瀑流」意即「飛瀑湍流」，「飛」形容「瀑」，「湍」形容「流」。

（侯占虎）

6 訓詁

一、訓詁學定義

訓詁學是漢語語言科學中具有綜合性與實用性特點的應用科學。它以古代書面語言的訓詁材料作爲研究對象，以語義作爲主要研究內容。訓詁學的主要任務是分析古代書面語言的難點與障礙，總結古人注釋古書的經驗，闡明訓詁體制與義例，方式與方法，原則與運用，用來指導訓詁與古文教學、古籍整理、辭典編纂等項工作。

二、訓詁體裁

(一)傳

傳是最早解釋古書的體裁，是傳述之意。《說文》：「傳，遽也，从人專聲。」《爾雅・釋言》：「馹，遽，傳也。」胡韞玉《古書校讀法》：「以車曰傳，也曰馹，以馬曰遽，亦曰驛，皆所以達急速之事……傳者，由此達彼，引申之，凡由此達彼者皆曰傳。」訓釋詞語，即言語傳遞，因而喻文獻訓釋叫「傳」。

漢初，把解釋經書的都稱作「傳」。據《漢書・藝文志》載，《春秋》有《左氏傳》、《公羊傳》、《穀梁傳》；《詩》有《韓詩外傳》、

《毛詩故訓傳》。但先秦時代的「傳」，主要是闡明經義，交代史實的，這種體例一直延續至西漢。到了後代，「傳」即成爲訓釋詞義的專稱。如宋人朱熹的《詩集傳》與《楚辭集注》在體裁的稱謂上，「傳」與「注」已無區別。

「傳」又分爲內傳、外傳、大傳、小傳、集傳、補傳。

內傳與外傳是相對的概念。內傳指注釋內容與經義直接關聯的注解，外傳則相反。《四庫全書總目提要》在解釋「外傳」時說：「其書雜引古書古語，證以詩詞，與經義不相比附，故曰外傳。」注釋《詩經》的有《毛詩故訓傳》（內傳）與《韓詩外傳》。

大傳與小傳也是相對的概念。大傳是「撰其大義」之意。漢代張生與歐陽生均著有《尚書大傳》。鄭玄《尚書大傳序》說：「伏生爲秦博士，至孝文時，年且百歲，張生、歐陽生從其學而受之……。生終後，數子各論所聞，以己意彌縫其闕，而又特撰其大義，因經屬指，名之曰傳。」小傳則是一種謙詞，宋劉敞著有《七經小傳》。

集傳義同集注；補傳義同補注。

㈡解

解是分析之意，先秦時即有這種體裁。《說文》：「解，判也，从刀判牛角。」解的本義是分解動物，引申爲分析。訓詁本身就是分析詞義，故也稱作「解」。《管子》一書中有《牧民解》、《形勢解》、《明法解》……，均是對本書相應篇章的解釋。古人注書則以「解詁」連言，如賈逵《春秋左氏解詁》、何休《春秋公羊解詁》等。後代還有集解，如杜預《春秋經傳集解》、范寧《春秋穀梁傳集解》。其中有的是兼釋經和傳（如杜預），有的是匯集各家解說（如范寧）。

㈢說

說是解釋之意。先秦時就已有這種體裁。如《墨子》中有《經說上》、《經說下》，是對原書中《經上》、《經下》的注釋。《韓非子》有《內儲說》、《外儲說》，其體例是在每篇中先列出經文，然後逐一加以解說。

㈣記

記是解說的一種。《漢書・藝文志》的「六藝略禮類」有「記」130篇。原注為：「七十子後學者所記也」，這就是《禮》的古文記。現存《禮記》是儒家解說《禮經》的文字，它補充記錄經義的不備，兼錄經外之言以說明經義，作用類似「傳」、「說」，故孔穎達在《禮記正義》中說：「記者，共撰所聞，編而錄之。」

㈤微

《說文》：「微，隱行也。」引申為隱微、精微。《漢書・藝文志》中「春秋類」載有《左氏微》、《虞氏微傳》等。顏師古注云：「微謂釋其微指。」沈欽韓在《漢書疏證》中則認為「微者，春秋之別文。」一般看法卻認為「微」是闡明與解釋經的微言大義的。後代注釋中稱「微」的很多，據《經義考》載有：發微、闡微、顯微、明微、見微、解微、探微、窮微、指微、微旨、精微、微言等，都是用來闡明、探究、分析經之微言大義的意思。

㈥隱

隱與「微」同義。《史記・司馬相如傳》索隱引李奇說：「隱猶微也。」唐代司馬貞注《史記》，名曰《史記索隱》。「索隱」即

「探微」。

㈦注

《說文》：「注，灌也。」這是注之本義。由於古書文字難懂，需要解釋，猶如水道堵塞，經過灌注方能疏通。因此注書也稱作「注」。賈公彥《儀禮疏》說：「注者，注義於經下，若水之注物也。」「注」字又寫作「註」（異體字）。《春秋左傳正義》說：「毛君、孔安國、馬融、王肅之徒，其所注書，皆稱爲傳，鄭玄則謂之爲注。」由此可見訓釋稱注，始於東漢鄭玄。至於《隋書・經籍志》中所載馬融、王肅所作的注釋也都稱「注」，是襲用當時的通稱所致，原來仍稱爲「傳」。漢代保留至今的注本有鄭玄的《三禮注》，河上公《老子注》，高誘《戰國策注》、《淮南子注》、《呂氏春秋注》等。到了後代，「注」又稱爲對古書訓詁之通稱，如《十三經注疏》中的「注」即包含毛傳、鄭箋等。

㈧箋

《說文》：「箋，表識書也，从竹戔聲。」箋本是一種小竹片，讀書時，把心得隨時記在上面，繫在相應的竹簡上以備查考。後來用以表示注釋之意。注書用「箋」稱之，始於鄭玄，他在《六藝論》中說：「注詩宗毛爲主。毛義若隱，略更表明；如有不同，即下己意。」可見箋是用來補充、訂正原注的。而《毛詩正義》卻說：「鄭於諸經皆謂之注，此言箋者，呂忱《字林》云：『箋者，表也，識也。』鄭以毛詩審備，遵暢厥旨，所以表明毛意，記識其事，故稱爲箋。」按此說法，箋又有謙意。但從《詩・鄭箋》來看，前說更切實際，因爲它不僅補充毛傳之不足，並訂正其失誤。到了漢代，它才成爲注書時的一種謙詞。所謂「箋證」、「箋注」只是「注解」之意，並非限於對別人之注的補充、訂正。

㈨訓

《說文》:「訓,說教也。」孔穎達《詩經・周南・關雎故訓傳疏》:「訓者,道(導)也,道物之貌以告人也。」按上述解釋,訓就是說教,是導物之貌以告人。實際上要進行說教,就要通過解釋進行教誨,講淸所說之道理,因此訓又引申爲解釋之意。《爾雅》、《廣雅》諸書中均有《釋訓》篇。《爾雅・序篇》說:「《釋訓》言形貌也。」朱駿聲《說文通訓定聲》進一步說:「釋訓者,釋雙聲疊韻連語及單辭、重辭與發聲助語之辭也。」郝懿行《爾雅義疏》又說《釋訓》「多形容寫貌之詞,故重文、疊字累載於篇。」根據上述說法,我們實際考查《爾雅・釋訓篇》共計 122 條,其中前 77 條是疊音詞,其餘所釋有聯綿詞、單音詞與偏正詞組,間或也有一句詩。由此可見,《釋訓》所釋基本上是疊音詞與聯綿詞。

㈩詁

《說文》:「詁,訓故言也。」張揖《雜字說》:「詁者,古今之異言也。」孔穎達《詩經・周南・關雎故訓傳疏》:「詁者,古今異言,通之使人知也。」詁又寫作「故」,古代語言由於時間推移,發生變化,後人不易理解,要進行解釋才能明白,故解釋古代語言稱詁。《爾雅》、《廣雅》諸書中均載有《釋詁》篇。《爾雅・序篇》說:「《釋詁》、《釋言》,通古今之字,古與今異言也。」朱駿聲《說文通訓定聲》:「《爾雅》釋詁者,釋古言也。」郝懿行《爾雅義疏》認爲:《釋詁》「皆舉古言釋以今語。」據《爾雅・釋詁》篇計 190 條,所釋對象大多數爲單音詞,只有少數雙音詞,都是以當時的語詞來訓釋古語詞的。

但在實際語言環境中，訓、詁兩字的意義有一定的差別。古人在用此二字時均有名詞、動詞之別，故言謂之詁（名詞），解釋故言也謂之詁（動詞）；解說謂之訓（動詞），解說之詞語也謂之訓（名詞）。《爾雅》之詁、訓，皆爲名詞義，《毛傳》之詁、訓皆爲動詞義。總之，詁與訓，《爾雅》用它來稱所釋的詞語，《毛傳》用它稱詞語的解釋句，界限是明顯的。

「詁訓」連用是並列式詞組，所以能倒言爲「訓詁」，又可稱古訓、故訓、詁訓。而現代通用的名稱仍爲「訓詁」。其含義相當後代所謂「注解」。

(十) 章句

章句是在詞義解釋之外，兼釋文句大意的一種注釋方式，這種辦法能使文章意義更加明顯。《後漢書・桓譚傳注》：「章句謂離章辨句，委曲枝派也。」據沈欽韓《漢書疏證》說：「章句者，經師指括其文，敷暢其義，以相教授。」看來它起源於經師對學生的教授。漢代採用「章句」注釋古書的很多。如蔡邕的《月令章句》，趙岐的《孟子章句》，王逸的《楚辭章句》等。漢代章句多發揮微言大義，就像後世經筵「講義」一樣。關於章句與故傳的區別，劉師培於《國學發微》中指出：「故傳二體，乃疏通經文之字句者也，章句之體，乃分析經文之章句者也。」這就是前面所說的章句在釋詞之外，還歸納大意。但這種解說方式並非僅在以「章句」爲名的注釋中才採用，如《毛傳》、《鄭箋》雖未以「章句」爲名，但在注釋中也包括串講文章句意內容。一般說來，傳注較簡明，而章句則多煩瑣。

(十一) 集解

早期的「集解」是兼釋「經」和「傳」的。如杜預的《春秋經傳集解》。後來，一般是指各家解說的總匯。魏晉時代，由於前代對古書的注釋衆多，因而出現了不少集解的體裁。如何晏的《論語集解》搜集了孔安國、包咸、馬融、鄭玄、王肅等人對《論語》一書的解釋。集解一般說來是集諸家之善說，記其姓名，注解中有不妥貼者，還可改易。魏晉之後，還出現了集注、集說、集釋等體裁，其類型與集解基本相同。

(十三) 義疏

義疏也是用來闡發經義的，它比經注更爲詳細。「義」即義理之意。「疏」兼有疏通、疏記之意。義疏連言，即疏通其義的意思，可簡稱作義或疏。義疏這種體裁保留至今的有梁代皇侃《論語義疏》，它採用了袁宏、李克、郭象、孫綽、范寧、江熙等人的解釋，對保留漢魏以來舊注起了不小的作用，同時對唐人作疏也有很深的影響。義疏又稱義注，即注解其義之意；又叫義章，即彰明其義；又稱義贊，即闡發其義。《唐書·儒林傳》：「孔穎達與顏師古……受詔撰《五經義訓》凡百餘篇，號義贊，詔改爲正義云。」義疏又稱義證，即證明其義；又叫義略，即闡明義理之大略。其它如「章疏」、「注疏」、「講疏」、「講義」、「正義」等等，都是根據經注節次而疏通其義。「講義」原爲講習用之義疏；「正義」是解釋經傳而得義之正者。「疏」可稱「正義」，如孔穎達之《五經正義》；但反過來「正義」卻不一定是「疏」，如張守節之《史記正義》。

(十四) 音義

音義這種體裁包括辨音與釋義兩個部分。音義又簡稱爲「音」，徐邈的《毛詩音》於日本滕原佐世之《日本國見在書目》中又作《毛詩音義》。音義原來以辨音、釋義爲本，但也往往從事校勘。如唐陸德明的《經典釋文》中所包括的《音義》即如此。「釋文」是音義之別名。現保留的音義本除《經典釋文》外，尚有《一切經音義》和清末在敦煌發現的《毛詩》、《楚辭》和《文選》的音義殘卷。這類音訓書又稱作音訓、音詁、音注、音證、音隱等。

(十五) 詮

《說文》：「詮，具也。」《晋書音義》引《字林》說：「詮，具也，謂具說事理。」由上可見，詮的本義是述說詳備，用在古書注釋體裁中是詮釋、詮證之義，與具說事理之義正相切合。《淮南子》有《詮言篇》。《淮南子・要略篇》說：「詮言者，所以譬類人事之指，解喻治亂之體也，差擇微言之妙，詮以至理之文，而補縫過失之闕者也。」後代注書稱詮的有唐李翺的《易詮》等，即取具說書中之事理的意思。

(十六) 校

考校古書稱校，故賈逵《國語注》說：「校，考也。」「校」這種體裁包括兩項內容：一是考辨學術源流，二是校改文字脫誤，訓詁學者注釋古書，往往首先要校對文字，改正脫誤，如鄭玄的《毛詩箋》等。後來有人把校、注分開，另立校注、校詮等名目，如宋代鮑彪的《戰國策校注》。前人在考校文字脫誤時，一般記入注內，或另作考異。其中搜羅各種善本、列舉同異的，稱爲「集校」、「會校」。清代阮元《十三經注疏・校勘記》是附在各經文末尾的。

(十七) 述

《說文》：「述，循也。」《正韻》：「述，修也，纘也，譔也，凡終人之事，纂人之言皆曰述。」「述」也是訓詁體裁中的一種方式。以述爲名，訓釋古書的著作有清代惠棟的《周易述》等。

㈩訂

《說文》：「訂，平議也。」訂原本是對古書文字，內容之議論、解釋。後代將其作爲正訂書籍之名，如校訂、訂正之類。

古書注釋體裁（方式），除上述例舉之外，尚有疑、證、問、難、論、評等，此不贅述。

三、訓詁術語

訓詁術語有其特定含義，對閱讀和理解古書注疏，有重要作用。下面分類進行說明。

㈠也、者、諸

「也」是語氣詞，用在一句話之末尾，表明詞的釋義已經說盡。在訓詁學中，解釋的詞與被釋詞有時是同義關係，有時則是同音或近音關係。常用格式是：「甲，乙也。」如：

《易・乾・傳》：「元，始也。」

《爾雅・釋詁》：「幠、厖，有也。」

《左傳・隱公元年》：「多行不義必自斃，子姑待之。」杜預注：「斃，踣也；姑，且也。」

有時連續解釋幾個詞，可在最後一個解釋中使用「也」字。如：

《詩經・周南・關雎傳》：「淑，善；仇，匹也。」

《爾雅・釋魚》：「蠑螈，蜥蜴；蝘蜓，守宮也。」

對這種數詞連釋，最後用「也」的格式，讀古注時應注意辨別。

「者」的作用，一是置於判斷句主語後，表提頓，帶有強調意味。其常用格式是「甲者，乙也。」如：

《書・大傳》：「堯者，高也，饒也。舜者，推也，循也。」

《左傳・僖公五年》：「虢仲、虢叔，王季之穆也。」杜預注：「王季者，大伯虞仲之弟也。」

這種格式不僅可用於釋詞，還可用來解釋詞組、句子或文章題旨。如：

《詩・邶風・簡兮》：「日之方中，在前上處。」鄭箋：「在前上處者，在前列上頭也。」

《詩・魏風・碩鼠》鄭箋：「碩鼠者，斥其君也。」

「者」的另種用法是表指代，這種用法的「者」放在被釋詞前。如：

《爾雅・釋魚》：「鰹，大鮦；小者鮵。」

「諸」字同「者」的第二種用法。如：

《爾雅・釋魚》：「魚，俯者靈，仰者謝，前弇諸果，後合諸獵。」段玉裁《說文解字注》言部「諸」字下說：「諸與者音義皆同，……凡舉其一，則其餘謂之諸以別之。」

㈡曰、為、謂之

這組訓詁術語均表判斷，略等於現代漢語的「叫作」、「稱作」，而且被釋詞均放在其後。其格式爲「乙曰甲」、「乙爲甲」、「乙謂之甲」。如：

《論語・學而》：「有朋自遠方來，不亦樂乎？」鄭注：「同門曰朋，同志曰友。」

《左傳．文公三年》：「臣不才，不勝其任，以爲俘馘，執事不以衅鼓。」杜預注：「以血塗鼓爲衅鼓。」

《爾雅．釋天》：「南風謂之凱風，東風謂之谷風，北風謂之涼風，西風謂之泰風。」

使用上述術語，除一般釋義外，還可用來區別同義詞與近義詞。如：

《論語．先進》：「加之以師旅，因之以飢饉。」朱熹集注：「穀不熟曰飢，菜不熟曰饉。」

上述例證，對詞義訓釋，或用曰，或用爲，或用謂之，可見其作用相同。「謂之」又寫作「之謂」，如《禮記．中庸》：「天命之謂性，率性之謂道，修道之謂教。」

㈢謂、言、此言、言此

「謂」是動詞，用作訓詁術語是指明某一特定的東西，因此它的含義是「指某而言之」。用「謂」時，被釋詞放在「謂」之前，其格式爲「甲謂乙」。如：

《左傳．僖公三十年》：「且君嘗爲晋君賜矣。」杜預注：「晋君，謂惠公也。」

《國語．越語下》：「夫上黨之國，我攻而勝之，吾不能居其地，不能乘其車。」韋昭注：「黨，所也。上所之國，謂中國。」

「謂」這個術語，有時還用來以具體釋抽象，以別名釋共名。如：

《論語．子貢》：「君子學道則愛人。」孔安國注：「道謂禮樂。」

《楚辭．離騷》：「惟草木之零落兮，恐美人之遲暮。」王逸注：「美人謂懷王。」

前例之「道」是比較抽象的概念，故用「禮樂」這一具體概念釋之。後例則用專名「懷王」釋通名「美人」。

「謂」還可用來串講句意。如：

《詩經・小雅・伐木》：「出自幽谷，遷於喬木。」鄭箋：「謂鄉時之鳥出從深谷，今遷處喬木。」「言」的用法與「謂」相當，所不同處是「言」比「謂」使用的更加廣泛，大多用來串釋文意。「言」有闡述和發揮之意。如：

《詩經・魏風・葛屨傳》：「其君儉嗇褊急。」孔穎達疏：「儉嗇言愛物，褊急言性躁。」

《左傳・僖公四年》：「楚國方城以爲城，漢水以爲池。」杜預注：「方城出於南陽葉縣南，以言竟土之遠，漢水出武都至江夏南入江，言其險固以當城池也。」

「此言」、「言此」中的「此」，是用來代替被釋詞句的，使用「此言」、「言此」兩個術語訓釋詞語時，被釋詞句可以省出或不重複舉出。如：

《詩經・小雅・采薇》：「彼爾維何，維常之華。」鄭箋：「此言彼爾者，乃常棣之華，以興將來車馬服飾之盛。」

《詩經・小雅・無羊》：「或降於阿，或飲於池，或寢或訛。」鄭箋：「言此者，美其無所驚畏也。」

㈣貌、之貌

「貌」指人的面貌或事物之外形，它用作訓詁學術語是表明被釋詞具有某種性質或狀態，起描寫作用，並用在句末。常見格式有「甲，乙貌」、「甲，乙之貌」、「甲，乙貌也」、「甲，乙之貌也」。如：

《詩經・衛風・氓》：「桑之未落，其葉沃若。」朱熹注：

「沃若，潤澤貌。」

《詩經・衛風・氓》：「氓之蚩蚩，抱布貿絲。」毛傳：「蚩蚩，敦厚之貌。」

《楚辭・離騷》：「余固知謇謇之爲患兮，忍而不能捨也。」王逸注：「謇謇，忠言貌也。」

枚乘《七發》：「屯屯混混，狀如奔馬。」李善注：「屯屯混混，波相隨之貌也。」

(五)所以

「所」這個特別指示代詞，用在介詞「以」之前，表示行爲賴以實現之工具、方式等。在訓詁學術語中表「用作……」之意。如：

《方言》卷五：「所以藏箭弩謂之箙。」

《說文・聿部》：「聿，所以書也。」段玉裁注：「以，用也。聿者，所用書之物也。」

(六)猶

「猶」這個術語在古書中情況比較複雜，大體相當於現代漢語「等於說……」，它的用法有四種：一是同義相訓；二是用引申義釋本字；三是以本字釋借字；四是以今語釋古語。其格式爲「甲猶乙也」。如：

《詩經・魏風・伐檀》：「坎坎伐輻兮，置之河之側兮。」毛傳：「側猶崖也。」

《論語・先進》：「吾不徒行以爲之槨。」皇疏：「徒猶步也。」

以上二例爲同義相訓。

《左傳・莊公十年》：「肉食者謀之，又何間焉。」杜預注：

「間猶與也。」

《國語・周語上》：「是故爲川者決之使導，爲民者宣之使言。」韋昭注：「宣猶放也。觀民所言以知得失。」

上述二例爲以引申義釋本字。

枚乘《七發》：「淹沈之樂，浩唐之心。」李善注：「唐猶蕩也。」

《詩經・齊風・著》：「尚之以瓊英乎爾？」鄭箋：「尚猶飾也。」

上述二例爲以本字釋假借字。

《說文》「爾」下云：「麗爾，猶靡麗也。」段玉裁注：「麗爾，古語；靡麗，漢人語。以今語釋古語，故云『猶』。」

《左傳・隱公元年》：「初，鄭武公娶於申，曰武姜，生莊公及共叔段。」注：「段出奔共，故曰共叔。猶晋侯在鄂，謂之鄂侯。」

以上二例係以今語解釋古語。

㈦之言、之為言

這兩個術語是用來表示「聲訓」即音義相通的。其格式爲「甲之言乙也」，「甲之爲言乙也」。如：

《荀子・修身篇》：「以不善先人者謂之諂。」楊倞注：「諂之言陷也，謂以佞言陷之。」

《禮記・明堂位》：「天子皋門。」鄭玄注：「皋之爲言高也。」

上引二例，都用於探求語源，釋詞往往用來說明被釋詞所表示事物的性質或作用。兩者之間或音同，或音近。

這兩個術語有時也用來說明通假。如：

《詩經・召南・甘棠》：「蔽芾甘棠，勿翦勿拜。」鄭箋：

「拜之言拔也。」

㈧讀為、讀曰、讀若、讀如

「讀爲」和「讀曰」是用本字來說明通假字。其格式爲「甲讀爲乙」、「甲讀若乙」。如：

《書・堯典》：「播時百穀。」鄭玄注：「時讀曰蒔。」

《考工記・輈人》：「終日馳騁，左不楗。」注：「杜子春云：『楗讀爲蹇』。」

《荀子・天論》：「老子有見於詘，無見於信。」楊倞注：「信，讀爲伸。」

「讀若」、「讀如」則與「讀爲」、「讀曰」不同，是用來注音或表示讀音通假的。如：

《楚辭・九歌・國殤》：「霾兩輪兮縶四馬。」洪興祖補注：「霾讀若埋。」

《說文》：「噲，咽也。从口會聲。或讀若快。」

《詩經・魏風・伐檀》：「彼君子兮，不素飧兮。」鄭箋：「飧，讀如魚飧之飧。」

《周禮・太祝》：「奇拜。」杜子春注：「奇，讀如奇偶之奇。」

上述兩組訓詁術語雖有差別，但其間界限並不十分嚴格。對於多音，多義字，「讀如」起比擬作用，即用人們所熟知的詞來確定所釋詞的意義，如末例。

㈨辭、詞

這是兩個表明所釋之詞爲虛詞的訓詁術語。其用法有「某，辭也」，「某，某之辭」兩種格式。前者只籠統地說明被釋詞是虛詞，而後者則在於表示某種意義或某種語氣。如：

《說文・矢部》：「矣，語已詞也。」

《詩經・周南・芣苢》：「采采芣苢，薄言采之。」毛傳：「薄，辭也。」

《詩》箋：「聊，且略之辭。」（表某種語氣）

㈩當作、當為

這兩個訓詁術語是用來糾正誤字的。凡因字形相似而致誤的，即說明「字之誤」；因字音相同或相近而致誤的，即說明「聲之誤」。如：

《禮記・檀弓下》：「人喜則斯陶，陶則咏，咏則猶。」鄭注：「猶當爲搖，聲之誤也。」

《禮記・樂記》：「武王克反商。」鄭注：「反當爲及，字之誤也。」

《戰國策・楚策》：「以其類爲招。」王念孫《讀書雜志》：「類當作頸，字之誤也。」

(十一) 屬、醜、別

這三個訓詁術語表明詞所概括事物之種類。如：

《說文・艸部》：「莪，莪蘿，蒿屬。」

《爾雅・釋草》：「蘩之醜，秋爲蒿。」郭璞注：「醜，類也。春時各有種名，至秋老成，皆通呼爲蒿。」

《說文・禾部》：「稗，禾別也。」

(十二) 聲

「聲」是用來說明被釋詞是象聲詞的訓詁術語。其格式爲

「甲，乙聲也。」如：

《詩經．周南．關雎》：「關關雎鳩，在河之洲。」毛傳：「關關，和聲也。」

《詩經．小雅．伐木》：「伐木丁丁，鳥鳴嚶嚶。」毛傳：「丁丁，伐木聲也。」

(十三)古聲同、古字同

這是兩個用來說明文字通假的訓詁術語。其格式為「古聲甲乙同」、「古字甲乙同」。如：

《詩經．豳風．東山》：「烝在栗薪。」鄭箋：「栗，析也，言君子又久見使析薪，於事尤苦也。古者聲栗裂同也。」

《論語．公冶長》：「無所取材。」《論語集解》引鄭玄注：「古字材哉同耳。」

(十四)今文、古文、故書

「今文」指西漢以後通行之隸書及用隸書撰寫之今文經。「古文」指秦以前所用的古文、籀篆。「故書」則指用各種古文字撰寫的古文經。漢代訓詁學家兼通今、古文經，他們在為經作注時，採用今文本、古文本與故書本進行校對，擇善而從，並且注明被釋字今文、古文、故書的寫法。如：

《儀禮．士相見禮》：「毋改，衆皆若是。」鄭玄注：「古文毋作無，今文衆為終。」

《周禮．天官．小宰》：「七事。」鄭玄注：「七事，故書為小事。」

按「故書」即所謂「舊本」，是《周禮》中專用的注釋術語，因《周禮》只有古文本，無今文本，故不稱「古文」，而改稱「故書」。

(十五)互言、互見、互體、互辭

這些訓詁術語全部用來指明古文中某些文句參互見義，相互補充的關係。如：

《詩經・大序》：「動天地，感鬼神。」正義：「天地云『動』，鬼神云『感』，互言耳。」

《左傳・隱公元年》：「公入而賦，大隧之中，其樂也融融；姜出而賦，大隧之外，其樂也泄泄。」孔穎達《疏》引服虔云：「入言公，出言姜，明俱出入，互相見。」

杜甫《狂夫》：「風含翠筱娟娟淨，雨浥紅蕖冉冉香。」羅大經《鶴林玉露》卷七：「上句風中有雨，下句雨中有風，謂之互體。」

《詩經・小雅・楚茨》：「我倉既盈，我庾維億。」鄭箋：「倉言『盈』，庾言『億』，亦互辭，喻多也。」

(十六)渾言、析言；對文、散文

「渾言」是籠統而言，它大體指稱一類事物的統稱，能夠統攝許多詞。「析言」則是分開來說。它們的作用都是說明同義詞之間的差別。如：

《說文・口部》：「哯，不歐而吐也。」段玉裁《說文解字注》：「歐，吐也，渾言之。此云不歐而吐也者，析言之，歐以匈（胸）喉言，吐以出口言也。有匈喉不作惡而已吐出者謂之哯。」

《說文・鳥部》：「鳥，長尾禽總名也。」段玉裁《說文解字注》：「短尾名隹，長尾名鳥。析言則然，渾言則不別也。」

「渾言」又稱「統言」、「通言」，與「析言」相對。如：

《說文・示部》：「祭，祭祀也。」段玉裁《說文解字注》：

「統言則祭祀不別也。」

「祀，祭無已也。」段玉裁《說文解字注》：「析言則祭無已曰祀。」

《禮記・曲禮下》：「生曰父，曰母，曰妻；死曰考，曰妣，曰嬪。」《禮記正義》：「此生死異稱，出《爾雅》文，言其別於生時耳。若通而言之，亦通也。」

在訓詁著作中，還有以「對文」（對言），「散文」（散言）對舉的。如：

《廣雅・釋詁一》：「傷，創也。」王念孫《廣雅疏證》：「傷者，《月令》：『命理瞻傷察創』。鄭注：『創之淺者曰傷』。此對文也。散文則創亦謂之傷。故《說文》云：『傷，創也。』僖公二十二年《左傳》：『君子不重傷』。文公十一年《穀梁傳》作『不重創』。其義一也。」

《詩經・節南山・何人斯》：「出此三物，以詛爾斯。」毛傳：「民不相信則盟詛之，君以豕，臣以犬，民以雞。」馬瑞辰《毛詩傳箋通釋》：「毛傳通言『盟詛』者，盟與詛亦散言則通，對言則異也。」

古書注釋中，所謂「渾言」、「統言」、「通言」、「散文」（散言），主要是在異中求同，反過來「析言」、「對文」（對言）是在同中求異。二者目的均在於辨析同義詞之間的差異。

(七)或為、或作、本作、一本作

這些訓詁術語均用來校勘文字之異同，其中「或爲」、「或作」係用以指出釋詞與被釋詞之間音讀有相通之理。「本作」、「一本作」則用以指明其它書或別本的異文。如：

《周禮・天官注》：「玄謂政謂賦也，凡其字或作政，或作征。以多言之，宜從征，如《孟子》：『交征利』云。」

《禮記・曾子問》：「命毋哭。」《釋文》：「毋，本作無。」

《周易・乾文言》：「處終而能全其終。」《釋文》：「能全，一本作能令。」

(十八)如、若、似

這是一組用來表示描寫的訓詁術語。如：

《爾雅・釋獸》：「羆，如熊，黃白文。」

《說文・艸部》：「莃，薍莃，似蕪菁，實如小尗者。」

《周禮・春官・典瑞》：「珍圭以征守。」杜子春注：「以征守者，以征召守國諸侯，若今時征郡守以竹使符也。」

《說文・牛部》：「犀，徼外牛，一角在鼻，一角在頂，似豕。」

(十九)未聞、未詳、待考

這是一組用來表示闕疑的訓詁術語。如：

《說文解字》一上：「禳，磔禳，祀除厲殃也。古者祟子所造。」段注曰：「未聞，祟子爲其子祟災也。」

《說文解字》九上：「卯，二卩也，巽从此。闕。」段注曰：「謂其讀若未聞也。」

四、訓詁方法

(一)形訓

1. 什麼叫形訓？

「形訓」即按形說義，是根據字形結構來解釋詞義的方法。

漢字是一種音節表意文字，因此分析字形結構有助於理解詞義。

「形訓」由來已久，早在春秋戰國時期就已使用。如：

《左傳・宣公十二年》：「於文，止戈爲武。」

《左傳・宣公十五年》：「天反時爲災，地反物爲妖，民反德爲亂，亂則妖災生，故文反正爲乏。」

《韓非子・五蠹》：「古者蒼頡之作書也，自環者謂之私（古字作「厶」），背私謂之公。」

上述《左傳》、《韓非子》等古籍中分析了「武」、「乏」、「私」「公」的字形結構，闡明他們所認爲的造字的本義。

在《說文解字》中，許愼對象形、指事、會意、形聲字進行詳細分析，對於我們通過字形分析詞的本義有很大幫助。

2. 形訓的作用

解說古書中詞的意義，如能恰當運用形訓，能將其意義，特別是本義解說得淸楚明瞭。如：

《詩經・豳風・七月》：「塞向墐戶。」我們根據《說文・宀部》：「向，北出牖也。从宀从口。」的解釋，可以得知「向」的本義是「向北開的窗戶」。而〈七月〉詩中原意正是說：堵好朝北開的窗戶與門，防止寒風吹入。

《左傳・僖公二十二年》：「雖及胡耇，獲則取之，何有於二毛？」

《說文・又部》：「取，捕取也。从又耳。《周禮》：『獲者取左耳。』司馬法曰：『載獻聝。』聝者，耳也。」許愼引《周禮》與司馬法之說，用來說明「取」字从耳之意，「从又耳」即以手取耳之意。根據這個解釋，《左傳》上段文字應釋爲：即或遇到年老的敵人，抓到了就割取耳朵，對那些花白頭髮的人又有什麼可憐的呢？

3. 運用形訓應注意的問題

運用形訓確定詞的本義時要謹慎從事，切忌主觀臆斷，發生謬誤。古代一些字書，如宋代王安石的《字說》等就發生過一些任意分析字形、解說詞義的錯例，應引起我們的重視。

運用形訓分析詞義應該重視的問題是：

第一，運用形訓方法時，應盡量採用時代較早的字形，即早期的漢字——甲骨文、金文的形體作爲分析詞義的依據。對於《說文解字》解釋詞義所依據的字形——小篆，應經過審愼的分析，不能作爲唯一的根據。因爲小篆有些形體雖然保留了詞的本義，但由於文字的發展、演變，小篆中有些字形已很難看出詞的本義，運用小篆的字形分析本義，有時就會產生差誤。如：

《說文・一部》：「天，顚也。至高無上，从一大。」許愼把它定爲會意字，其實「天」字在甲骨文，金文中寫作，象人而突出頭部，是個指事字，表示人頭。《周易・睽・六三》：「其人天且劓。」馬融釋爲鑿顚之刑。《山海經》有「刑天」之記載，也應按此義去解釋。

《墨子・非樂上》引古逸書：「舞佯佯黃言孔章。」「黃言」二字很難理解，僞古文《尙書》作者就將這段文字主觀改作「聖謨洋洋，嘉言孔章。」其實「黃」即「簧」；「言」字甲骨文、金文均寫作。是口，像簫管之形。全字可理解爲以口吹簫管之意。此字也正是《爾雅・釋器》中「大簫謂之言」的「言」。「言」又或作「管」。「簧管」即管樂之名稱。

第二，運用形訓時還應注意證之以古代文獻。如：

《說文・行部》：「行，人之步趨也。从彳亍。」許愼依據小篆形體，釋「行」爲「步趨」，而金文、甲骨文中「行」的形體卻像十字路口。據此可知「行」之本義應是「道路」。試看先秦文獻記載：

《詩經・周南・卷耳》：「采采卷耳，不盈頃筐。嗟我懷人，寘彼周行。」

《詩經・豳風・七月》：「女執懿筐，遵彼微行，爰求柔桑。」

文中「周行」即「大道」，「微行」即「小路」。而《說文》從「行」之字，如「術」（邑中道）、「街」（四通道）、「衢」（通道）等，均與「道路」有關。

「豆」在秦漢前是器物形，上有蓋兒，下有座兒。這也可從秦漢前的文獻中得到佐證。如：

《國語・吳語》：「在孤之側者，觴酒豆肉、簞食，未嘗敢不分也。」

《孟子・告子上》：「一簞食，一豆羹。」

上述兩例中之「豆」均是盛物之器物，係「豆」的本義。

(二)義訓

義訓又稱直陳詞義，就是不借助於形訓與聲訓而直接解釋詞的意義的方式。在訓詁方法中，義訓的地位最重要，體例也較多，在古書訓釋中所占比例也大。其特點是簡明準確。秦漢時期的典籍與訓詁專著，如《爾雅》、《毛詩詁訓傳》就常採用這種方法釋詞。

1. 直訓

是義訓中最常見的一種方式，它用一個詞直接解釋另一個詞。如：

《爾雅・釋詁》：「崇，充也。」

《爾雅・釋訓》：「煌煌，樂也。」

《說文・辵部》：「迫，近也。」

《方言》卷十：「崽者，子也。」

《廣雅・釋言》：「諟，是也。」

2. 同訓

用一個詞解釋不同的幾個詞的方式稱同訓。我國古代《爾雅》一類的訓詁書，把意義相近的詞類聚在一起，然後用一個詞來解釋它，就屬這種類型。如：

《爾雅・釋訓》：「穆穆、肅肅，敬也。」

《爾雅・釋詁》：「適、之、嫁、徂、逝，往也。」

《爾雅・釋言》：「還、復，返也。」

《說文・艸部》：「蘭，香草也。」「蕬，香草也。」「薰，香草也。」

3. 互訓

是由兩個同義（近義）詞相互訓釋的方式。如：

《爾雅・釋宮》：「宮謂之室，室謂之宮。」

《說文・老部》：「老，考也。」「考，老也。」

《說文・艸部》：「蕪，薉也。」「薉，蕪也。」

4. 遞訓

是用幾個詞輾轉相訓的方式。如：

《爾雅・釋言》：「煽，熾也。」「熾，盛也。」

《爾雅・釋虫》：「蠑螈，蜥蜴；蜥蜴，蝘蜓；蝘蜓，守宮也。」

《說文・言部》：「誹，謗也。」「謗，毀也。」

《說文・口部》：「嚨，喉也。」「喉，咽也。」「咽，嗌也。」

5. 反訓

是用某詞常用義的相反意義來解釋該詞詞義的方式。如：

《爾雅・釋詁》：「徂、在，存也。」郭璞注：「以徂爲存，猶以亂爲治，以曩爲曏，以故爲今。此皆訓詁義有反復相通，美惡不嫌同名。」

《方言》卷二：「逞、苦、了，快也。自山而東曰逞，楚曰苦。」郭璞注：「苦而爲快者，猶以臭爲香，治爲亂，徂爲存。此訓義之反復用之是也。」

《說文・人部》：「仇，讎也。」段玉裁注：「讎猶應也。《左傳》曰：『嘉偶曰妃，怨偶曰仇。』按仇與逑古通用。辵部怨匹曰逑，即怨偶曰仇也。仇爲怨匹，亦爲嘉偶，如亂之爲治，苦之爲快也。《周南》：『君子好逑』與『公侯好仇』義同。」

反訓作爲詞義訓釋之手段，由《爾雅》始，並由郭璞注闡明。其後在《說文》、《廣雅》及諸古籍中多有使用。它對閱讀古籍，了解詞義引申是有幫助的。

6. 譬況

把所釋詞與被釋詞加以比較，用比喻的方式說明詞義內容的方式。如：

《爾雅・釋獸》：「兕，似牛。」「犀，似豕。」

《說文・黑部》：「黑，火所熏之色也。」

《說文・黃部》：「黃，地之色也。」

7. 描寫說明

對被釋詞所表示的事物加以描寫說明的方式，一般用來解釋實物與地名。如：

《爾雅・釋木》：「樅，松葉柏身。」「檜，柏葉松身。」

《說文・水部》：「涪，水出廣漢剛邑道，徼外南，入漢。」

「沱，江別流也。出岷山東別爲沱。」

《釋名》：「攬，斂也，斂置手中也。」

描述說明方式，能使讀者對被釋詞產生具體形象認識，但這種釋詞方式一般只能用來訓釋名物，不能用來解釋抽象概念。

8. 標明義界

標明義界簡稱義界，就是採用若干個詞給被釋詞下定義的方式來表述詞義的內容和特徵。這種釋詞方式一般用來解釋親屬稱謂、數目字的詞義。如：

《爾雅・釋親》：「婦稱夫之父曰舅，稱夫之母曰姑。」

《說文・百部》：「百，十十也。」

《說文・斗部》：「斗，十升也。」

屬中求別也是一種標明義界的方式。如：

《爾雅・釋地》：「水中可居者曰洲，小洲曰陼，小陼曰沚，小沚曰坻。」

《說文・禾部》：「杭，稻屬。」段玉裁注：「凡言屬者，以屬見別也。言別者，以別見屬也。重其同則言屬，杭爲稻屬是也。重其異則言別，稗爲禾別是也。」

標明義界這種釋詞方式能使詞義準確，然而並非一切詞義均能用義界方式去解釋。有些詞定義很難下，有些詞隨著時代的發展、科學的進化，過去所下之定義就會失之於準確。因此，我們在閱讀古籍與注釋時，必須持審愼與分析態度，避免以訛傳訛。

以上將「義訓」方式分爲八類，是爲了便於說明問題，而實際訓釋時，往往是交互使用的。

㈢聲訓

聲訓又稱音訓，實際上是因聲求義，即用音同或音近字來解釋詞義的方式。

1. 聲訓發展的最初階段

聲訓這種方式，在先秦典籍中常可看到，在一些訓詁專書中也經常使用，如《爾雅》、《說文》。漢末劉熙所作的《釋名》一書，則幾乎全用聲訓。下面舉例說明：

《周易・說卦》：「乾，健也。坤，順也。震，動也。……坎，陷也。離，麗也。」

《莊子・齊物論》：「庸也者，用也；用也者，通也。」

《詩經・魏風・伐檀》：「河水淸且淪猗。」毛傳：「小風水成文轉如輪也。」

《爾雅・釋詁》：「履，禮也。」「冒，當也。」

《爾雅・釋言》：「顛，頂也。」

《說文・片部》：「版，判也。」

這一時期聲訓的方式：

❖一是利用形聲字聲符相同之字來注釋詞義。如：

《爾雅・釋言語》：「甲，狎也。」

《說文・午部》：「午，啎也。」

《釋名・釋水》：「水草交曰湄。湄，眉也，臨水如眉臨目也。」

《釋名・釋言語》：「銘，名也；記名其功也。」「紀，記也；記識之也。」「消，削也；言減削也。」

上面所舉「甲、狎」「午、啎」是用形聲字訓釋聲旁字；「湄、眉」「銘、名」是用聲旁字訓釋形聲字；「紀、記」

「消、削」是用同聲旁字相互訓釋。

❖二是利用音同、音近字相互訓釋。如：

《爾雅・釋天》：「日，實也，光明盛實也。」（日、實同韻）

《說文・示部》：「祈，求也。」（祈、求同聲）

《周易・說卦》：「乾，健也。」（乾、健同音）

三是利用同形字相互訓釋。如：

《詩・大序》：「風，風也。」

《孟子・滕文公》：「徹者，徹也。」

同字相訓，被釋詞往往有特定含義，而釋詞則用一般含義，如一例中的前一「風」字，是《詩經》中一種文體名稱，即「風」、「雅」、「頌」之「風」（名詞）；而後一「風」字，則是「風化」（鼓動義，動詞）之意。第二例中前一「徹」字是周代賦稅名稱；後一「徹」字則是「徹取」（動詞）之意。這樣的訓釋，今人往往感到費解，但古人卻是理解的，因而古書中仍保留了這樣的訓詁材料。

對早期的聲訓究竟應該怎樣評價呢？

早期的聲訓並不是建立在嚴格的科學研究基礎上，因此往往帶有主觀色彩與任意分析性。如對「春」字的聲訓有如下幾種：

《釋名・釋天》：「春，蠢也，動而生也。」

《春秋繁露・陽尊陰卑篇》：「春之爲言偆偆也。」

《尚書大傳》：「春，出也；物之出也。」

上述對「春」的聲訓都是不足爲訓的，這說明早期之聲訓還處於雛形階段，有很多不科學之處，爲此我們在閱讀古籍與使用這些材料時一定要慎重從事。但是對漢代以前的聲訓與劉熙的《釋名》應予以全面的評價。儘管其中也有很多主觀臆斷之處，利用音同或音近的字對很多詞進行隨心所欲的解釋，但在幾千年前，他們就試圖在音、義之間尋求聯繫，並進而去探求語源，這是應當肯定的。

2. 右文說

魏晉時，已初步形成「右文說」之雛形。楊泉就認爲形聲字同聲旁往往在語源上有共同意義。他在《物理論》中說：「在金曰堅，在草木曰緊，在人曰賢。」（《藝文類聚》轉引）

宋代的王聖美正式提出「右文說」，初步形成了「音同義近」的理論。他認爲聲符相同，其義必近。沈括在《夢溪筆談》中介紹其理論時說：「王聖美治字學，演其義爲『右文』。古文字書皆从左文，凡字其類在左，其義在右，如木類，其左皆从木。所謂『右文』者，如戔，小也，水之小者曰淺，金之小者曰錢，歹之小者曰殘，貝之小者曰賤；如此之類，皆以戔爲義也。」

王觀國與王聖美持同一主張，他提出了「字母」（諧聲偏旁）的說法：「盧者，字母也。加金則爲鑪，加目則爲矑，加火則爲爐，加瓦則爲甗，加黑則爲黸，凡省文者，省其所加之偏旁，但用字母則衆義賅矣。」（見《學林》卷五）

宋末戴侗在《六書故·六書通釋》一書中也涉及與此相類的問題。他說：「六書推類而用之，其義最精。『昏』本爲日之昏，心目之昏猶日之昏也，或加心與目焉。嫁娶者必以昏時，故因謂之昏，或加女焉。『熏』本書爲煙火之熏，日之將入，其色亦然，故謂之熏，或加日焉，帛色之赤黑者亦然，故謂之熏，或加糸與衣焉，飲酒氣酣而上行，亦謂之熏，或加酉……。」

清代學者也曾吸取這種理論，注釋《說文》、《爾雅》。如：

《說文·衣部》：「襛，衣厚貌。」段玉裁注：「凡農聲之字，皆訓厚。醲，酒厚也；濃，露多也。」

《廣雅·釋詁一》：「般，大也。」王念孫疏證：「般者，

《方言》曰：『般，大也。郭璞音盤桓之盤。』《大學》：『心廣體胖。』鄭注：『胖猶大也』。《士冠禮》注云：『弁名出於槃，槃，大也。言所以自光大也。』槃、胖並與般通。《說文》：『幋，覆布大巾也。』『鞶，大帶也。』《訟・上九》：『或錫之鞶帶。』馬融注云：『鞶，大也。』《文選・嘯賦》：注引《聲類》云：『磐，大石也。』義並般同。」

近人劉師培、楊樹達對此理論也有新的闡發。劉師培在《文章源始》中說：「古代之字，只有右旁之聲，而未有左旁之形；後世恐其無以區別也，乃加以左旁之形以爲區別。故右旁之聲，綱也；左旁之形，目也。如：凡字从寺者，皆有獨字之義；凡字从贊者，皆惡字而非美字；凡从火者，皆有幽暗之義；凡字之从侖者，皆爲有文理，有秩序之義；皆音同義通之證，亦即古字以右旁之聲爲綱之證也。」

楊樹達在《積微居小學金石論叢》一書中也有類似之論述。他說：「蓋文字根於語言，語言托於聲音，言語在文字之先，文字第是語言之徽號。以我國文字言之，形聲字居全數十分之九，謂形聲字義偶寓於形而不在聲，是直謂中國文字離語言而獨立也。其理論之不可通。」

楊樹達並例舉「以聲聯義」數百事，現略述二事如下：

「共聲、雚聲字含曲義：齒曲謂之齤；膝曲謂之卷；手曲謂之拳；顧曲謂之眷，眷又作矔。（《方言》：「矔，轉目也，梁益之間稱之」。）行曲脊謂之䟡；（長沙今云俯身曰䟡腰。）弓曲謂之弮……。」

「呂聲、旅聲、盧聲字多含連義：脊骨謂之呂（或作膂，像脊骨相連之形）；伴謂之侶；軍五百人謂之旅；二十五家相羣侶謂之閭；屋梠謂之櫚；縫衣使相連謂之絽；禾四秉謂之筥；木之葉密布者謂之櫚；屋上栟謂之櫨。」（見《形聲字聲中有義略

證》）

右文說比早期的聲訓前進了一步，它確實解釋了某些客觀的語言現象，但還不能把它作爲一種規律性的普遍理論。因爲漢字中表音的字與意義也有毫不相關的，或者是本字雖兼具意義，但與聲符原意全不相合的。如江、河諸字，聲符之工、可僅僅表音，與詞義毫無關聯。而且有些字之聲符實際上存在著聲符兼義與聲符無義二種情況。如所謂「从非聲者是赤義」這一結論就不確切，下面就分析从非聲之字所含之意義。

❖聲符兼義而不是語根者：

A，罪、扉、匪……器雖異而同爲編織物。

B，菲、翡、（緋）、痱……含有赤義者。（加括號者，《說文》所無之字。）

❖聲符兼義且爲其語根者：

非，《說文》：「違也。从飛下猌，取其相背也。」

A，輩、誹、棐、斐、騑、悲（悱）、扉、排、輩……由違背義孳乳出者。

B，俳、（徘）裴、蜚、蠢、翡……由飛義孳乳出者。

聲符無義者：

腓，脛腨也。跸，跀刖也。餥，餱也。郾，地名。屝（陫），隱也。婓，醜貌。……以上均與非義無關。

由上可見，右文說在探討語源，闡明音義關係上雖有一定作用，但卻失之於「以偏概全」，即把語言中的部分現象擴大爲全體，這是值得我們認眞分析，小心對待的。

3. 同源説

所謂同源說是從文字派生角度談的。章太炎先生講過：「音義相讎，謂之『變易』；義自音衍，謂之『孳乳』」。（見《文始》）現在人們一般把由一個孳生出來的一組字叫作「孳乳字」。由於它較好地探索了漢語語源，闡明了詞義的孳乳演變，因此又稱之爲「同源字」（實際上應爲「同源詞」）。下面舉例說明：

贈，《說文》：「玩好相送也，从貝曾聲。」《詩經・大雅・崧高篇》：「以贈申伯。」毛傳：「贈，曾也。」《說文》：「曾，益也。」（贈从曾聲，故有增益義。以物贈人，即以物增加於人。）

故凡从「曾」之字，多含加益之義。如：

增，益也。

層，重屋也。（加屋於屋，謂之重屋。）

竲，北地高樓無屋者。（與層義略同。）

甑：甗也。（加於釜上之器。）

鬸，鬵屬。（此與甑爲一字。）

鮹，置魚箄中炙謂之鮹。（用與甑同。）

罾，魚網。（罾於木上，今制尚然。）

橧，《禮記・禮運篇》：「夏則居橧巢。」鄭注：「橧，聚薪柴居其上。」（以橧與巢連文，皆在樹上之物。）

矰，隿射矢也。《周禮・夏官・司弓矢注》：「結繳於矢謂之矰。矰，高也。」（物加益則高，是增益義之引申。）

奇，《說文》：「異也，一曰不耦（偶），从大从可。」

（按：《說文》說解不確。此字當从尣，可聲。尣，《說文》云：「尣，曲脛也。」因此奇本爲跛，即今之瘸腿。）

由「奇」孳生的一些字，均有殘缺不全、偏曲不正、依憑、依靠等義。如：

畸，《說文通訓定聲》：「餘田不整齊者。」

猗，《說文》：「犗犬也。」（即去勢之犬。）

犄，《說文》：「武牙也。」（武是避唐諱，武牙即虎牙，即門齒向外突出者。）

齮，側齒。

觭，角一俯一仰也。

剞，工匠使用之曲刀。

寄，托也。

輢，車兩側，人可依憑之處。

掎，偏引。

埼，彎曲的岸。

崎，崎嶇，形容山路不平。

由於詞是語音與語義的統一體，而在這個統一體中的兩個方面的結合，既有其隨意性，又有其依存性、約定俗成性。也就是說這種結合是受人類的歷史、社會生活、風俗習慣、心理素質所制約的。對於這一問題，我國古代哲學家早有過論述。荀子早在二千多年前就曾提出：「名無固宜，約之以命。約定俗成謂之宜，異於約則謂之不宜。」（《正名論》）這就是說，音義之間一開始並無必然聯繫，用某音標誌某義純係造詞時所作出的任意選擇；但這種選擇又絕非是個人性的，而是社會性的，語言中存在著的一部分「聲義近同」現象，並可據此因聲求義，探求事物命名緣由，正是由音義限制性與約定俗成性所決定的。王力先生在《中國語言學史》中說：「事物得名之始，固然是任意的，至於在一個詞演變成幾個詞的時候，就不再是任意的，而是在語音上發生關係了。」這正是「同源」字的說法。

「同源」字之產生並非是偶然的，而是受詞彙發展內部規律所制約的。從詞彙發展歷史看，當某一詞彙初步形成後，它並不是靜止不變的，待一個詞演變、分化爲若干詞的時候，新舊詞間的血緣關係又決定了新詞的音義不再是任意與偶然的，而是有聯繫的。這就是說在原生詞（根詞、母詞）的基礎上，產生了若干新的派生詞（子詞），即形成了一個以「根詞」爲中心的，在詞義與語音上有聯繫的「詞羣」。而在這個「詞羣」之中「音同義近」的原則即在於同源。

五、訓詁學要籍介紹

㈠《經典釋文》

《經典釋文》又稱《經典釋義》，是唐代陸德明（名元朗）編撰的音義類的訓詁學要籍。這部著作篇幅大，體例完整，搜集了相當多的漢魏六朝的聲訓著作佚文，對於考訂前代聲訓與詞義訓釋有很高的價值。

《經典釋文》30 卷。第 1 卷含「序」（說明著書原因）、「條例」（說明編纂方法）、「次第」（解釋所收各書安排順序及理由）、「注解傳述人」（介紹各種經典之傳授源流及注家）。是閱讀全書的鑰匙。第 2 卷至 30 卷，依次解釋《周易》、《尚書》、《毛詩》、《周禮》、《儀禮》、《禮記》、《春秋左氏傳》、《春秋公羊傳》、《春秋穀梁傳》、《孝經》、《論語》、《老子》、《莊子》、《爾雅》等 14 部著作經義與注文。

《經典釋文》在注釋上與其它注釋的不同之點，一是既解釋經義，同時也注音；二是摘字爲音（其中除《孝經》、《老子》兩書）。如對《左傳》全書的注音即搜集了《左傳正義》之注音和杜預注之音釋。

《經典釋文》對同一字的各種注音，還常加以博採衆收，這就要求我們應注意一字多音之首音，而對於其它「或音」則在於聊博異聞，不爲典要。

《經典釋文》還收錄了不少反切，即在同一詞下，列示了衆家關於反切之音釋，其中不少地方具體反映出經傳異文和文字之通假現象，這一點需引起我們的注意。

《經典釋文》雖以注音爲主，但亦兼及訓詁，並保留有衆多古代的注釋材料。如《周易》一書即採用了王弼、韓康伯注，同時還搜集了孟喜、京房、費直的遺說及馬融、荀爽、鄭玄、劉表、宋衷、虞翻等十餘家的注釋。這些材料對我們理解經文的釋義與古代訓詁有很多益處。

《經典釋文》在唐宋頗受重視，五代、北宋時曾進行校勘付印。但宋人對《釋文》多有刪改竄亂。有些經文之注釋改動甚大。宋代還有人把每種經典的釋文附在羣經的注疏本之後，還有把《釋文》全部打亂，將每一詞條附在有關經注之下。現在通行的《十三經注疏》中，《周易》屬前種格式，其餘的則屬後種格式。

目前通行的《經典釋文》本有兩種：一是清代徐乾學刻的《通志堂經解本》，一是盧文弨刻的《抱經堂叢書》本。其中通志堂本有《四部叢刊》本，容易尋求，然在幾次影印中，也多有塡補與改動之處。

㈡《古書疑義舉例》

《古書疑義舉例》是清代俞樾（字曲園）編著的一部系統研究古書文例的重要著作。這部書的編著目的是爲初學古文者掃除語言文字方面的障礙。

全書 7 卷，88 條。其中前 4 卷 51 條，屬訓詁學範圍，後 3 卷 37 條，專門介紹古籍校勘問題。下面簡略概述這部書的主要內容：

1. 指明古代書面語言中的通假現象

該書在卷 1《上下文異字同義例》中指出「古書有上下文異字而同義者」；而在《上下文同字異義例》中則又指出「古書亦有上下文同字而異義者」。

以上條例旨在說明，由於文字的通假，故而出現了上下文雖不相同，但一個是本字，另一個是通假字；反過來，上下兩字雖然相同，但其中一個作本字用，而另外一個卻通假作另外之字。

此外，《古書疑義舉例》中還提出了以「讀若」代本字之條例。如卷 3 中指出：「……凡讀若字，義本得通，故彼此可以假借也。」

2. 指明古籍中同一詞而有相對立的意義。

這就是訓詁學中提及的所謂「美惡同辭」。例如卷 3 即提出了「古者美惡不嫌同辭」之條例。

3. 指明古書中「語急」、「語緩」條例。

例如卷 2 指出：「古人語急，則二字可縮爲一字；語緩，則一字可引爲數字……」。

4. 指明古書中之省略用例。

例如卷 2 中「兩人之辭而省曰字例」、「探下文而省略」。卷四中「反言省乎字例」……。

5. 指出古書中虛字的特殊用例。

例如卷 4 中「語詞復用例」、「上下文變換虛字例」、「助語用不字例」、「也邪通用例」……。

6. 指明古書中語句倒裝之用例。

例如卷 1「倒句例」、「倒序例」、「倒文協韻例」……。

7. 指明古書修辭之用例。

例如卷 3 中「以大名冠小名例」、「以大名代小名例」；卷 1 中「參互見義例」、「錯綜成文例」……。

8. 指出古書衍文、錯字、錯句產生之原因，並說明糾正之方法。

例如卷 5 中「兩字形似而衍例」、「涉上下文而衍例」，「以旁記字入正文例」；卷 6 中「字句錯亂例」，「簡册錯亂例」；卷 7 中「不識古字而誤改例」，「分篇錯誤例」等。

該書分析援引詳博，條理精審，不僅解決了閱讀古書的障礙，而且總結了前人有關訓詁的規律。後人爲此書補作的有如下幾種：

- 劉師培《古書疑義舉例補》
- 楊樹達《古書疑義舉例續補》
- 馬敍倫《古書疑義舉例校錄》
- 姚維銳《古書疑義舉例增補》

1956 年，中華書局將這 5 種書彙集成册，加注標點，合稱《古書疑義舉例五種》，出版刊行。

(三)《讀書雜志》

《讀書雜志》是淸代王念孫（字懷祖）晚年在詳細校閱古籍的基礎上，考辨、訂正古書及其注釋的重要著作。這部著作對《淮南子內篇》、《戰國策》、《史記》、《管子》、《晏子春秋》、《荀子》、《逸周書》、《漢書》、《墨子》等 9 種古籍進行了詳細的考證、校訂，並附以《漢隸拾遺》、《餘編》共 10 種，計 82 卷。

王念孫在這部著作中，對上述古籍及其注釋在文字、音韻、詞彙、語法、標點等方面存在的問題，運用訓詁、考據的方法進行校正、辨析，提出了許多頗有見地的獨到見解。對我們學習、研究古籍有重要的參考價值，對我們進行古籍整理工作也有重要的借鑒意義。下面簡要說明該書的研究成果。

《讀書雜志》這部書所取得的成績是全面的，對訓詁學的貢獻是巨大的，影響也是深遠的。在音韻上主要體現在它注意匯集音義近通之詞語，指明就音求義之途徑，這就為我們釋詞、探索語源提供了方向；而且全書還常用聲訓方式加以釋詞，為訓詁開闢了捷徑，並糾正了前人注釋之缺失；該書還在訓釋連綿詞時，進而指出因聲求義、音通音轉之規律。並於卷46中，列舉了《漢書》注分解連綿詞誤23條，並加以逐一駁正，這對我們理解連綿詞有很大幫助。

在詞彙上，該書注意闡明詞的多義性，並據此糾正古書訓釋中之差誤；另外能從構詞法的角度闡明詞彙組成之方式，為我們辨別詞義、糾正謬誤提供了理論基礎。特別是指出在古代構詞法有單用一字也有疊用兩字，而其用法和意義均相同之現象，很值得引起我們的注意。總之該書能尊重語言本身之客觀規律，精細地辨別詞義，注意從詞義演變規律入手解決問題。

在語法上，能利用語法的規律為古籍校勘、注釋古書服務，並大量糾正前人缺失，從而指明了訓詁與語法之重要關係，特別是該書精確地指出了古今文法與詞性的差異，這就為辨析詞義提供了堅實基礎。例如該書卷4即援引了此類大量實例。

㈣《經義述聞》

《經義述聞》是清代王引之（字伯申）為考辨、訂正古籍及其注釋的重要訓詁著作。這部著作對《周易》、《尚書》、《毛詩》、《周禮》、《儀禮》、《大戴禮記》、《禮記》、《左傳》、《國語》、《公羊傳》、《穀梁傳》、《爾雅》等古籍均有詳細考證與辨析。其中訓釋部分大都敍述其父王念孫之說，故名曰《經義述聞》。另附有《春秋名字解詁》、《太歲考》、《通說》各2卷，總計35卷。王氏父子在這部著作中，訂正了上述古籍中在文字、音韻、詞義、語法諸方面的問題，並運用訓詁學方法進行詮釋，批駁了各種錯誤見解。它對我國傳統訓詁學與古書注釋有很深的影響。略舉數例，以見其精。

在音韻上，這部著作在解釋古書時，常用聲訓，爲訓詁開闢了捷徑，並糾正了前人的注釋錯誤；它也善用聲義相通，音變音轉之理說明詞語之假借現象。

在詞彙上，該書注意從語言實踐出發，總結、歸納新的義項，不僅解決了古書訓釋問題，而且對編纂字典、辭書提供了依據。此外，它還在古書注釋實踐中，歸結出帶有規律性的差誤問題，這就爲我們閱讀、注釋古書提供了參考。《經義述聞》中指出下列幾點：

第一，經文上下兩義不可合解：「經文上下兩義者，分之則各得其所，合之則扞格難通。」

第二，注釋古書切忌增字解經：「經典之文自有本訓，得其本訓則文義適相符合，不煩言而已解，失其本訓而爲之說，則阢隉不安，乃於文句之間增字以足之，多方遷就，而後得申其說。此强經以就我而究本經之本義也。」

第三，後人改注疏釋文：「經典僞誤之文，有注疏釋文已誤者，亦有注疏釋文未誤而後人據已誤之正文改之者。學者但見已改之本，以注釋文所據之經已與今本同而不知其未嘗同也。」

語法上，該書注意辨明虛、實詞之別，發現古虛詞而被後人誤解以實義者，逐一加以糾正。並從理論上指出：「經典之文字各有義，而字之爲語詞者則無義之可言，但以足句耳。語詞而以實義解之則扞格難通」。注意古漢語中的特殊語法現象，其中包括詞序與虛詞重疊用例。同時該書還於注釋實踐中考察出前人因不明語法結構而致誤的帶有規律性的問題：

第一，經傳平列二字，上下同義：「古人訓詁不避重複，往往有平列二字上下同義者，解者分爲二義，反失其指。」

第二，上文因下而省：「古文之文有下文因上而省者，亦有上文因下而省」。

第三，經文數句平列，上下不當歧異：「經文數句平列，義多相類，如其類以解之，則較若畫一，否則上下參差，而失其本旨矣。」

研究方法上：該書在注釋與糾正謬誤時採用了科學方法，即使用了由一般到特殊的推理演繹法與由特殊到一般的歸納法，來解決文字通假與詞義訓詁問題。此外還能以文字，音韻，語法，古代文物制度等辨證統一的方法去考察語言現象，不受某一方面之約束，因而所得之結論是較爲接近實際的。

㈤《釋大篇》

《釋大篇》是王念孫所著的重要訓詁學著作。該著作原爲23篇，現僅存8篇。其中前7篇是羅振玉先生所得王氏遺稿，有王氏自注：後1篇是由王國維從王念孫雜稿中清理出來的草稿，沒有注文。王國維云：「觀王氏諸遺稿，似尙欲爲《釋始》、《釋君》諸篇而未就者。以謂雅詁之繁，固不能一一爲之疏釋，王氏蓋特取《爾雅》首數目釋之，以示聲義相通之理，使學者推而用之而已。」該書取《爾雅・釋詁》：「弘、廓、宏、溥」以下，凡字有大義者，依所隸之字母，匯而釋之。現存見、溪、羣、疑、影、喻、曉、匣八篇，收在《高郵王氏遺書》中，其特點也是採用以音求義方法，求索語言發展的規律，只可惜原稿大半散失，已難窺其原貌了。

㈥《匡謬正俗》

《匡謬正俗》是唐代顏師古（名籀）晚年編著的訓詁學專著。這部專著對羣經注釋及字音、字義均有解釋。顏師古在這部書未曾編竟之時就死去了，唐永徽三年（西元 652 年），由其子顏揚庭將遺稿整理成 8 卷奏於皇帝，得以流傳至今。

這部著作共分兩個部分。前 4 卷 55 條，是重點研究羣經訓詁音釋的；後 4 卷 127 條，專門討論古字中的字義、字音和俗語相承之異。

該書解釋通俗易懂，並注意引述前人的精確意見來批駁某些錯誤觀點，對我們有相當的參考價值。但是應該提出的是，由於局限於當時的學術水平，加之古音學還沒有眞正建立起來，因此顏師古還不可能對古音學有正確的認識，故而促成往往用當時的讀音來論證古音，這正是這本著作的缺欠所在。

㈦《諸子評義》

《諸子評義》又作《諸子平義》，是清俞樾編著的一部實用價值與參考價值較高的訓詁書，35 卷。其中包括《管子平議》6 卷，《晏子春秋平議》1 卷，《老子平議》1 卷，《墨子平議》3 卷，《荀子平議》4 卷，《列子平議》1 卷，《莊子平議》3 卷，《商子平議》1 卷，《韓非子平議》1 卷，《呂氏春秋平議》3 卷，《春秋繁露平議》2 卷，《賈子平議》2 卷，《淮南子內經平議》4 卷，《揚子太玄經平議》1 卷，《揚子法言平議》2 卷。

這部書能從文字、音韻、訓詁、語法等諸方面去考核原書，因而能深得原經文與釋義之眞締。例如：它明確地指出了原書中文字的訛誤、脫誤、衍文；同時還能根據不同版本及其它文獻，指出原文由前人竄改之處，糾正原書注釋中的謬誤；並進而從訓詁角度說明古書中所用之通假字及原文中的倒裝句式……，這於我們認識古書原貌，精確理解原文含義，有很大幫助。

㈧《羣經評義》

《羣經評議》又作《羣經平義》，是清代俞樾（曲園）的又一重要訓詁學著作，35卷。其中包括對各種經書的考據、訓釋、質疑、解析。是一部有相當參考價值與借鑒意義的著述。

該書有《周易》2卷、《尚書》4卷、《周書》1卷、《毛詩》4卷、《周官》2卷、《考工記世室重屋明堂考》1卷、《儀禮》2卷、《大戴禮記》2卷、《禮記》4卷、《春秋公羊傳》1卷、《春秋穀梁傳》1卷、《春秋左傳》3卷、《春秋外傳國語》2卷、《論語》2卷、《孟子》2卷、《爾雅》2卷。

作者針對上述古籍及其注釋中存在的有關音韻、文字、語法、詞義、標點、古代文物制度等方面的問題，進行詳細精確的考證。

㈨《羣經音辨》

宋代賈昌朝編撰。該書的體例是把羣經中一字異義、音同而義異的詞彙聚集爲四類：一是字同音異，二是字音清濁，三是彼此異音，四是字音疑混。然後再根據《經典釋文》列示其音義，加以辨析，使讀者易於尋檢，便於比較，至今仍流傳不衰。

㈩《果贏轉語記》

清代程瑤田編撰。此書所釋範圍雖較窄狹，但其所揭示的音義通轉規律卻適用於一般詞語的訓詁，因此一直受到訓詁學界的重視。《果贏轉語記》分析「果贏」一詞之演變，共有二百多個名稱，無非是一音之轉。因此，作者確認雙聲疊韻之聯綿字，並沒有固定之含義和字形；事物的命名，往往與事物的形狀有關，形狀相同或相似之事物，可以用同一個名稱，而同一個名稱卻不一定用同樣的字，只記其聲音就行了。如瓜果之類叫做「果蠃」，字亦作「果菰」、「苦樓」、「栝樓」；與瓜果形狀相似的細腰土蜂也叫做「果蠃」，字變作「栝螻」、「螻蛄」、「蒲盧」。當然事物當中也有名稱相同而形狀並不相似的，那是社會上約定俗成的結果。總之，事物的名稱是多種多樣的，不能一概而論。

但程氏著此書目的，不在於專釋「果蠃」一詞，而在於借這個詞來闡發音義通轉之理和事物命名之規律。他認爲「聲隨形命，字依聲立，屢變其物而不易其名，屢易其文而弗離其聲。物不相類也，而名或不得不類」是語言中存在的客觀現實與值得注意的現象。

(十)《埤雅》、《爾雅翼》、《毛詩草木鳥獸蟲魚疏》

這三部著作均是訓釋名物的。《埤雅》，宋代陸佃編撰。《爾雅翼》宋代羅願撰，並經元代洪焱祖音釋。《毛詩草木鳥獸蟲魚疏》，三國吳陸璣編撰，已亡佚，目前流傳的本子是後人從《毛詩正義》等書中輯錄出來的，保存了三國以前的名物訓詁，有一定的參考價值。

(土)《恆言錄》

清錢大昕編撰。「恆言」即「常言」，也就是俗語。該書共搜集八百多條，逐一考證其源流及變遷，對漢語詞彙研究與考釋提供了重要資料。清陳鱣有《恆言廣證》，增補了《恆言錄》一書之未備之處，可供參閱。

(主)《通俗編》

清翟灝編纂。全書共搜集俗語五千餘條，詳細說明其源流及變遷，內容比較豐富，對考辨詞義、研究漢語詞彙有參考價值。

其中也存在著不少闕漏與錯訛之處。清代梁同書編有《直語補正》，從某些方面補救了該書的缺失，可供參閱。

（十四）《轉語》

清戴震編撰。此書在於考查語音之通轉，以音求義，爲探明語源開闢一條新路。可惜此書已經亡佚，僅存一序。只是作者的主張由其弟子段玉裁、王念孫等繼承下來，可從段、王之著作中看到《轉語》一書的蹤迹。此書的命名是從《方言》而來。作者將詞語通轉分爲「正轉」和「變轉」兩種，凡同位爲正轉，位同爲變轉。

（十五）《文始》

近人章太炎編撰，是一部探索漢語語源的著作。《文始》將《說文》所載之獨體字稱作「初文」，準獨體字稱作「準初文」，兩者合計共510字。章太炎認爲這些字都是原始的文字，其它字均由這些原始字演變出來的。演變的情況又分爲「變異」和「孳乳」兩種。章太炎繼承並發揚了「以音求義」、「不限形體」的原則，用聲音把意義串連起來，以推求漢字，漢語變異孳乳的來龍去脈，使語言文字的演變規律更加清晰可尋。

（十六）《事物紀原》

宋代高承編纂、明代李果校補。這是一部流傳下來的較早的考證事物起源和沿革的類書。全書共分10卷，55部，1765事。李果於此書之序言中說：「事事物物，皆有本源。不求其源，譬猶睹黃河而不知其出於昆侖也，觀天地而不明其由於渾沌也。欲知其原，或一事載於數書，或一物見於羣議；雖談叟不能遍觀而盡識，總龜不能一覽而無餘。果智不如蛛，以爲一事一物既散見於傳記，自非裒集成書，雖皓首不能涯涘者矣。《紀原》之作，端在於斯。」由上可見，此書編纂的目的在於將散見於羣書中有關事物起源的記敍搜集起來，匯成一書，供人查閱。關於事物起源問題，以前的許多書，如先秦的《世本》、漢應劭的《風俗通》、晉皇甫謐的《帝王世紀》、崔豹的《古今注》、梁宗懍《荊楚歲時紀》、唐張鷟的《朝野僉載》、段成式的《酉陽雜俎》、五代馬縞的《中華古今注》等均有過一些記載。但廣泛搜羅各種事物，「於一事一物，皆考索古書，求其緣起」，《事物紀原》還是第一部。它集中地記錄了我國人民在長期漫長歲月中所創造出來的物質文明和精神文明的成果，爲我們保存了許多有價值的歷史資料。

《事物紀原》將某些具有共同特點的事物排列在一起，冠以總名，構成一部；再把內容相關的若干部、排列在一起，標以卷次。根據《叢書集成初編》本，這部書之卷、部編排如下：

卷一：天地生植部、正朔曆數部、帝王后妃部、嬪御命婦部、朝廷注措部、治理政體部、利源調度部。

卷二：公式姓諱部、禮祭郊祀部、崇奉褒册部、樂舞聲歌部、輿駕羽衞部。

卷三：旗旐采章部、冠冕首飾部、衣裘帶服部、學校貢舉部。

卷四：經籍藝文部、官爵封建部、勳階寄祿部、師保輔相部、法從淸望部。

卷五：三省綱轄部、持憲儲闈部、九寺卿少部、祕殿掌貳部、五監總率部、環衞中貴部。

卷六：橫行武列部、東西使班部、節鉞帥漕部、撫字長民部、京邑館閣部、會府台司部。

卷七：庫務職局部、州郡方域部、眞壇淨社部、靈宇廟貌部、道釋科教部、技術醫卜部。

卷八：舟車帷幄部、什物器用部、歲時風俗部、宮室居處部、城市藩御部。

卷九：農業陶漁部、酒醴飲食部、吉凶典制部、博奕嬉戲部、戎容兵械部、戰陣攻守部。

卷十：軍伍名額部、律令刑罰部、布帛雜事部、草木花果部、蟲魚禽獸部。

每部下列舉具體事物，例如歲時風俗部中就有桃符、鍾馗、觀燈、競渡、乞巧、穿針、登高、文身等四十三條。明代閻敬刊行此書時，在其序言中推崇此書說：「大而天地山川，小而鳥禽草木，微而陰陽之妙，顯而禮樂制度，古今事物之變，靡不原其始，推其自，而詳其實也。」本書搜羅廣泛，諸如天文、曆數、典章、制度、飛禽、走獸、草木，蟲魚以及其他許多事物，全都涉列。由於各條目以類相從，按義排列，故在查某一事物時，先要尋找其部類，然後從部類中去找。

這部書的特點是追溯事物的起源，並探索其命名的由來。它對我們研究民俗學、俗詞源學提供了極其寶貴的資料。此書最常見之版本是 1939 年上海商務印書館據《惜陰軒叢書》本鉛印的《叢書集成初編》本。

清雍正時，納蘭永壽認爲《事物紀原》搜羅之事物還不夠詳備，即所謂「用物宏多，未免掛漏」，於是「拾遺補缺，刪繁掃亲」，給《事物紀原》增補了二百多條，遂定名爲《事物紀原補》。這部書對《事物紀原》體制略有更動，它將正朔部附於天地生植部，命婦公主部附於帝王后妃部，衮帶部附於冠冕服飾部。於是全書始成爲 10 卷 52 部。其所增補之條目分歸於各部之下。該書只是對《事物紀原》作了若干補充，在性質與體制上與《事物紀原》並無多大區別，故此流傳不廣，一般圖書館不易找到。

(十七)《三才圖會》、《圖書編》、《壹是紀始》、《格致鏡原》

這四部書均是明、清兩代追溯事物起源、探究事物命名原由的重要參考書。現分別介紹如下：

《三才圖會》是明代王圻撰，全書共一〇四卷。它匯輯了古書圖譜並加以文字說明，是一部圖文並舉的類書。全書計分天文、地理、人物、時令、器用、文史、鳥獸、草木等十四門。《四庫全書總目》認爲這部書「採摭浩博、亦有足資考核者」；它的缺點是「務廣貪多，冗雜特甚」。

《圖書編》由明代章潢撰，共分一二七卷，它與《三才圖會》一樣，也是圖文並舉。分經義、象緯曆算、地理、人道四類。此書在材料考核、編排體例上較《三才圖會》爲優。

《壹是紀始》爲清代魏崧編著，共二十二卷。全書計分天文、器具、衣服、飲食、俗語紀始等二十二類，每類一卷，卷下又分細目，共一五〇〇則。該書特點是：標目簡明，敍事簡潔、準確。

《格致鏡原》是清代陳元龍所撰，共一百卷。它是宋代以後諸種考源之作中內容廣博，特色鮮明的一部著作。全書分爲三十部，以記載飲食、布帛、舟車、器物以及草、木、蟲、魚等「博物」見長。該書體例謹嚴，條理清楚，並注明引書出處，是我們研究古代文化史、科技史的重要參考書籍。

六、「五四」以來訓詁學專著書目

1 《訓詁學引論》何仲英，上海商務印書館。（1934 年出版）

2 《中國訓詁學史》胡樸安，商務印書館。（北京市中國書

店一九八三年影印）（1937年出版）

3 《訓詁學概要》林尹，正中書局。（1972年3月出版）

4 《訓詁簡論》陸宗達，北京出版社。（1980年出版）

5 《訓詁學要略》周大璞，湖北人民出版社。（1980年出版）

6 《訓詁通論》吳孟復，安徽教育出版社。（1983年出版）

7 《訓詁學》洪誠，江蘇教育出版社。（1984年出版）

8 《簡明訓詁學》白兆麟，浙江教育出版社。（1984年出版）

9 《訓詁學》(上、下)楊端志，山東文藝出版社。（1986年5月出版）

10 《訓詁學綱要》趙振鐸，陝西人民出版社。（1987年4月出版）

11 《訓詁學新論》劉又辛、李茂康，巴蜀書社。（1989年11月出版）

12 《應用訓詁學》程俊英、梁永昌，華東師大出版社。（1989年11月出版）

13 《訓詁學基礎》陳 紱，北京師大出版社。（1990年9月出版）

14 《訓詁學教程》齊冲天，中州古籍出版社。（1992年1月出版）

15 《訓詁學》(上)陳新雄，台灣學生書局。（1994年9月出版）

16 《漢語訓詁學史》李建國，安徽教育出版社。（1986年9月出版）

（馬振亞）

文獻研究叢書・圖書文獻學叢刊 0901Z02

古籍知識手冊（二）古代漢語知識

主　　編　高振鐸
責任編輯　吳家嘉

發 行 人　林慶彰
總 經 理　梁錦興
總 編 輯　張晏瑞
編 輯 所　萬卷樓圖書股份有限公司
臺北市羅斯福路二段 41 號 6 樓之 3
電話 (02)23216565
傳真 (02)23218698

發　　行　萬卷樓圖書股份有限公司
臺北市羅斯福路二段 41 號 6 樓之 3
電話 (02)23216565
傳真 (02)23218698
電郵 SERVICE@WANJUAN.COM.TW
香港經銷　香港聯合書刊物流有限公司
電話 (852)21502100
傳真 (852)23560735

ISBN 978-986-478-621-3
2022 年 3 月再版一刷
定價：新臺幣 560 元

如何購買本書：

1. 劃撥購書，請透過以下郵政劃撥帳號：
   帳號：15624015
   戶名：萬卷樓圖書股份有限公司
2. 轉帳購書，請透過以下帳戶
   合作金庫銀行　古亭分行
   戶名：萬卷樓圖書股份有限公司
   帳號：0877717092596
3. 網路購書，請透過萬卷樓網站
   網址　WWW.WANJUAN.COM.TW

大量購書，請直接聯繫我們，將有專人為您服務。客服：(02)23216565　分機 610

國家圖書館出版品預行編目資料

古籍知識手冊. 二, 古代漢語知識/高振鐸主編. -- 再版. -- 臺北市 : 萬卷樓圖書股份有限公司, 2022.03
　面 ;　公分. -- (文獻研究叢書. 圖書文獻學叢刊 0901Z02)
ISBN 978-986-478-621-3(平裝)
1.CST: 漢學 2.CST: 古籍 3.CST: 漢語

032　　111003088